15

C000097541

ESTADO-NACIÓN Y GLOBALIZACIÓN

DANIEL GARCÍA DELGADO

ESTADO-NACIÓN Y GLOBALIZACIÓN

Fortalezas y debilidades
en el umbral del tercer milenio

Ariel

Diseño de cubierta: María Inés Linares
Diseño de interior: Alejandro Ulloa

Segunda edición: abril de 2000

© 1998, Daniel García Delgado

Derechos exclusivos de edición en castellano
reservados para todo el mundo:
© 1998 Compañía Editora Espasa Calpe Argentina S.A. / Ariel
Independencia 1668, 1100 Buenos Aires
Grupo Planeta

ISBN 950-9122-58-0

Hecho el depósito que prevé la ley 11.723
Impreso en la Argentina

A Floreal Forni, que me mostró un camino.

*A mis hijas, a quienes les ha tocado en suerte
un padre intelectual y obsesivo.*

A Guadalupe, la linda.

INTRODUCCIÓN

Más que un debate ideológico (Estado vs.
mercado) o un simple análisis de coyuntura, lo que se necesita es reconstruir
un marco interpretativo de la nueva realidad social.
NORBERT LECHNER, 1997

Los Estados-nación están debilitándose en la medida que el
proceso decisional deviene ya local o global.
NACIONES UNIDAS, 1994

La globalización se ha vuelto casi un lugar común en la justificación
de cualquier medida o en la interpretación del cambio que se produce tanto en la esfera pública como en la privada. Su difusión parece derivar de
la propia capacidad de explicar la fuerza operante de un sinnúmero de
transformaciones que se producen e impactan la vida cotidiana con singular dureza.

La globalización aparece como el tema de análisis más relevante de las
ciencias sociales de fines de los 90. La frase clave que se repite en todos los
foros hace alusión a "los desafíos que nos plantea la globalización" y, a la
vez, aparece como justificativo de las principales políticas públicas a adoptar por muy antipopulares o dolorosas que éstas puedan ser. Esta gravita-
ción se ejerce en una situación en la que asistimos a una suerte de cambio
incesante: "estructural", "de época", "civilizatorio" o de "metamorfosis de
la sociedad", y cuya velocidad parece superar la capacidad de los científi-
cos sociales para conceptualizarlo.

De allí que surjan interrogantes para abordar este cambio y su relación
con la globalización: ¿cómo entender transformaciones que se suceden en
todos los planos de la relación Estado-sociedad, sin remitir a una mirada im-
pregnada de economicismo? ¿Desde qué disciplina arrojar luz sobre un fenómeno que aparece tan determinante como complejo? Y al mismo tiempo
¿cómo evitar un enfoque que constituya a la globalización en una variable
independiente, omniexplicatoria y reductiva?

Estas múltiples transformaciones requieren diversificar miradas para dar cuenta de las variadas interrelaciones entre lo global y lo local, lo público y lo privado, lo individual y lo comunitario, la ganancia individual y el bien común, el conflicto y la construcción de consensos, los cambios culturales, la pobreza y violencia urbanas. También aluden a la necesidad de analizar cómo pueden prefigurarse estas tendencias hacia el futuro y, sobre todo, de cómo poder actuar sobre ellas.

Precisamente este carácter multidimensional de la globalización que se presta a diversas interpretaciones, resalta la necesidad de una indagación que pueda realizarse desde una perspectiva integradora y transveral. Lo cual nos lleva al concepto de crisis, no sólo del Estado de bienestar sino también del Estado-nación. Es decir, si la primera hace referencia a la crisis fiscal, al desbalance en la relación entre recursos y gastos para seguir financiando al Estado providencia, a los problemas derivados del intervencionismo y a la burocratización, la segunda alude a la interdependencia creciente entre los países, a la pérdida de soberanía política y de capacidad para regular autónomamente una economía que se vuelve sin fronteras.

¿Esta crisis presupone el fin del Estado-nación como creen algunos autores (Omahe, 1996)? El hecho de que aumenten los problemas que no puede resolver dentro de sus fronteras, ¿requiere de la construcción de una democracia cosmopolita, como argumenta Held (1997)? ¿O lleva a la configuración de otra polis posmoderna, la de los Estados-región? Lo cierto es que el Estado-nación está cuestionado tanto por arriba (lo supranacional) como por abajo (lo local). La *polis* de la modernidad se debilita en su autoridad y capacidad de control por los embates de una globalización de carácter multidimensional. Y esta constatación se transforma en un desafío para pensar no sólo más allá de las representaciones forjadas al calor del industrialismo sustitutivo, del Estado de bienestar y de la sociedad de masas, sino para pensar más allá del Estado-nación (Habermas, 1997).

De allí que este libro se proponga construir un marco interpretativo de la nueva realidad que permita comprender las transformaciones contemporáneas y desprender propuestas para incidir en este cambio. Se trata de distinguir cuáles son las fortalezas y debilidades de la Argentina en el umbral del tercer milenio y de advertir, asimismo, cuáles son las amenazas y oportunidades que se le presentan.

Por ello nos proponemos analizar el impacto del proceso de globalización en tres dimensiones: la primera, vinculada a los cambios que se registran en el Estado en los niveles central, subnacional y supranacional, o cómo se revalorizan los niveles locales y se configura el nivel regional. La segunda, relativa a la nueva conflictividad emergente, que se expresa como crisis de representación en el sistema político, fragmentación y exclusión en el campo social, así como pérdida de sentido e identidad en el cultural.

La última dimensión está vinculada a dos problemas de significativa importancia: el de la articulación del Estado con una sociedad civil más diferenciada y fragmentada, y el de la gobernabilidad democrática en una situación donde la política tiene menos poder y parece quedar subordinada a los poderes económicos.

En la primera parte, *La redefinición del Estado,* se muestra la superación del proceso hiperinflacionario con la Reforma I del Estado hasta el inicio del desempleo estructural a mediados de los 90. El análisis de este proceso junto con la Reforma II se realiza tomando en cuenta sus distintas etapas, haciendo un balance de las mismas y abriendo el debate sobre lo que viene: sobre el rol del Estado en la etapa de la posprivatización.

En *La revalorización de lo local* se indaga sobre el proceso de descentralización que lleva a un dinamismo creciente en el nivel subnacional del Estado. Los nuevos escenarios locales muestran municipios con mayores competencias y orientaciones al desarrollo local. Se revela aquí una nueva realidad que no sólo abre espacios novedosos de gestión y participación ciudadana sino que también genera interrogantes sobre si estas posibilidades quedarán a disponibilidad sólo de algunas ciudades.

Por último, en *La construcción de la región* se analiza la globalización como generadora de la crisis del Estado-nación pero, al mismo tiempo, promoviendo la constitución de regiones, la transición hacia una comunidad política novedosa de carácter supranacional: la de los bloques o Estados-región. Para ello se investiga sobre la evolución histórica del MERCOSUR, y se muestran las alternativas que enfrenta su orientación futura.

La segunda parte analiza la conflictividad que enfrenta el Estado, distinta a la de la sociedad industrial y de clases. En *Crisis de representación* se indaga sobre una situación paradójica, ya que si bien la democracia se encuentra consolidada, los partidos y diversas instituciones de mediación atraviesan por una etapa de cuestionamiento y desvalorización. ¿Esta crisis es coyuntural o constituye un dato estructural? ¿Es producto de la democracia delegativa o un síndrome más amplio de las nuevas sociedades posindustriales y posmodernas? Para responder a estos interrogantes se trabaja sobre los factores de la crisis y los rasgos del nuevo modelo representacional en gestación: la "democracia de lo público".

En *Fragmentación y exclusión social* se analiza la fractura producida entre economía y sociedad y la emergencia de una nueva cuestión social (desempleo estructural, vulnerabilidad, criminalidad) y el rol del Estado en la integración, tomando en cuenta los distintos diagnósticos del desempleo y el nuevo paradigma de política social. Se abre así el debate sobre la posibilidad de desarrollar una orientación en favor de la integración, o si inevitablemente se va hacia una situación de naturalización de la exclusión y del dualismo y, por lo tanto, con aumentos crecientes de la segmentación e inseguridad.

En *Pérdida de sentido, de identidad y de eticidad,* se muestra la erosión de las representaciones que sustentaban la modernidad y el Estado-nación desde la era industrial. Una cultura igualitaria, holística, impactada por la concepción neoliberal de individualismo competitivo y por una cultura de mercado que lleva al consumismo, a la privación relativa y a la crisis de las anteriores identidades políticas, sociales y nacional así como a la desaparición de la ética social del Estado benefactor. En este marco se plantea la necesidad de reconstrucción de una ética social configurada comunicativamente.

En la tercera parte se trabajan dos problemáticas que aparecen como cruciales a fin del milenio: la de la sociedad civil y la de la gobernabilidad democrática. En *La articulación del Estado con la sociedad civil,* ésta aparece como contrapartida del retiro del Estado interventor y se describen las características de la misma a través de categorías como tercer sector, redes, público-privado, y se muestran distintas opciones sobre qué significa su fortalecimiento hacia fin de siglo.

En *Gobernabilidad y vulnerabilidad* se trabaja sobre una nueva situación, ya que si bien se considera que la democracia está consolidada, a la vez, la tarea de gobernar se hace cada vez más difícil y compleja. El proceso de globalización plantea serias dificultades de conducción y coordinación, tanto por la creciente diferenciación de los diversos subsistemas como por la agregación de demandas contradictorias externas e internas. O, en todo caso, ¿cómo lograr gobernabilidad cuando las fronteras entre política nacional e internacional se diluyen, cuando los consensos nacionales son frágiles y mediáticos y cuando los poderes del mercado y los trasnacionales se vuelven tan determinantes?

*   *   *

Quiero expresar mi agradecimiento a diversas personas e instituciones que colaboraron en la elaboración de este libro. El mismo no hubiera sido posible sin una tarea de equipo, en especial del Area de Estado y Políticas Públicas de FLACSO. Agradezco por ello muy especialmente a Daniel Arroyo, a Gabriel Katopodis y a Gabriel Nardacchione por sus sugerencias, correcciones y críticas.

Este trabajo también es fruto de una labor de investigación y docencia realizada en diversas universidades y de intercambio con distinguidos colegas y especialistas. Mi reconocimiento pues a Juan M. Abal Medina (FLACSO-México), Claudio Iglesias (UBA), Alberto Quevedo (Area Comunicación-FLACSO), Pablo Cifelli (UBA), Mónica Cingolani (Universidad Católica de Córdoba), Martín Campos (Relaciones Internacionales-FLACSO), Carlos Eroles (UBA), Ricardo Arbarellos (UBA), Gabriela Molina (Universidad de la Matanza), Claudio Lozano (ATE), Hilda Kogan, titular de la cátedra de Estado y Sociedad del CBC (UBA) y a su personal docente.

Del mundo de las Organizaciones No Gubernamentales debo un particular agradecimiento a Néstor Borry y Betty Ballario (Nueva Tierra). También a los participantes de diversos cursos de grado y posgrado, en especial a los de la Maestría en Ciencias Sociales de la Universidad de Cuyo (Mendoza), a los de la Cátedra de Teoría Política Contemporánea de la UBA y de la Universidad Católica de Córdoba.

Quiero resaltar asimismo el apoyo institucional del CONICET y del personal de la FLACSO para la realización de esta investigación y particularmente de las bibliotecarias, Cecilia Corda y Jimena García Delgado.

Quiero destacar mi agradecimiento a Alberto Briozzo y a mis dos "ángeles": de corrección de estilo, Sebastián Politti, y de corrección técnica, Sergio De Piero.

Al editor Leandro de Sagastizábal, de Planeta, por su comprensión en el estiramiento de los "tiempos" del investigador, habitualmente conflictivos con el proceso editorial.

A la significativa colaboración de Silvia Gojman y Raquel Gurevich para una orientación más pedagógica y clara del texto.

Y a Daniel Filmus, por su permanente apoyo.

PARTE I
LA REDEFINICIÓN DEL ESTADO

Este proceso de globalización, caracterizado por la interdependencia creciente entre los países a nivel mundial, por el cambio en las formas productivas fordistas a posfordistas, y por el predominio del sector financiero, tiene un impacto profundo en los Estados nacionales. En un sentido porque coincide con la crisis del Estado de bienestar, con el debilitamiento de su capacidad de integración social vía distribución, pleno empleo y reducción de su capacidad de regulación de una economía desnacionalizada. Y esto es particularmente evidente en las sociedades en desarrollo como las de América latina porque, por un lado, el endeudamiento y las condicionalidades externas de los organismos internacionales de crédito las impulsa a redefinir de manera drástica y abrupta los niveles de actuación del sector público, tanto a nivel nacional como subnacional, y a generar el regional. Y, por otro, porque este cambio de roles y modalidades de la gestión estatal se produce en un proceso reformista de marcada ruptura con lo anterior (Consenso de Washington).

1

GLOBALIZACIÓN Y CRISIS DEL ESTADO-NACIÓN

> *El Estado-nación y su soberanía sufren una doble erosión. Por una parte, desde afuera, las fuerzas y procesos de la transnacionalización. Por otra parte, en el interior, la descomposición económica, la disolución social, la desestabilización política, y la segmentación de las sociedades y Estados nacionales en los niveles regionales y locales. En esta erosión del Estado y de su soberanía convergen las coordenadas externas del sistema con las internas.*
>
> MARCOS KAPLAN, 1997

Las transformaciones ocurridas en la sociedad argentina en los últimos años, particularmente a partir del Plan de Convertibilidad, hablan del cruce de un umbral. De un cambio estructural producido por el pasaje del Estado de bienestar o desarrollista, constituido desde los 40 en adelante, al neoliberal, privatizador o postsocial.

Este cambio ha dejado atrás al Estado que comenzó a configurarse a partir de la crisis del 30 y que tomó fuerza en la posguerra: el denominado Estado social (de bienestar) con sus distintas etapas y regímenes: nacional-popular, desarrollista y burocrático-autoritario. Este Estado trazó una particular relación con la sociedad en términos del modelo de acumulación (industrialismo sustitutivo), de legitimación ("movimientista"), de articulación de intereses (neocorporativo), de acción colectiva (movilización de masas), y cultural (igualitaria o estatalista).[1] En términos de otra conceptualización politicológica, se puede decir que se trató de la configuración de la matriz estadocéntrica (la MEC), la cual va a verse en crisis a mediados de los 70, asociada a factores como la alta inflación, la pugna distributiva y la crisis del petróleo.[2]

Pero, en realidad, no sólo asistimos a la crisis del Estado de bienestar y al intento neoliberal de su reformulación, sino paralelamente, a la crisis del Estado-nación. Si bien ambas están vinculadas, la segunda hace alusión a tres fenómenos simultáneos: erosión de su autonomía e independencia decisional, paulatina pérdida de la capacidad de integración social y debilitamiento en la configuración de identidades y solidaridades amplias.

En lo que sigue, intentaremos ver cuáles son las limitaciones que ponen en crisis a este actor central de la política y de las relaciones internacionales de los últimos dos siglos, así como explicitar sus nuevas tareas y conflictos. En segundo lugar, indagaremos sobre las tendencias principales que caracterizan al fenómeno de la globalización y su impacto sobre el Estado, particularmente en Argentina y América latina, para distinguir, por último, globalización como proceso y como ideología.

A. LOS LÍMITES DEL ESTADO

El Estado-nación como actor soberano o autónomo por excelencia de las relaciones internacionales de los últimos tres siglos ha entrado en crisis. La estructura decisional y su soberanía son sometidas a presiones por ambos lados: "desde arriba", cuestionada por instituciones supranacionales, y "desde abajo", jaqueada por los localismos. Señala J. C. Scannone que el término "globalización" dice más que el de "internacionalización" o "multinacionalización", porque no se trata sólo de un acrecentamiento de las relaciones económicas, financieras, culturales y políticas entre las naciones, un simple aumento cuantitativo de algo que siempre ya ha existido. "Tampoco se trata de que ahora esas naciones son muchas o casi todas, o que las empresas se han hecho multinacionales. Se trata de un cambio cualitativo que involucra la puesta en cuestión del mismo concepto y vivencia de nación, como la concibió la modernidad, identificada con el Estado moderno soberano. Este está en crisis, asediado por arriba y por debajo".[3]

En cierta forma, la idea de soberanía se remonta incluso más allá de la emergencia del moderno Estado-nación ya que hace referencia a la defensa del señor feudal frente a adversarios regionales o al poder del Papa. La soberanía nace como un concepto excluyente y rígido. Con la formación de los Estados modernos, la potestad soberana se mantiene como atributo del nuevo sujeto político, en un contexto diferente y más dinámico.[4]

Pero en los últimos 20 años esta referencia última de la comunidad política comienza a ponerse en cuestión desde diversos planos. Por el aumento de las organizaciones internacionales así como por la presencia de nuevos problemas no resolubles ya en el marco de sus fronteras: medio ambiente, flujos migratorios, terrorismo, interdependencia económica crecientes, y por los flujos económicos especulativos de corto plazo. Por ello, si desde una visión de la historia de larga duración, en el siglo XIV el capital comercial comenzó a desestructurar en Europa el modelo descentralizado del feudalismo (Estado-feudo), configurando las bases para una dinámica centralizadora del moderno Estado-nación y erosionando el mundo estamental, orgánico-comunal basado en lealtades personales y sustituyéndolo por los Estados de derecho (el cual entre nosotros se constituyó a mediados del siglo pasado con la organización nacional y el proyecto alberdiano), ahora el capitalismo global promueve un nuevo proceso de "destrucción creativa", propiciando las bases para la configuración de una polis novedosa de unidad territorial y poblacional más amplia y de carácter supranacional: los Estados-región.

Esta crisis del Estado-nación permite distinguir distintas formas de Estados (o comunidades políticas) que se fueron sucediendo desde la antigüedad hasta nuestros días: la ciudad-Estado (Atenas) y el Estado-imperio (Roma) en la Antigüedad; el Estado-feudo en la Edad Media y el Estado-nación en la Modernidad, en sus distintas configuraciones (absolutista, liberal, democrático, social y neoliberal). Ahora bien, en la posmodernidad se estaría produciendo la transición hacia un nuevo tipo de comunidad política, la del Estado-región o supranacional: los bloques. Esto no implica, sin embargo, la desaparición del Estado-nación, sino su integración paulatina en polis más amplias.[5]

Los nudos constitutivos de la construcción político-histórica conocida como Estado-nación estuvieron anclados en las ideas de soberanía irrestricta, de interés nacional, de homogeneidad social y de centralidad de lo estatal. El concepto de soberanía se acuñó en el siglo XVI para dar cuenta del ejercicio del poder en un proceso que tendía a disolver el de dos grandes potencias universales de la Edad Media, la Iglesia y el Imperio. Un ejercicio del poder político y del poder del Estado, que tenía como una de sus funciones fundamentales la de conciliar poder y derecho, esto es, legitimar, de acuerdo a Weber, el "monopolio de la fuerza", rasgo sustancial del Estado moderno, no eludible por ningún individuo, grupo o corporación del territorio en que se ejerce y no sometido a ningún poder externo.

Pero en los últimos años las políticas de "fronteras abiertas" y exaltación de los mercados y de la competitividad conflictúan ese cuadro. Michel Albert habla de una nueva "revolución" asociada a la globalización que emularía el impacto que tuvieran con anterioridad la francesa, la industrial y la socialista.[6] Un cambio en el cual se desestructuran tanto las representaciones basadas en el sujeto y en cierta concepción lineal y progresiva de la historia, como la capacidad del Estado para actuar sobre su propio territorio, dado que ahora no puede fijar tan libremente sus tasas de cambio o su política salarial o laboral, porque la competencia lo lleva a cuidar inversiones que, de lo contrario, elegirían países vecinos para instalarse.

Si desde la posguerra fueron las progresivas demandas del ambiente societario interno las que orientaron las decisiones del Estado keynesiano o de bienestar, actualmente este condicionamiento sistémico se origina crecientemente en el ambiente internacional. Esta nueva realidad condiciona la autonomía política de esos Estados, limitados en su toma de decisiones por la presencia de demandas externas tanto o más influyentes que las que expresa su propio sistema societal.[7]

Limitaciones a la soberanía

En un contexto en el cual cobra un rol fundamental la inversión externa directa (IED), los países compiten por atraer capitales para poder equilibrar sus cuentas. Los Estados buscan aparecer como más "atractivos" para la inversión extranjera y se ven obligados a rivalizar para atraer el máximo de inversiones directas de América del Norte, Europa o Japón, aumentando las consecuencias negativas del fracaso y exagerando los efectos positivos que a largo plazo produce el éxito aperturista.[8] Se produce un círculo vicioso que refuerza la asimetría entre los países que exportan capital y los que necesitan importarlo imperiosamente. Al ser tan intensa la competencia, los capi-

Cuadro 1

La configuración de la Comunidad Política

	Antigüedad Ciudad-Estado	Medioevo Estado-feudo	Modernidad Estado-nación	Posmodernidad Estado-región
Etapas	Polis ateniense Imperio Romano (IV a.C.-V d.C.)	Imperio (VIII) Medioevo Renacimiento (XIV)	Estado absoluto Liberal (XIX) Social (EB) (XX) Soberanía absoluta	Bloques regionales (fines del siglo XX) Soberanía restringida
Ciudadanía	Limitada-esclavitud	Súbdito (siervo de la gleba)	Nacional (política y social)	Política, social y posmaterial (cultural) Supranacional
Administración	Magistrados tradicionales	Patrimonial	Burocrática Racional Moderna	Gerencial- tecnocrática
Tipo de sociedad	Agraria Patriarcal	Tradicional Estamental	Moderna Industrial Clasista	Posmoderna De servicios, del conocimiento Nuevas élites técnicas

tales se hacen cada vez más exigentes, demandando todo tipo de prebendas (tasas de interés por encima de las internacionales, libertad amplia de remesas, exenciones de impuestos, subsidios, reducción en los costos de los transportes, del trabajo y sus derechos).[9] Se debilita así la capacidad de control, de asignación y de distribución de los Estados y ello es particularmente evidente en los periféricos.[10]

La intensificación de las interacciones regionales y globales erosiona la distinción entre asuntos internos y externos, entre política doméstica e internacional. Esto presupone un grado de interdependencia creciente entre los distintos países, pero de carácter asimétrico, dado que la trasnacionalización de los grupos financieros y de las empresas y el papel relevante adquirido por las agencias de crédito implica una limitación importante de la autoridad estatal en favor de los mercados, así como la influencia gravitante del gobierno norteamericano (Strange, 1995). Este proceso se acentúa por las características del modelo económico surgente de estas reformas, que lo hacen muy dependiente de los flujos financieros externos. Y todos estos fenómenos comienzan a relativizar la noción de frontera, quitan al Estado alguna de sus prerrogativas, reduciendo su margen de acción y consagrando el reino de la empresa-red internacional, lo cual acarrea una crisis profunda del Estado-nación que ve su autoridad cada vez más impugnada por el mercado mundial.

Por eso lo decisivo para los países en desarrollo va a ser el rol que tienen los organismos internacionales en la orientación de sus programas. El endeudamiento genera crecientes condicionamientos desde fines de los 70 y los organismos internacionales no sólo imponen condiciones de ajuste para posibilitar el pago de la deuda y equilibrar las cuentas fiscales sino que comienzan a pautar la política económica, las políticas sociales y de reforma institucional, y esto cambia la estructura decisional del Estado nacional, porque ya no hay política pública de significación que no sea monitoreada, financiada o controlada por algún organismo internacional. Y, además, porque los organismos tienen una creciente influencia sobre los gobiernos fuertemente endeudados, ya que son éstos los que deciden sobre el grado de endeudamiento a que están autorizados, y si consideran que este grado está superado cortan la confiabilidad, lo cual puede producir retiro de capitales y una potencial desestabilización.

La globalización muestra en positivo la generalización en los últimos 20 años de los regímenes democráticos a nivel mundial, así como la expansión del ethos de los derechos humanos. Pone en crisis regímenes autoritarios de diversas especies, dictaduras militares, Estados socialistas, regímenes teocráticos que se han derrumbado en dirección a instituciones de democracia liberal constitucional.[11] Y este fenómeno global de transiciones a la democracia ha sido impulsado por ideales asociados con el régimen democrático, pero está vinculado también al predominio económico de inversores, grandes firmas, organismos internacionales y naciones centrales que condicionan a estos regímenes democráticos, que reducen su poder político promoviendo democracias crecientemente formales y apatía en los públicos.[12]

Porque la democracia, frente a esta globalización, debe hacer frente a dos fuerzas que presionan sobre ella: la concentración de la riqueza, del ingreso, de los stocks y de los flujos, y el poder que de esa concentración emana, y los embates de la globalización en una doble acepción: en el plano de las ideas, por una suerte de "pensamiento único", y en el de las decisiones concretas, por el modo en que se producen los flujos de capital y la impotencia de los Estados frente a la libertad creciente de acción que tienen las empresas que operan en este mundo. La fuerza del economicismo dominante es tal que se obliga al Estado a ser administrado como si fuera una firma, mientras que éstas se atribuyen un número cada vez mayor de prerrogativas que anteriormente incumbían al Estado.

Del primero de los embates –el de la concentración de la riqueza y del ingreso–, dice Lavagna, emana un reemplazo progresivo de la voluntad que surge del voto de las urnas por una especie de voto calificado que objetivamente discurre e impone su presencia por otros canales. Lo que surge del segundo –el de la hegemonía ideológica neoliberal, o el denominado "pensamiento único"– es un progresivo debilitamiento del Estado-nación y de la política, una limitación tan fuerte que el mismo estaría siendo reemplazado por una suerte de "Estados municipales", porque su capacidad de operar tiene que ver con un conjunto de variables y restricciones mucho mayor que el que habitualmente tenía la polis de la modernidad.[13]

Ello se refleja en los cambios que se observan en la política nacional, dado que tanto los partidos como sus líderes se encuentran acotados en su capacidad de acción: la densidad y complejidad que adquieren los problemas sociales y económicos, y los condicionamientos que imponen actores externos en un contexto de globalización, además de los agentes económicos locales altamente concentrados, actúan como restricciones que limitan las alternativas a disposición de los líderes políticos. Esto se completa con una fuerte dependencia respecto de los saberes técnicos, principalmente económicos, y consecuentemente respecto de los depositarios privilegiados de los mismos, que conforman una tecnoburocracia de nuevo tipo y con complejas vinculaciones con el mundo de la política (Cheresky, 1997).

Debilitamiento de su capacidad integradora en lo social

El capitalismo desregulado o "desorganizado" favorece la concentración económica y el crecimiento de las desigualdades, el desanclaje de las condiciones de prosperidad de las élites de las de los asalariados. Debido al doble movimiento que producen la crisis fiscal y el endeudamiento, el Estado se retira de lo social y de lo productivo y apura una reconversión tecnológica que flexibiliza y margina una parte significativa de la población por no tener las capacidades para insertarse. El empleo deja de ser el gran integrador de la sociedad, configurando, por tanto, este proceso sociedades duales o débilmente integradas. Como dice Tarso Genro, "los fenómenos centrales que caracterizan la planetarización de todas las relaciones, o sea la mundialización de la economía y la concentración del capital, están rompiendo la cohesión social interna de la mayoría de los países".[14]

Las fórmulas teóricas que han intentado sintetizar esta tensión hablan de procesos de inclusión política con exclusión social (Calderón y Dos Santos, 1995); de la inevitable inserción a la economía globalizada pero con un costo de fragmentación social interna. La mundialización de la economía no involucra uno u otro grupo social, dice Norbert Lechner, sino que abarca de modo diferenciado al conjunto de la sociedad. Es la sociedad entera –deliberada o involuntariamente– la que se ve arrastrada e incorporada a la competencia mundial. Por consiguiente, la reorganización y la integración de la sociedad devienen un factor decisivo para lograr una competitividad sistémica. El problema es que las estrategias de globalización generan pérdida de integración interna.[15] Y esta situación da lugar al surgimiento de una nueva cuestión social, distinta a la del surgimiento del industrialismo y del movimiento obrero, caracterizada por el desempleo estructural, la precarización, exclusión e inseguridad urbana creciente.

Reducción de la capacidad de identificación político-cultural

Junto con la pérdida de los mapas cognitivos y las certezas que constituyeran la ciudadanía en los anteriores modelos de Estado, el Liberal y el Social, se produce una menor influencia de lo estatal en la cultura, con una ampliación del espacio del mercado y de las industrias culturales. Una homogeneización de las culturas juntamente con la pérdida de enraizamiento en los propios valores e identidad nacional, la "estandarización" y uniformación de muchas pautas culturales en la que se ha denominado la cultura de los Mac Donald's, al tiempo que se refuerzan las identidades locales y supranacionales. El debilitamiento de las anteriores áreas de solidaridad política, ideológicas y laborales ponen en dificultad al Estado para legitimar políticas, para concitar adhesiones, por la disminución de la identificación ciudadana en el ámbito nacional. Y porque toman cuerpo tendencias a los localismos, a configurar grupos de referencias más cercanos que pueden derivar también en el marco de una fuerte presión del mercado de trabajo en fundamentalismos y xenofobia.

Es el impacto sobre valores y representaciones de una época de cambios acelerados, donde el signo de la contemporaneidad es la aceleración de los tiempos y el creciente individualismo. Porque no sólo se trata de una época de grandes cambios, sino de un cambio de época, donde lo viejo se derrumba y lo nuevo no alcanza a aparecer, lo cual tiñe la existencia de un sentimiento dominado por el malestar difuso y la incertidumbre. Las certezas conquistadas por la Modernidad son socavadas por la turbulencia de los cambios que desnudan las limitaciones de la comprensión humana para entender lo que está sucediendo así como avizorar las tendencias a futuro.[16] Y este aumento del dinamismo del cambio económico-tecnológico y cultural, genera una crisis de los mapas cognitivos previos, provocando no sólo que la nuestra sea caracterizada como la era "del vacío" –de acuerdo a Lipovesky–, de pérdida de fundamentos, sino que también lo sea, por la disolución de la comunidad homogénea, nacional o patriótica, la de "la pérdida del nosotros".

B. LA GLOBALIZACIÓN COMO FENÓMENO MULTIDIMENSIONAL

Ahora bien, esta crisis del Estado-nación se vincula a un proceso universal de características multidimensionales denominado globalización, que se origina en cambios de orden tecnológico y económico, que tienen como puntos de referencia la crisis del dólar en 1971 y la del petróleo en 1973. Esta última volvió prioritario utilizar materiales sintéticos para reemplazar las materias primas estratégicas y buscar formas de producción que insumieran menos energía. El nuevo paradigma tecnológico se conformó en torno a la microelectrónica y posibilitó el abaratamiento de la información. El resultado fue que las nuevas formas de producción requerían más información y menos contenido de energía, materiales y mano de obra.[17]

La globalización significa el aumento de la vincularidad, la expansión y profundización de las distintas relaciones sociales, económicas y políticas, la creciente interdependencia de todas las sociedades entre sí, promovida por el aumento de los flujos económicos, financieros y comunicacionales, y catapultada por la tercera revolución industrial o "tercera ola", que facilita que estos flujos puedan ser realizados en tiempo real. Esto quiere decir que un operador de bolsa puede operar simultáneamente en todos los grandes mercados de capital del mundo y durante las 24 hs, así como transferir electrónicamente órdenes de compra o venta. Y este último punto resulta clave para diferenciar la actual etapa de anteriores de internacionalización económica.[18]

En su dimensión económica la globalización puede ser entendida como una nueva fase de expansión del sistema capitalista que se caracteriza por la apertura de los sistemas económicos nacionales; por el aumento del comercio internacional; la expansión de los mercados financieros; la reorganización espacial de la producción, la búsqueda permanente de ventajas comparativas y de la competitividad que da prioridad a la innovación tecnológica; la aparición de elevadas tasas de desempleo y el descenso de niveles históricos de remuneración; y la formación de polos económicos regionales (López, 1998).

Algunos de los aspectos constitutivos de esta compleja realidad estriban en el impacto de la nueva revolución tecnológica que impacta en el desarrollo de las telecomunicaciones y facilita el masivo transporte aéreo de personas y del turismo de masas pero ahora a nivel mundial. Pero no sólo los mercados globales y las redes computacionales atacan la primacía de los Estados, sino también el tráfico de armas, el narcotráfico, los flujos migratorios, los problemas de medio ambiente cuya posible solución supera las fronteras territoriales y requiere de cooperación e interdependencia. La globalización limita las opciones de los actores nacionales, sean éstos países ricos o pobres, si bien en distinta magnitud para cada uno de ellos.[19] Todo esto supone una novedosa compresión tiempo-espacio y una mayor complejidad del escenario de fin de siglo. Casi podríamos hablar de una simultaneidad de tres tendencias: la de interdependencia creciente entre todos los países (la Aldea global), la transición hacia formas productivas posfordistas, y la hegemonía del capital financiero.

Creciente interdependencia entre los distintos países

Este proceso se acrecienta a partir de la caída del muro de Berlín (1989), porque el colapso del paradigma socialista modifica el mundo de la posguerra y comienza a estructurar una geopolítica distinta a la configurada por el conflicto este-oeste, la bipolaridad y el "equilibrio del terror". Consecuencia de ello es no sólo la emergencia de un capitalismo triádico (NAFTA, CEE y Japón), sino que la democracia liberal se convierte en el sistema de legitimación del Estado a nivel mundial y la economía de mercado en su correlato económico.

Dicha interdependencia deriva de la misma complejidad de la escena internacional, por el aumento exponencial de los grupos de interés y de los organismos que se mueven a escala trasnacional por temas que van desde la defensa de derechos humanos (Amnesty International), ambientales (Greenpeace, etc.) hasta de lucha contra la corrupción (Transparency International), así como también por el crecimiento cuantitativo y cualitativo de problemáticas de difícil resolución dentro de estos límites territoriales (por ejemplo, problemas ecológicos, droga, terrorismo). También las Naciones Unidas adquieren otro rol, en el cual el principio de no intervención en los asuntos internos de un país –anteriormente no discutido– comienza ahora a relativizarse frente a la importancia que se le asigna a la preservación de los derechos humanos.[20]

Finalmente, otro foco de globalización lo constituye la Organización Mundial del Comercio (OMC), que promueve la desregulación del comercio, las telecomunicaciones, la banca, los seguros y las barreras tarifarias para informática. Lo cierto es que el proceso de globalización modifica el paradigma vigente en las relaciones internacionales que confería a los Estados-nación el carácter de actores centrales y predominantes del sistema. Estos pasan a constituir sólo una parte –si bien de suma importancia– de un sistema mayor que gradualmente adquiere vigencia: el sistema global (Moneta, 1994). En interacción con el sistema internacional, surge un sistema "multicéntrico", constituido por actores subnacionales y trasnacionales dotados de objetivos y medios de acción propios que adquieren creciente autonomía.[21]

Y así como surgen empresas globales y una élite de *managers* trasnacionalizados, también, para el funcionariado público y para los técnicos el espacio nacional ya no es más el horizonte último de sus expectativas de realización profesional. Un organismo internacional puede ser y casi debe ser la culminación de una carrera o el trampolín para un puesto más significativo a su retorno. Las ideologías y teorizaciones que dan apoyo al modelo neoliberal remiten a elaboraciones concebidas desde estos organismos. Esta orientación supranacional parece ser una tendencia irreversible que transforma la anterior burocracia nacional en términos de tecnocracia y de élites globales. Y esta transformación otorga un espacio preferencial a un nuevo profesional en las decisiones que otorga un valor preferencial a la técnica: porque si en el Estado liberal primaban los abogados y en el social los militares, gremialistas e ingenieros, asistimos hoy en el neoliberal al irresistible ascenso de los economistas.[22]

El pasaje de la forma de producción taylorista-fordista a la posfordista

Se produce como consecuencia de la revolución electrónica y de las formas de gestión (la revolución del *management* iniciada por el toyotismo), y por el hecho de que las empresas se vuelven globales con orientación hacia un sistema de competitividad que homogeneiza las condiciones de calidad y precios a nivel mundial. La producción se deslocaliza y puede realizarse desde diversos países al mismo tiempo, deja de pensarse en grandes unidades y las empresas se orientan hacia unidades más pequeñas y flexibles. Se pone el acento en la incorporación tecnológica, en la polifuncionalidad de los recursos humanos, en gerencias más dinámicas e innovadoras y en la localización en espacios con recursos, infraestructuras y calidad de vida. En síntesis, es el fin de la forma de producción de "tiempos modernos".

Peter Drucker señala que desde mediados de los 70 se producen tres cambios fundamentales: 1) El colapso de la economía de materias primas (la producción industrial está cambiando, alejándose de los productos y procesos que consumen materiales en forma muy intensiva, para dar paso a industrias de alta tecnología). 2) El desacoplamiento entre producción y empleo, creciente sustitución de mano de obra por conocimientos técnicos y de capital, con una transición de industrias que eran intensivas en términos de trabajo manual por otras que son intensivas en materia de conocimientos (telecomunicaciones, informática, farmacéutica), lo que trajo apareado la priorización de las políticas de intercambio, el "comercio invisible" y la abolición de las barreras al comercio de servicios. 3) El surgimiento de la economía de símbolos, hace que la economía real (de bienes y servicios) haya ido cediendo lugar a los nuevos propulsores de la economía mundial, los movimientos de capital, tipos de cambio y flujo de créditos, y ambas economías operan cada vez en forma más independiente.[23]

De este modo, las ventajas comparativas de los países reside sobre todo en la capacidad de uso de la información y el conocimiento técnico, y cada vez menos en la abundancia y bajo costo de materias primas, alimentos, energéticos y trabajo.[24] La inversión externa directa cobra mayor importancia incluso que el comercio internacional, y viene concentrándose gradualmente en la región de la tríada "o gran isla" (Estados Unidos-Japón-Europa occidental).

Lester Thurow dice que lo que caracteriza a la globalización es que "...por primera vez en la historia humana, cualquier cosa puede hacerse en cualquier parte y venderse en todas partes. En las economías capitalistas eso significa fabricar cualquier componente y desarrollar cualquier actividad en el lugar del mundo donde puede hacerse más barato, y vender los productos resultantes o los servicios donde los precios y los beneficios sean más altos. Minimizar costos y maximizar ingresos es lo que significa la maximización de beneficios, el corazón mismo del capitalismo. El apego sentimental a una parte geográfica del mundo no es parte del sistema capitalista"(Thurow, 1996).

La doble emancipación del capital financiero

Este se independiza tanto de la economía "real" o productora de bienes, como del territorio nacional. Junto a la importancia que cobra el capitalismo financiero, la economía "virtual" o simbólica (compuesta por movimientos de capital, tipos de cambios, tasas de interés, bonos, acciones) a partir de la revolución electrónica que brinda posibilidades de invertir en cualquier lugar del mundo y en tiempo real, los intereses de las grandes corporaciones se "desterritorializan". Ambas economías se independizan, siguen caminos divergentes, aflojan sus nexos. La economía simbólica crece más que la real, aprovecha la telemática para operar a través de la especulación y la alta volatilidad de los mercados, y predomina cada vez más sobre los actores y fuerzas de las economías, las sociedades y las políticas nacionales. La inversión en China y no en Argentina puede constituir una opción recomendable para los capitalistas argentinos porque su prosperidad será mayor, conservan la propiedad del capital y recogen los frutos de esa explotación, siendo esa prosperidad independiente del deterioro social que padecen los asalariados nacionales. Ello provoca un salto en la ampliación de la brecha económica entre los distintos sectores, de pérdida de anclaje territorial y de responsabilidad social del empresariado, constituyéndose en una suerte de "rebelión de las élites" (Lasch, 1996).[25]

Los grupos que más se benefician con la globalización son los vinculados a las multinacionales industriales, bancarias, mediáticas y de seguros, así como los profesionales de mayor calificación. Estos tres grupos de actores usan su poder internacional para obtener concesiones a nivel nacional, en términos de tributación, remuneración y localización (Boyer, 1998).[26] De este modo, la mundialización enriquece más a los ricos y empobrece más a los pobres. Esto se completa con otro factor de la crisis del Estado-nación, y es que los "ciudadanos consumidores" han adoptado una orientación mundial, están menos condicionados a comprar productos de fabricación nacional a la vez que estos productos, como consecuencia de las políticas aperturistas, desaparecen de las góndolas. Del mismo modo, la mayor información, los estilos de vida y la configuración de valores se plasman ya no tanto por las instituciones tradicionales de socialización, como la familia, la escuela, la Iglesia y el Estado, sino por los *mass media*.

Este capital financiero globalizado y altamente concentrado, con distintos y múltiples actores (bancos de inversión, organismos internacionales, expertos, bolsas, calificadoras de riesgo, gurús, etc.), con gran capacidad de defender sus rendimientos especulativos, estuvo considerablemente más regulado por las economías nacionales en las décadas pasadas, mientras que en los 90 tiene gran libertad de movimiento. De acuerdo a Schvarzer (1997) se ha generado un mercado mundial del dinero que impone restricciones estructurales a los márgenes de maniobra de las políticas monetarias y que hace difícil que se lo pueda gravar a nivel nacional por su capacidad de fuga y de actuación en tiempo real en cualquier parte del mundo.

Por eso, la mundialización no es sólo una función del cambio tecnológico sino del hecho de que desde comienzos de los 80 tuviera lugar sobre un telón de fondo de suba de intereses reales anormalmente elevada. La tasa de interés es una variable social, dice Fitoussi (1988), su nivel marca cómo una sociedad configura su futuro, cómo determina su crecimiento y distribuye los beneficios del mismo. La tasa de interés mide la dependencia del futuro, porque cuando esta tasa es nula, el futuro tiene tanta importancia como el presente, pero cuanto más alta es, más orientación se genera hacia el presente y hacia el cortoplacismo, reduciendo las capacidades de la economía productiva o real y del empleo. La herencia de este fenómeno de altas ganancias financieras y de independencia del capitalismo virtual del real es, entonces, de un déficit de futuro y de una crispación de la gente en el presente que legitima las desigualdades.

Y esta supremacía del capital financiero sobre el productivo no es la natural e irreversible consecuencia de la mundialización ni de la revolución tecnológica, sino, de un modo más específico, de que la misma se realizara sin que previamente se determinaran las reglas de juego. Algo muy diferente de lo ocurrido a partir de la II Guerra Mundial, donde se fijaron las reglas (Bretton Woods) y luego se internacionalizó la economía. Entonces se crearon dos organismos internacionales básicos, el Fondo Monetario Internacional (FMI), para ordenar el sistema monetario internacional y para hacer que todo país que fuera miembro del Fondo no pudiera devaluar en forma unilateral y automática sino cumpliendo ciertos requisitos, y el Acuerdo General de Aranceles y Comercio (GATT) para ir generando a través de ruedas de negociaciones un proceso de liberación comercial universal. Mientras que en los últimos 20 años se pasó directamente a la desregulación, aceptando que no hubiera reglas de juego y de allí que se efectuara un desplazamiento de una lógica de desarrollo a otra de crecimiento y de repartición de porcentajes del mercado mundial por las grandes firmas.

Se trata de una situación que genera no una guerra convencional y de posicionamientos ideológicos-militares, sino una guerra comercial de todos los países entre sí (subsidios y devaluaciones competitivas), en la cual en el centro se alimenta el temor de que el desarrollo de los países pobres o intermedios se haga a costa de sus ganancias y empleo, mientras que en los países en desarrollo el temor es a quedar encerrados en el endeudamiento, en una vulnerabilidad permanente de su sector externo y en limitaciones al comercio por las barreras paraarancelarias de las sociedades desarrolladas. En este marco del capitalismo globalizado sin reglas ni instituciones de regulación internacionales, la palabra clave es la competitividad, y su lógica, la conquista de los territorios económicos de los demás. El mundo así sólo acepta el desarrollo que surge de un plus de competitividad, pero lograrlo generalizadamente es imposible, porque todos los países tienen que exportar más y, a la vez, importar menos.[27] Luego, la lógica de competitividad es una lógica de baja de salarios y de desprotección laboral.[28]

La economía globalizada, al dotar de mayor libertad de movimiento a los factores de la producción, ha incorporado fuertemente la consideración de los costos laborales y de la presión impositiva entre los elementos más significativos para la toma de decisiones en materia de radicación de inversiones por parte de las empresas (Thurow, 1996). Y esta dura realidad que Argentina viene experimentando a raíz de su competencia con Brasil por conseguir inversiones directas con base en el MERCOSUR, es una concreta expresión de la conexión que existe entre las exigencias de la globalización económica y la metamorfosis de las sociedades. De allí el carácter cruel que adquiere la lucha por la competitividad en un contexto semejante, y dentro de una lógica que parece plantear el siguiente dilema: "si ustedes quieren que la economía siga enriqueciéndose, entonces deben aceptar que su población deba empobrecerse".[29] Un extraño matrimonio ha venido estableciéndose entre éxito económico por un lado y desestructuración, exclusión y disgregación por el otro (López,1998). Finalmente, el problema lleva a una aporía en el marco de una creciente disminución de la demanda global: ¿cómo hacer que los países puedan exportar más cuando todos exportan al mismo tiempo?

C. EL IMPACTO SOBRE EL NIVEL Y EL ROL DEL ESTADO

Este proceso de globalización, caracterizado por la interdependencia creciente entre los países a nivel mundial, por el cambio en las formas productivas y por el predominio del sector financiero, tiene un impacto profundo en los Estados nacionales. Esto es particularmente evidente en América latina, porque los obliga a redefinir de manera drástica y abrupta la actuación del sector público a nivel nacional, subnacional y supranacional, a procesar los nuevos conflictos que se generan en el marco de sociedades más fragmentadas y a promover otra articulación con la sociedad civil.

Reformulación de los roles y niveles de gestión. El Estado de bienestar fue un Estado planificador y fuertemente centralizado que actuó como un árbitro entre el capital y el trabajo, con un rol empresario e interventor directo en el proceso de acumulación En los 90 se transforma y pasa a tener un rol "mínimo", y en una primera mirada percibimos dos consecuencias inmediatas de esta transformación. Por un lado, el debilitamiento de la autoridad del Estado central vía descentralización, privatización, retiro, "desmantelamiento" vinculado a la brusca eliminación de sus funciones empresarias, productivas y sociales, así como a la ampliación del espacio del mercado. Pero, por otro lado, se produce la revalorización del espacio subnacional, dado que las políticas de descentralización y traspaso hacia niveles subnacionales promueven mayores competencias hacia los municipios.

Paralelamente, la regionalización comienza a constituir otro nivel de la política: la del bloque. Porque, como respuesta a la amenaza de una competencia amplificada, surgen las regiones que buscan operar a una escala territorial y económico-comercial más amplia para aumentar su capacidad económica y política. Estos, probablemente, serán los "Estados" del siglo XXI. Pero el traspaso de competencias o atribuciones hacia arriba y hacia el mercado, también supone una erosión de los atributos del Estado-nación clásico en su soberanía y en su capacidad de generar identificaciones. Y esta pérdida es mayor cuanto más periférica o menos desarrollada es la nación. Como dice Roseneau, los Estados continúan siendo los actores principales en el escenario global, pero ya no son los únicos, ni presentan las características y fortaleza del pasado inmediato.

Nueva conflictividad emergente. La segunda consecuencia del impacto de la globalización tiene que ver con las características del conflicto social. Si el Estado keynesiano y desarrollista procesó la conflictividad de clases, buscando conciliar capitalismo con democracia y desdibujando la tensión entre burguesía y proletariado, en la actualidad los conflictos ya no son concentrados ni presentan amenazas antisistémicas a la democracia ni al capitalismo. De acuerdo a Habermas (1997), si el conflicto referente al ordenamiento social fue sin duda el de capital vs. trabajo en el siglo XIX y parte del XX, a inicios del XXI es el que se produce entre el sistema (económico y estatal) y el mundo de la vida (se podría decir, el pueblo o la sociedad civil).

El proceso de globalización promueve así un sistema de dominación distinto al de la sociedad industrial; vinculado al control técnico, informático, y al posicionamiento dentro de un nuevo sistema de estratificación socio-ocupacional. En cuanto a la conflictividad, algunos autores han acentuado no sólo el desplazamiento de la cuestión de las clases del modelo anterior, hacia la emergente problemática de la exclusión, que hace a una novedosa diferenciación de la forma en que se elabora el conflicto entre los que se encuentran "dentro" en relación a los que quedan "afuera". Así como también en la denominada sociedad de servicios algunos autores hacen referencia a la amplificación del "riesgo", donde el avance de la racionalidad técnica instrumental genera nuevos problemas y amenazas sobre aspectos ambientales, nucleares y de coordinación.[30]

Ahora bien, en nuestro esquema analizaremos esta nueva conflictividad a través de los diversos subsistemas: en el *político*, porque la consolidación de la democracia se produce junto a una desafección creciente de los electorados, desprestigio institucional, inclusión "precarizada" o clientelar, corrupción, así como una especie de impotencia de la clase política para arbitrar modificaciones a las orientaciones principales del mercado. En el *económico*, porque el proceso de globalización genera un impacto regresivo en la integración social: concentración y trasnacionalización del ingreso, desempleo estructural, separando a los que "se adaptan al mercado" de los que "no se adaptan", provocando uno de los conflictos más significativos que se desarrollan en el marco de los ajustes estructurales: la exclusión social.[31] Y en el *cultural*, porque la globalización catapultada por los satélites, TV por cable, transportes, turismo internacional, si bien promueve una cultura abierta y pluralista, también alienta un nuevo individualismo posmoderno, generando crisis de valores comunitarios, sentido e identidad, y fomentando la búsqueda de su reconstitución en nuevos contextos.[32] Estas características, junto con la falta de oportunidades y el avance de los valores consumistas, promueve condiciones para el surgimiento de sociedades anómicas y de creciente inseguridad.

Cuadro 2

Modificaciones al nivel y al rol del Estado

	Estado sociedad industrial	*Sociedad postindustrial*
Nivel	Crecientes roles económicos y políticos. Fortalecimiento de lo nacional y político	Disminución de autoridad y roles del Estado central, avance del mercado Revalorización de lo subnacional Construcción de la región
Organización	Burocrática, piramidal Centralizada, Vertical-sectorial	Gerencial, profesional, técnica Descentralizada Horizontal-territorial
Tipo de conflicto	Sistémico Democracia-capitalismo industrial Igualdad, explotación Clase obrera-empresariado	Crisis de representación Exclusión y calidad de vida Identidad y sentido
Articulación con la sociedad	"Fusión" pueblo-nación Homogeneidad Universalidad	Diferenciación Estado-sociedad-mercado Heterogeneidad Diferenciación social y funcional
Gobernabilidad	Crisis de la democracia	Vulnerabilidad y complejidad

Sociedad civil y gobernabilidad. Todo este impacto del proceso de globalización provoca procesos simultáneos de reestructuración de las relaciones entre Estado y sociedad civil, por las características que adopta el "demos" en la sociedad postindustrial, lejos de una sociedad homogénea y socialmente integrada. Y si en la etapa anterior la articulación Estado-sociedad se procesaba como "fusión" y con predominio del principio estatal, ahora se configura como diferenciación Estado-mercado-sociedad, con predominio del mercado, con una menor importancia de la representatividad de partidos y gremios, y con el aumento vertiginoso de una multiplicidad de organizaciones no gubernamentales, voluntarias y de movimientos sociales asociados a la sociedad civil o "tercer sector".

La introducción de nuevas formas de gestión, por su parte, hace que el sector público deje de ser la burocracia de los grandes ministerios (racionalidad de normas y procedimientos, piramidal, sectorial) para exhibir mayor flexibilidad, descentralización y velocidad de tiempos en similitud a los utilizados por el *management* privado (*performance*, equipos, polifuncionalidad). Este cambio se produce en la relación entre los distintos sectores y agencias del Estado, cuestionando el modelo centralizado y burocrático, juntamente con la creciente importancia que adquiere la tecnocracia en la definición de los problemas y en la toma de decisiones, y con nuevas formas de articulación público-privado para la resolución de demandas.

Finalmente, la complejidad y globalización aumentan los problemas de gobernabilidad a que tienen que hacer frente los Estados por la conjunción y superposición de demandas externas de los mercados y acreedores, junto a la ampliación y fragmentación de las internas. Al acrecentarse la multidimensionalidad de los problemas públicos se hace más difícil desagregarlos y definir el nivel adecuado para atacarlos (Millán Valenzuela, 1995). Algunos autores hablan de pérdida de centro, descubriendo que la diferenciación funcional y el descentramiento de la sociedad también modifican el lugar de la política. Es decir, la política deja de ser aquel núcleo central y exclusivo a partir del cual se ordena al conjunto de la sociedad (Lechner, 1995). Pero, por otro lado, la dimensión de la misma se amplía en términos de oportunidades que ya no están sólo circunscriptas a las fronteras de la política nacional, sino que también se ubican más allá del Estado-nación.

D. La globalización como proceso y como ideología

Los interrogantes promovidos por estas tendencias y tensiones no son pocos, y la provisoriedad de las respuestas también es evidente. ¿Hay capacidad de redefinir este proceso, de oponerse, o sólo se trata de adaptarse a él? Si bien este proceso de globalización parece ineluctable, ¿se trata de una determinación total de la estructura o hay capacidad de la política para encontrar opciones y alternativas? O, finalmente, ¿se trata sólo de resignarse o se puede hacer algo por encontrar alternativas, por cambiar?

En este sentido, y para dilucidar estos interrogantes, se hace necesario distinguir globalización como proceso de globalización y como ideología (Bernal-Meza, 1996; Ortiz, 1995). Como proceso, porque efectivamente se trata de una serie de tendencias y nuevas realidades promovidas por el cambio de las condiciones materiales de una nueva fase capitalista, como lo fuera anteriormente el capitalismo comercial o el derivado de la revolución industrial. Como ideología, porque forma parte de una interpretación de la misma que busca asimilarse a modernización, e identificar sus requerimientos con las orientaciones y valores del "capitalismo salvaje". De realizar una lectura donde cualquier intento de regulación aparece como retrógrado, "dirigista" y volcado hacia el pasado, mientras que toda apertura o liberalización, aparece como sinónimo de modernización y de orientación hacia el futuro.[33] La globalización se constituye así en una ideología que justifica el "único camino" que busca una suerte de autonomización del capitalismo y del mercado respecto de todo constreñimiento social o político. Donde se instala la globalización como discurso homogeneizante, presentándose a sí misma no sólo como única posibilidad, sino como la mejor.[34]

La globalización como ideología se produce cuando los sujetos y los actores principalmente beneficiados que la impulsan la asocian con la interpretación que racionaliza sus propios intereses como universales y válidos para todos los sectores. Interpretación en la cual la competitividad aparece como teleología en la que deben justificarse las principales medidas. La cual –como dice Petrella– ha dejado de ser un medio y se ha convertido en el objetivo principal, no sólo de las empresas sino también del Estado y de la sociedad en su conjunto.[35] En este marco, el Estado y cualquier intento de regulación de los mercados son demonizados, al tiempo que la política adopta una visión negativa pero funcional, una suerte de caja de conversión de legitimidad para ese mercado autorregulado.[36]

La política queda encerrada dentro del "plus ideológico" conquistado por el *establishment*, que logra asimilar los requerimientos de la globalización a sus propios intereses. Una situación en la que, bajo la apariencia de la no intervención estatal y con el justificativo de la libertad de los mercados, se interviene y toman decisiones dirigidas a beneficiar a unos pocos, y a consagrar reglas de juego y la seguridad jurídica de los contratos, así como para mostrar como irreversible la escisión entre competitividad y cohesión social. Esta concepción ideológica de la globalización o estilo neoliberal de interpretarla se asimila al concepto de "visión fundamentalista" de la globalización, donde de acuerdo a Ferrer (1996) habría desaparecido cualquier posibilidad de adoptar políticas que contradigan las expectativas de los actores hegemónicos de la globalización fuera y dentro del país.

Lo cierto es que la noción más difundida de la globalización proviene de la literatura del *management* empresarial, que señala que el Estado-nación ya no tiene poder para establecer políticas autónomas y soberanas.[37] Y si bien es necesario tomar conciencia sobre la significación y limitaciones que implican estas tendencias estructurales, se debe también rechazar todo determinismo económico o tecnológico, ya que la globalización no es una necesidad en los términos pretendidos, sino un proceso político que está siendo conducido por las élites internacionales, que son las que están abandonando a las naciones y a sus Estados, pero donde quedan espacios para que la política en su sentido más sustantivo pueda redefinirla a partir de otra concepción.[38]

La mundialización aparece así como coartada para implementar reformas que la sociedad rechaza, una especie de "falso culpable" del sufrimiento social. El "estamos obligados" es el discurso que se escucha en todos los países y muestra el debilitamiento de la voluntad política junto con un aumento de la racionalidad competitiva de la misma. En estas circunstancias, los teóricos del neoliberalismo –dice Fitoussi (1998)– conocen muy bien los límites del mismo, los que no lo conocen son los políticos y los medios, y por eso el liberalismo se convierte en ideología.

De allí que podamos distinguir dos concepciones de la globalización, una como proceso de cambio que remite a oportunidades y amenazas pero que conserva márgenes para opciones políticas y búsqueda de bien común, y otra como ideología, que restringe el debate y hace al predominio de lo económico y del interés particular.[39] Utilizando la generalizada conceptualización del método de planeamiento estratégico, podemos decir que, así como surgen amenazas de este proceso de cambio, también surgen oportunidades de integración a ese mundo global que no remiten a una única vía. Que esa integración muestra una gran cuota de ambigüedad, porque los cambios, si bien no pueden dejar de realizarse, pueden hacerse de distinta forma, sea atendiendo exclusivamente a los intereses y perspectivas del nuevo *establishment* local y de los organismos internacionales de crédito, o integrando también los de la propia comunidad política. La descentralización puede ser concebida tanto como "colchón del ajuste" y de tirar la crisis hacia abajo, o como "fortalecimiento de lo local". La reforma del Estado central puede ser pensada exclusivamente como "minimización" y achicamiento del Estado, o como reforzamiento de su rol regulador y solidario. Y finalmente, la integración regional puede ser impulsada como constitución de un área comercial para el mejoramiento exclusivo de la eficiencia y escala de los conglomerados, o como construcción de una comunidad de naciones con intereses políticos y sociales más amplios.

Por todo ello, hablar de la crisis del Estado-nación como consecuencia de la globalización no significa adherir a la tesis del "fin del Estado-nación", ni considerar al Estado como anacrónico en un mundo único, ni la dilución de toda sustantividad de la política en técnica y posicionamiento competitivo, sino de dar cuenta de un cambio de su lugar e importancia, de ver cuáles son las nuevas tareas y rasgos que adopta, y de indagar cómo se produce y procesa ese impacto en nuestro país a fin de siglo.

NOTAS

1. Esta tesis del autor se encuentra en *Estado y sociedad. La nueva relación a partir del cambio estructural*, Tesis Norma-FLACSO, Buenos Aires, 1994.

2. Cavarozzi, M., *Autoritarismo y democracia (1955-1996). La transición del Estado al mercado en la Argentina*, Ariel, Buenos Aires, 1997. Abal Medina, J. M. e Iglesias, C., "Acción estratégica y comportamiento colectivo", *Revista Argentina de Ciencia Política*, N° 1, 1997.

3. Scannone, J. C., *Globalización, emergencia de la sociedad civil y Doctrina Social de la Iglesia*, San Miguel, agosto de 1998 (mimeo).

4. Ver, Lapidoth, Ruth, "Redefining Authority: The Past, Present, and Future of Sovereignty, *Harvard International Review*, N° 3, Vol. XVII, verano de 1995, y Keohane, Nyej, *Poder e interdependencia. La política mundial en transición*, GEL, Buenos Aires, 1988.

5. Según Held, surgiría ahora un "medioevo global". De acuerdo a este autor la globalización no implica la desaparición de los Estados-nación, ya que éstos "gozan de persistente vitalidad", sino que las fronteras nacionales ya no logran contener todos los problemas que afectan a la sociedad, pues muchos de ellos provienen de la voluntad de otros Estados, o de otros poderes que ahora comparten el escenario internacional con éste. Lo que se habría desafiado es la hegemonía estatal en el orden social. La premisa weberiana de violencia y administración queda asegurada, pero ya no es autónoma del modo en que Weber la comprendió. Esta amenaza no cuestiona al Estado del modo en que podía verse amenazado bajo la lógica weberiana, la disputa frente a otros poderes por la apropiación de la violencia legítima, sino por la aparición de una "nueva institucionalidad internacional", la cual presenta disyuntivas que desbordan la capacidad de dirección y coerción del Estado-nación. No sería el fin del Estado-nación sino la circunscripción de éste a un conjunto de problemas y la aparición de un conjunto de nuevos problemas que ya no pueden ser resueltos por él. Held, D., *La democracia y el orden global. Del Estado moderno al gobierno cosmopolita*, Paidós, Barcelona, 1997, pág. 171. Ver también Galtung, "El desarrollo como programa de la democracia", Bustelo E. y Minujin A. (eds.), *Todos Entran. Propuestas para sociedades incluyentes*, UNICEF-Santillana, Bogotá, 1998.

6. Albert, M., en *Archivos del Presente*, N° 3, 1997; Chesnais, F., *A mundialização do capital*, San Pablo, Xamá, 1996; Ferrer, *Historia de la Globalización*; Petrella, R., *Los límites de la competitividad. Cómo se debe gestionar la aldea global*, Universidad Nacional de Quilmes-Sudamericana, 1996; Boyer, R., "La globalization: mithes et réalités", *Actes du Gerpisa*, N° 18, 1996.

7. Pinto, Julio, *El problema del poder en el contexto de la globalización*, Segundo Congreso Nacional de Ciencia Política, SAAP, Mendoza, 1-4 de noviembre de 1995, pág. 2.

8. El efecto de la globalización sobre los países es que unos son sustitutos de los otros, lo cual produce una lucha competitiva por la atracción de flujos financieros y capital. Así, los Estados compiten ofreciendo marcos regulatorios propicios.

9. Sobre la evolución del papel del Estado y la erosión de la soberanía en los procesos globalizantes ver Kaplan, Marcos, "Crisis y reformas del Estado latinoamericano", CLAD, N° 9, octubre de 1997; Horsman, Mathew y Marshall, Andrew, *After the Nation-State – Citizens, Tribalism and the New World Disorder*, Londres, Haper Collins, 1994; Ohmahe, Keniche, *El fin del Estado-nación*; Boyer, Robert y Drache, Daniel, *State Against Markets. The Limits of Globalization*, Londres y Nueva York, Routledge, 1996; Strange, Susan, *The Retreat of the State. The Diffusion of Power in the World Economy*, Cambridge University Press, 1996; Held, David, *Democracy and the Global Order. From the Modern State to Cosmopolitan Governance*, Stanford, California, Stanford University Press, 1995; Petrella, P., *Los límites de la competitividad*, Universidad Nacional de Quilmes-Sudamericana, Buenos Aires, 1996.

10. Mancebo, Martha, "El nuevo bloque de poder y el nuevo modelo de dominación (1976-1996)", en Nochteff, H. (ed.), *La economía argentina a fin de siglo: fragmentación presente y desarrollo ausente*, FLACSO-EUDEBA, Buenos Aires, 1998.

11. Offe, Claus, *The present historical transition and some basic design options for societal institutions*, Seminario Internacional Sociedade e a Reforma do Estado, Mare, San Pablo, Brasil, 1998.

12. Para Jean-Marie Guéhenno, la política, la ciudadanía y la democracia son categorías correspondientes a un período histórico superado, la era de los Estados-nación. Para este autor ésta sería la experiencia europea de los últimos doscientos años. *El fin de la democracia. La crisis política y las nuevas reglas del juego*, Paidós, Barcelona, 1995.

13. Lavagna, R., "Gobernabilidad y economía", PNUD-Senado de la Nación, 1996.

14. Genro, T., "El mundo globalizado y el Estado necesario", ABRA, Buenos Aires, 1997. También ver Ramonet, Ignacio, "Regímenes globalitarios", *Le Monde Diplomatique*, año 15, enero de 1997, ed. española.

15. Lechner, N., "La reforma del Estado y el problema de la conducción política", *Perfiles Latinoamericanos*, N° 7, FLACSO, México, diciembre de 1995, págs. 158-59.

16. Minardi, G., "El Estado necesario", Curso de Desarrollo Local, FLACSO-UNR-IER, Rosario, 1997 (mimeo), pág. 20.

17. Ver Pérez, Carlota, "Microelectrónica, ondas largas y cambio estructural mundial. Nuevas perspectivas para los países en desarrollo", *World Development*, Vol. 15, Science Policy Research Unit, Universidad de Sussex, 1985.

18. De acuerdo a algunos autores, lo que sí es realmente nuevo del fenómeno que se conoce como globalización, es el fenómeno de la movilidad de capitales financieros. Y que este fenómeno es clave para entender la lentificación del desarrollo económico y social que se ha producido en los últimos 20 años. Ver Navarro, V., op. cit., pág. 208.

19. Falk, R., "Towards Obsolescence: Soverignty in the Era of Globalization", *Harvard International Review*, Vol. XVII, N° 3, verano de 1995, págs. 34-35.

20. Señalaba Butros-Ghali (Secretario General de las Naciones Unidas en 1992) que la piedra fundacional para los procesos de restablecimiento de la paz debía residir en los Estados. "Sin embargo, el tiempo de las soberanías absolutas y exclusivas ha pasado." También ver Petrella, R., *Los límites de la competitividad*, Universidad Nacional de Quilmes-Sudamericana, Buenos Aires, 1996.

21. Moneta, C., *El proceso de globalización: percepciones y desarrollos*, Corregidor, Buenos Aires, 1994, y Rosenau, James N., *Turbulence in world politics. A theory of change and continuity*, Princeton University Press, Princeton, 1990.

22. Markoff, John y Montesinos, Verónica, "El irresistible ascenso de los economistas", *Desarrollo Económico*, N° 133, Vol. 34, abril-junio de 1994.

23. Drucker, Peter, *Escenarios sociales futuros: MERCOSUR,* Ministerio de Educación de la Nación, 1995.

24. Kaplan, M., "Crisis y reforma del Estado latinoamericano", CLAD, *Reforma y Democracia*, N° 9, octubre de 1997, pág. 209.

25. Lasch, Christopher, *La rebelión de las élites y la traición a la democracia,* Paidós, Buenos Aires, 1996. Como otro autor señala, en esta situación de la producción global se puede "distinguir entre lugar de la inversión, lugar de producción, lugar de declaración fiscal y lugar de residencia, lo que supone que los cuadros dirigentes podrán vivir y residir allí donde les resulte más actractivo y pagar los impuestos allí donde les resulte menos gravoso" (Beck, U., *¿Qué es la globalización? Falacias del globalismo, respuestas a la globalización,* Paidós, Buenos Aires, 1998).

26. Se benefician las empresas de mayor fuerza financiera, de mejor acceso a los mercados, y de relaciones privilegiadas con el Estado, en desmedro de las actividades productivas, innovadoras y creadoras de empleo y distribuidoras de ingreso, inductoras de desarrollo progresivo.

27. No es posible que todos los países tengan superávit comercial al mismo tiempo. Esta es la contradicción sistémica actual que la crisis asiática fortalece, "...cuando todos quieren jugar el juego del crecimiento a base de exportaciones, se acabó el juego." (Thurow, 1998).

28. Fitoussi, J. P., "Mercado y Democracia", *Archivos del Presente*, N° 12, Buenos Aires, 1998, pág. 18. También sobre globalizacion y demanda de reducción de costos laborales, ver Navarro y Vicenc, *Neoliberalismo y Estado de bienestar,* Ariel, Barcelona, 1997.

29. *Idem,* Fitoussi, pág. 19.

30. Beck, Ulrich, *Die Risikogesselchaft*, Frankfurt, 1987.

31. Las economías internacionalizadas bajo este paradigma tecnológico productivo presentan un similar dilema social y político: ¿qué hay que priorizar, la competitividad o la cohesión social? Dahrendorf señala que la cuestión se parece a ver quién es capaz de encontrar la cuadratura del círculo, logrando combinar exitosamente la prosperidad, la civilidad y la libertad (Dahrendorf, R., "Quaring the Circle: Can be Prosperous and Civil Too", Churchill Lecture, English-Speaking Union, 22/11/95).

32. La mutación globalizante es reclasificatoria, concentradora marginalizante, beneficia sectores, grupos, países y regiones, en conjunto una minoría mundial, en desmedro de otros que se van convirtiendo en mayorías superfluas o redundantes (Kaplan, 1997).

33. A manera de ejemplo: "En un mundo cada vez más globalizado, resulta pueril y hasta antihistórico pretender cualquier tipo de protección sectorial que eli-

mine riesgos y evite la competencia". Julio Gómes, presidente de ABRA, Jornadas sobre Crisis Asiática, junio de 1998.

34. "La globalización ha pasado a ser un paradigma, un modelo ideológico bajo el cual se escudan o justifican políticas nacionales e internacionales, cuyas consecuencias se están progresivamente internalizando en los países. En éstos, los grupos de poder la estimulan o recurren a ella según las condiciones y el beneficio que en su proceso de expansión estén obteniendo o cuya utilización como ideología les pueda asegurar la aplicación de determinadas políticas que se justifican bajo su advocación." Bernal-Meza, R., "La globalización: ¿un proceso y una ideología?", *Realidad Económica*, Nº 139, Buenos Aires, 1996. Sunkel, O., en "Globalization, Neoliberalism and State Reform", Seminario Internacional *Sociedade e a Reforma do Estado*, San Pablo, 1998, señala el proceso de globalización como un instrumento para la ideología neoliberal, y que el triunfalismo neoliberal ha devenido en los últimos tiempos con considerablemente menor éxito en los resultados que lo esperado.

35. Petrella, R., "Europa entre la innovación competitiva y un nuevo contrato social", *Revista Internacional de Ciencias Sociales*, Nº 143, 1995. Síntesis del Coloquio de Roskilde, Most, UNESCO, pág. 28.

36. Esto provoca distintos tipos de reacciones; de carácter polar frente a este fenómeno: una que gira hacia la demonización y encapsulamiento y recaída en la identidad, y otra que lo hace hacia la aceptación acrítica y al panegírico técnico.

37. Por ejemplo, Ohmahe busca mostrar que la influencia de los cambios tecnológicos en la redefinición económica y comercial mundial estaría configurando una "gran isla" económica (Estados Unidos y el NAFTA, CEE y Japón) en la cual se destaca la soberanía del consumidor y de empresarios-*managers* compelidos a competir en este contexto de fronteras abiertas. Más precisamente cuando las cuatro "i" (inversión desterritorializada, individuo consumidor, industrias globales y tecnologías de información) hacen que el papel de intermediarios de los Estados-nación quede anticuado.

38. Si se analizan los rendimientos económicos de los últimos veinte años de países sin ningún proteccionismo social, muy liberales (Estados Unidos), y los más proteccionistas (por ejemplo, Francia), se observa que las tasas de crecimiento son similares. "Esto significa –dice Fitoussi– que los gobiernos tienen un margen de maniobra importante para reformar el sistema social, y que pueden elegir el contrato social que más le convenga a su país" (*op. cit.*, pág. 23).

39. También se puede distinguir entre el hecho mismo de la globalización y el estilo neoliberal de llevarla a cabo, de interpretarla y aun de ideologizar en servicio de determinadas hegemonías e intereses. Pues existen otros procesos y dinamismos sociales globales no reductibles a la intepretación neoliberal, que indican pistas alternativas de mayor humanización. Scannone, J. C., *op. cit.*, pág. 2.

2

LA REFORMA DEL ESTADO

La reforma del Estado iniciada en la gran mayoría de los países latinoamericanos hacia fines de los años 80, reconoce dos etapas claramente diferenciadas. Observadas retrospectivamente y quizás por simplicidad, han sido denominadas "primera" y "segunda" fases de la reforma, aún cuando en los hechos se trata de dos momentos cuantitativa y cualitativamente diferentes. La primera fase consistió en la reducción del aparato estatal mediante la transferencia a terceros (empresarios privados, las ONGs, gobiernos subnacionales, proveedores) de la responsabilidad de producir determinados bienes y servicios, tanto para usuarios de la sociedad como del propio Estado. Además de la privatización, descentralización y terciarización, que fueron sus principales instrumentos, esa etapa también incluyó la desregulación de numerosas actividades económicas (controles de precios, intervenciones equilibradoras en los mercados, mecanismos de promoción). En el caso argentino, las transformaciones tuvieron un carácter veloz y profundo, traduciéndose en la supresión de una proporción significativa de la estructura institucional del Estado nacional, de su dotación de personal y, en última instancia, de algunos de sus roles tradicionales.

O. OSZLAK y R. FELDER, 1998

Más allá del tipo de régimen democrático o autoritario, el Estado argentino adoptó, a partir de los 40, un esquema de Estado intervencionista en lo económico, con políticas sociales de dimensión variable en las sucesivas etapas. Fue esa transformación del anterior Estado liberal hacia un Estado social, benefactor, si bien con características particulares, lo que permitió superar las consecuencias disgregadoras de la crisis del capitalismo de *laissez faire* de los años 30, que se expresaran en superproducción y desempleo. Tal como señalara hace ya tiempo García Pelayo (1984), si en el primer modelo –el Estado Liberal de Derecho– se trató de proteger a la sociedad del Estado, en este segundo momento se trató de proteger a la sociedad mediante la acción del Estado.

Fue esa respuesta, que enfatizó las dimensiones mercadointernistas de la economía, de intervención estatal para enfrentar la crisis, de promoción de derechos sociales y que instrumentó políticas de integración del conjunto de la población al sistema político, la que terminará por constituir la matriz estadocéntrica que caracterizará a América latina durante este período. Ese Estado empresario e intervencionista en función del desarrollo industrial se basó en Argentina en una redistribución del ingreso crecientemente igualitaria, al menos respecto de otros países de América latina, que se posibilitó mediante la extensión y la calidad lograda por la educación pública, la instauración del sistema previsional y la ampliación de políticas sociales de carácter universal.

Estas tendencias generaron, durante las décadas del 40, 50 y 60, una rápida urbanización, la formación de la clase obrera en las principales ciudades del litoral, la consolidación de numerosas clases medias y la introducción de pautas culturales e ideológicas propias de la sociedad industrial. En este contexto se creaban expectativas de ascenso social, se daban oportunidades educativas y, al menos en los centros urbanos principales, se accedía a niveles de consumo elevados favorecidos por la creación y desarrollo de un esbozo de Estado benefactor. También es cierto que esta movilidad social ascendente se produjo en un marco de fuerte polarización política y de ciclo cívico-militar que malogró muchas de las posibilidades de este modelo de Estado de bienestar.

La matriz del Estado de bienestar permitió afirmar su realización de un modo imperfecto, en comparación con el modelo clásico europeo. Los datos que permiten afirmar esto son de dos órdenes: por un lado, un no extensivo cubrimiento del conjunto de necesidades sociales, y, por otro, una peculiar articulación política, caracterizada por la presencia de las instituciones estatales en el conjunto de las relaciones sociales y económicas como un tercer actor ineludible, lo que determinó una suerte de "hiperpolitización" de la sociedad y, como contrapartida, una suerte de "fusión" de las fronteras entre organismos sociales, económicos, partidos políticos y el Estado.[1] En ese marco el Estado fue perdiendo autonomía de los distintos sectores sociales, cayendo en una carrera determinada por la presión de intereses sectoriales que debilitó la política como expresión del interés común y la entregó al mecanismo inflacionario y al déficit fiscal como factor "licuador" de las diferencias (Cavarozzi, 1997).

Ahora bien, las causas de la crisis del Estado benefactor se asocian a problemas internos y externos que comienzan a evidenciarse a mediados de los 70: de carácter fiscal, fin del modelo de crecimiento con energía barata a partir de la crisis del petróleo, de inflación junto con recesión (*estangflation*); agotamiento del modelo industrial sustitutivo y crecimiento de la disputa empresario-sindical por la redistribución del ingreso. Por todo ello, ese Estado va a presentar un cuadro de alta inflación, crisis fiscal y violencia política creciente, que dará lugar al fracasado intento autoritario de resolución (el llamado Proceso de Reorganización Nacional) y que culminará poco después de la derrota de Malvinas.[2] Posteriormente, el cambio de régimen, el pasaje del autoritario al democrático en 1983, va a mostrar los intentos de estabilizar la economía (Plan Austral) y comenzar a descentralizar el Estado, pero sin lograr evitar la prolongación de la crisis durante el gobierno radical, antes bien, llevándola a su momento culminante en las hiperinflaciones de finales de los 80.[3]

En lo que sigue, realizaremos un balance de la primera etapa reformista de los 90, en términos de sus logros y falencias. Luego de ver cuáles son las orientaciones e instrumentos y políticas que propone la Reforma del Estado II, caracterizaremos los rasgos de un Estado central debilitado y reducido por el proceso de reforma estructural y analizaremos más detenidamente las oportunidades que se abren a fin de siglo vinculadas al debate sobre cuál debe ser el rol del Estado en la etapa de la posprivatización.[4]

A. Hiperinflación y reforma del Estado I

La reforma del Estado de bienestar va a tener en nuestro país dos etapas, ambas en el marco de la presidencia de Carlos Menem. Si bien la primera está asociada al Plan de Convertibilidad y a la figura del ministro de Economía Domingo Cavallo y la segunda es posterior a la crisis del "tequila" (1995) y es piloteada por el ministro Roque Fernández, ambas se producen bajo el paradigma de Estado "mínimo" impulsado por el Consenso de Washington, que busca reducirlo a sus roles tradicionales (seguridad, defensa, educación, justicia).[5]

En la primera etapa se trató de una reforma estructural que a comienzos de 1990 involucró la estabilización del tipo de cambio, la privatización de las principales empresas públicas y la desregulación y apertura de la economía bajo el paradigma del Estado "mínimo". La segunda será anunciada a mediados de 1996 y, si bien guarda continuidad con el Plan de Convertibilidad, está orientada a extender el ajuste al conjunto de las provincias, llevar a cabo la reforma laboral, tributaria y judicial, y a terminar con el proceso privatizador, todo lo cual significa una profundización de las reformas estructurales y del modelo neoliberal. Lo singular de esta segunda etapa no va a estar dado tanto por sus lineamientos, sino por el hecho de que se desarrolla en un marco sociopolítico distinto al de la primera, con un marcado problema de desempleo estructural, desagregación de la coalición menemista, y en un marco económico internacional caracterizado por el aumento de la incertidumbre a partir de la crisis asiática.[6]

La primera reforma del Estado fue encarada a fines de los 80 y deriva de cuatro causas: 1) la crisis terminal del Estado benefactor; 2) la lógica de la emergencia, por los condicionamientos heredados del anterior gobierno radical (hiperinflación, marco de ingobernabilidad y adelantamiento del traspaso del poder); 3) la influencia creciente de los grupos económicos y de los organismos internacionales para apuntar al Estado benefactor como ineficiente y responsable de todos los males (Consenso de Washington), y por último, 4) el estilo político del presidente Menem, más proclive a la concentración del poder y al decisionismo que a la concertación.

El objetivo inicial fue eficientizar el gasto, garantizar la apertura de la economía, reducir el rol empresario del Estado, generar condiciones para la radicación de capitales y continuar con la transferencia de políticas sociales universales (como educación) a las provincias.[7] Existían puntos de confluencia entre las élites técnicas gubernamentales, empresarias y de los organismos internacionales acerca de la necesidad de operar un cambio profundo en el Estado, que pusiera al mercado en el lugar central, considerándolo como asignador eficiente de recursos, generador de crecimiento y de empleo, pero a condición de terminar con todas las restricciones posibles a su desempeño. Se trató de un proceso de cambio que tuvo en cuenta, fundamentalmente, la obtención del equilibrio fiscal, la racionalización del aparato administrativo, la reestructuración del Estado empresario y la supresión de normativas regulatorias estatales. Todas estas medidas tenían una relación estrecha con el intento de restablecer los superávits fiscales que permitieran asegurar el pago del servicio de la deuda (con ingreso al Plan Brady).

En sus aspectos centrales, la Reforma I se orientó a la privatización de los servicios públicos y de las empresas productivas, a la apertura económica y a la desregulación de actividades industriales, agropecuarias y comerciales. Asimismo, contempló el rediseño del sistema tributario y la introducción del sistema previsional basado en la capitalización individual de los aportes. En todo esto se apuntó a generar una nueva relación entre el sector público y el privado, que privilegiara el desarrollo de la actividad económica y la generación de las condiciones óptimas para que el Estado pudiera garantizar el cumplimiento de las consideradas funciones indelegables (salud, educación, seguridad y justicia). La nueva definición de la actividad del aparato estatal fue la de una "estructura de segundo piso", donde se abandona la ejecución directa de acciones y se concentra la atención en la promoción, planificación y supervisión de la ejecución de las políticas públicas (Thwaites Rey, 1994).

Esta primera parte de la reforma contempló:

– *La implementación del Plan de Convertibilidad*, que aseguró la paridad dólar-peso por ley de Congreso, una forma de autoatamiento político que impedía la natural tendencia de los gobiernos a otorgar subsidios y a emitir como forma de resolución de las demandas y que llevaba a devaluaciones permanentes. Se trató de eliminar toda forma de financiamiento no legítima del Estado, subvenciones, regímenes de promoción industrial y minera, así como de la consolidación de pasivos. El gobierno facilitó la inversión extranjera y se bajaron los gravámenes a la importación, reduciendo sensiblemente los márgenes de protección a la producción nacional respecto de bienes importados. Pero más que una medida cambiaria y técnica el Plan de Convertibilidad se transformó en piedra angular de todo este proceso de transformación del Estado, generando efectos no sólo económicos, sociales y políticos sino también culturales.

– *Un programa de privatizaciones*, que consistió en la transferencia al sector privado de los activos de producción de bienes y servicios llevada a cabo a un ritmo vertiginoso y sin precedentes. En pocos años, pasaron a manos privadas la petrolera estatal, el gas, agua, teléfonos, ferrocarriles, subterráneos, la aerolínea estatal, empresas de energía nacionales y provinciales, y gran cantidad de bancos provinciales, cuestionando las funciones históricamente asumidas por la administración pública y los organismos del Estado, como el otorgamiento de subsidios al consumo y actividades productivas sin tomar en consideración su costo fiscal, sus mecanismos de financiamiento y viabilidad económica; la regulación de los mercados interfiriendo en el sistema de formación de precios; el reglamentarismo burocrático en las tareas de fiscalización, control y regulación; el deficiente ejercicio del rol de empleador que habrían promovido organismos estructuralmente distorsionados en cuanto a la calidad y cantidad de los recursos humanos y en la eficiencia de los agentes; el deterioro del nivel y calidad de la prestación de bienes y servicios de carácter público como consecuencia de una inadecuada estructura del gasto e ineficiente utilización de recursos (Domenicone, 1997).

– *La descentralización de las políticas sociales*, traspasándose a las provincias servicios públicos tales como escuelas primarias, medias y técnicas, hospitales y programas nutricionales y de vivienda. Se transfirieron los recursos financieros del Fondo Nacional de la Vivienda, el Consejo Federal de Agua Potable y Saneamiento, el Fondo de Desarrollo Eléctrico del Interior y del Fondo Vial Federal. El marco de referencia de la política de salud apuntó a reorganizar los sistemas y recursos de salud sobre la base de la descentralización y la concertación intra y extrasectorial. Esto incluye la tarea de redimensionar el establecimiento público de salud, para transformarlo en una institución de autogestión.

Sin embargo, la política de descentralización educativa no parece haber sido resuelta inicialmente con un criterio integral que haya preparado las condiciones de la transferencia educativa de acuerdo con los recursos necesarios, la capacidad de gestión, el fortalecimiento institucional y el cambio curricular con anterioridad a su implementación, sino que contuvo en su origen una connotación dominante de tipo fiscalista determinada por las políticas económicas de ajuste, lo que implicó, en este caso, una "modalidad residual de gestión" al momento de la toma de decisión (Bitar, 1998). Modalidad que supone "...precariedad de instrumentos de diagnóstico, de planificación y de control que permitan al Estado asumir los roles indelegables de regulación y articulación social e institucional, aspectos éstos no sólo indispensables en una fase de creciente mercantilización y segmentación en la atención de las necesidades de servicios y bienes sociales, sino indispensables al gobierno de sistemas descentralizados de gestión" (Tecco, 1996).

– *La reforma tributaria* orientada al combate de la evasión, a la imposición de nuevas formas de facturación y ampliación de los regímenes de retención, ampliación de la base imponible, simplificación del sistema y concentración del grueso de la recaudación en el IVA. Esto acentuó uno de los roles del Estado, el de "recaudador", clave en el financiamiento del mismo, y de allí también la importancia creciente que irán cobrando en el nuevo modelo instituciones como la DGI en la lucha contra la evasión. Si bien es cierto, la estructura tributaria tendió a basarse sustancialmente en la imposición a los consumos, perdiendo significación los gravámenes a los ingresos y el patrimonio, creciéndose en regresividad impositiva; un ejemplo de ello es la aplicación del IVA.

– *La reforma administrativa*: mediante la aprobación del Sistema Nacional de la Profesión Administrativa (SINAPA) con el objetivo de avanzar en la profesionalización de los recursos humanos de la administración. Un sistema pensado con los nuevos conceptos de concursos, productividad, capacitación, premios y castigos. Se cambió el sistema de administración financiera y los sistemas de control y de auditoría del sector público nacional. La organización y gestión de las funciones del Estado debía basarse en el diseño de un nuevo mapa de organismos, entes y unidades administrativas en línea con el nuevo rol asignado al Estado, eliminando estructuras y acciones innecesarias, superpuestas y duplicadas. Es decir, se intentó avanzar en la implementación de sistemas administrativos regidos por pautas, reglas y procedimientos sencillos, ágiles y transparentes, que hicieran uso eficiente de las tecnologías disponibles.

– *La desregulación* tuvo diversos aspectos: la de los mercados agropecuarios, eliminando la Junta Nacional de Granos y la de la Carne, así como otros organismos descentralizados de la Secretaría de Agricultura, Ganadería y Pesca, como el Instituto Forestal Nacional, el Mercado de Concentración Pesquera y la Corporación Argentina de Productores de Carne, entre otros. Esto estuvo realizado dentro del marco conceptual de la desregulación que implicaba desarrollar políticas tendientes a reducir los costos de las transacciones en los diferentes mercados y aumentar la competitividad en los mismos a través del diseño y ejecución de un plan de acción específico. Dicho plan debía quitar todo tipo de control o intervención regulatoria estatal que se considerara innecesaria, despejando la maraña de reglamentos, trámites y disposiciones que suponían subsidios e impuestos implícitos que, entre otras cosas, distorsionaban o impedían el funcionamiento de los mercados y la adecuada formación de precios.

Este proceso de reforma del sector público fue dándose junto a la paralela transformación de la sociedad, donde se acentuaba la terciarización, el predominio del sector servicios y la tendencia a la diferenciación y a la fragmentación. Se trató de un "shock liberal", pero más que eso, de una nueva "revolución desde arriba" típica de los procesos de modernización latinoamericanos, donde el Estado tiene un papel primordial para adecuar las relaciones económico-políticas con el centro, llevando a cabo una fuerte intervención estatal para instaurar, paradójicamente, una sociedad de mercado. Usando una metáfora sacada del *management*, se puede decir que se optó por una metodología de "reingeniería institucional" más que por otra de "calidad total", por una estrategia de drástica ruptura con lo anterior y desmantelamiento más que por otra de paulatino proceso de mejoras. Esta segunda vía es característica de la experiencia reformista europea que busca preservar parte de su Estado de bienestar, manteniendo niveles de cobertura para jubilados, desempleados y desprotegidos, y adecuarlo a la etapa del capitalismo global.

Lo característico de esta transformación fue su rapidez y radicalidad, un cambio que aparece como ruptura con la denominada matriz estadocéntrica (Cavarozzi, 1994), y su reemplazo por una matriz mercadocéntrica que, si bien eficaz en la lucha antiinflacionaria, promovió la concentración de la decisión en el Poder Ejecutivo (decretos de necesidad y urgencia) para llevar a cabo este proceso. Esta drástica reestructuración fue posible a partir de la situación de profunda crisis generada por las hiperinflaciones y de la modificación del consenso de posguerra sobre el Estado distribuidor. Es decir, mediante el pasaje del imaginario del "trabajador" al del "consumidor", y a través de una coalición política distinta respecto de la conformada por el peronismo en la posguerra: la alianza pobres-ricos. Un consenso social en torno del ajuste, en orden a mantener la estabilidad conseguida, pero que también se explica por una suerte de reducción de las expectativas, un disciplinamiento dilemático impuesto a la sociedad desde la aceptación de sucesivos ajustes a fin de evitar males mayores, así como por las condiciones lamentables a que habían llegado las prestaciones estatales.

Los resultados positivos de esta primera reforma son conocidos, fundamentalmente los referidos a la reducción de la inflación. La Ley de Convertibilidad (no emisión sin respaldo) que permitió superar la crisis; el balance de pagos derivó bajo relativo control; el país recuperó el crédito internacional y logró un crecimiento del 6 al 7% en los primeros tres años y mejoró la recaudación de impuestos y tributos. Esto trajo consigo la incorporación de nuevos instrumentos de modernización que comenzaron a cambiar el anterior modelo de gestión pública, instituciones de control generadas por la Constitución de 1994, como la Sindicatura General de la Nación (SIGEN) y la Auditoría General de la Nación (AGN). Una modernización tecnológica y gerencial que generó una mayor cultura presupuestaria y fiscal, así como el inicio del pasaje al paradigma de la administración pública de orientación al ciudadano considerado "cliente" o "usuario".[8]

Así como comenzaron a desaparecer roles del Estado vinculados al Estado de bienestar (productor, empleador, empresario, previsional, prestador), comenzaron a aparecer otros ("fiscalizador", "regulador", "evaluador"). Este último se manifiesta, por ejemplo, en la transformación educativa iniciada (Ley Federal de Educación), en el papel que las leyes otorgan a los gobiernos de verificar el desempeño de las instituciones universitarias y tecnológicas y en el poder de retirar credenciales en cuanto se presenten deficiencias graves. También debe señalarse favorablemente que en este período, y con el concurso de todo el sistema de partidos, es reformada la Constitución Nacional de 1853 y con ello parte de la orgánica política del Estado:

la inclusión de nuevos derechos difusos (medio ambiente, consumidor, minorías), mecanismos de control de nuevo cuño, de la cláusula de reelección presidencial, la ley de reforma de ministerios, la inclusión de la figura del Ministro Coordinador y de ciertas restricciones a los decretos de necesidad y urgencia.

Tal vez el dato más significativo y valioso de lo realizado fue que, en un país con enorme inestabilidad política y económica, se lograra restablecer las reglas de juego, generar previsibilidad interna y externa de carácter monetario, e insertar el crédito en el circuito de consumo, así como aumentar la productividad de la economía. Lo cierto es que "el modelo" parecía tener, en esta primera etapa al menos, un dinamismo y una eficacia transformadora que se transmitía desde el sector público hacia todos los ámbitos y que, a pesar de su carácter inequitativo, parecía, a la vez, serio e indetenible.

Ahora bien, este balance también debe incluir los "debe" o tareas no resueltas. Porque la política de privatizaciones no tuvo en cuenta la preservación de áreas estratégicas para el desarrollo nacional (por ejemplo, privatización del petróleo o de las comunicaciones) sino que fue "de todo y rápido". De esta manera, la excesiva fe en las bondades del libre mercado como mejor asignador de recursos llevó a la pérdida de áreas tecnológicas decisivas para la obtención de divisas (por ejemplo, YPF), así como a una importante desestructuración del aparato productivo industrial por la brusca apertura del mercado, con su impacto negativo en el empleo. Del mismo modo, la falta de preocupación por configurar áreas de autonomía tecnológica, la apertura unilateral y una desregulación impiadosa promovieron una desestructuración de la pequeña y mediana empresa, junto a una creciente vulnerabilidad externa y una situación de precariedad fiscal.

A esta falta de apoyo y promoción de algún perfil industrial conveniente, se asoció el predominio de una concepción "fundamentalista" de mercado, que asignó al Estado un rol muy exiguo y puramente garantista, en donde lo único que le quedaba por hacer era transmitir buenas señales a los actores económicos que decidían las inversiones en el mundo y tratar de ser objeto de sus decisiones de inversión. Se fue generando así un perfil productivo exportador de *comoddities* y bienes primarios con bajo valor agregado. En todo caso, con no muchas posibilidades de integrar mano de obra intensiva, lo que terminó generando desocupación, estimulada por la desaparición o fuerte achicamiento de las ramas productivas de bienes de consumo final (textiles y electrodomésticos) más expuestas a la competencia externa. Otro aspecto, tan grave como el anterior, fue la creciente autonomía de buena parte de los sectores exitosos respecto del mercado interno, en el sentido de que el beneficio de éstos depende en muy baja proporción de la capacidad de consumo del resto de la sociedad o del aporte de componentes, bienes o servicios. Por eso ya no se trata de afrontar sólo la concentración de ingreso, sino también la existencia de un sector que tiene un horizonte de progreso propio y que casi no necesita del resto de la población (Martínez, 1996).

En otro sentido, la desregulación-privatización estuvo atravesada por hechos poco transparentes, al menos en una primera etapa (por ejemplo, Aerolíneas).[9] Por un lado, la corrupción, hasta entonces asociada en el discurso oficial al Estado protector (a "la patria contratista", a los *lobbies* o *rent-seeking* del modelo anterior), vino a manifestarse en una serie de corruptelas asociadas a los procesos de privatización y modernización.[10] Esta situación, junto a una mayor visibilidad de estos hechos lograda por los *mass media*, promovieron un talante público cada vez más adverso y descalificante de la clase política.

La reforma no se redujo a un mejor proceso de devolución de servicios a otros actores, sino que también introdujo un profundo cambio en las relaciones de poder en la sociedad, entre élites y sectores populares, homogeneizando a las primeras y heterogeneizando a los segundos. De esta manera se terminó de desplazar el poder de amenaza que provenía de las clases trabajadoras organizadas (huelga general, amenaza revolucionaria) hacia el proveniente de las nuevas élites económicas ("golpe del mercado", desinversión, fuga de capitales). Se trató de una redefinición del *establishment* y de la estructura de poder económico ya iniciada una década atrás, concentrada en los nuevos *holdings*, las agencias bilaterales de crédito, los bancos de inversión y los multimedia, y el paralelo desalojo de su condición de factores de poder de las fuerzas armadas, sindicatos, cámaras empresarias y de la misma cúpula de la Iglesia.[11]

Esta cesión estratégica de propiedad y de capacidad de gestión se realizó no sólo en favor de una nueva configuración del poder económico empresarial y de aquellos actores que durante todo este proceso lograron mantener una vinculación directa con el Poder

Ejecutivo reconvirtiendo sus orientaciones de contratistas del Estado a beneficiarios de las privatizaciones, sino también en favor de un segundo sector de beneficiarios configurado por los grupos comunicacionales, ya que la desregulación total en este sector también favoreció la concentración e integración de los grupos multimedia.

De este modo, la supresión del Estado corporativo en que se basaban en parte los objetivos reformistas produjo un desplazamiento de los grupos anteriormente favorecidos, subvencionados o apoyados (empresarios industriales, "patria contratista", cúpulas sindicales) hacia nuevos agrupamientos (*holdings* de servicios públicos privatizados, grupo de los 8, el CEA). O la emergencia de un nuevo interés particular prevaleciente, que se presenta como universal, y de un bloque dominante que se desplaza del sector industrial y de la economía real al sector financiero, a los servicios y a la economía virtual.

En síntesis, esta primera etapa reformista mostró rasgos ambiguos y paradójicos. Por un lado, porque se llevó a cabo un cambio necesario frente a una situación crítica producto del proceso de endeudamiento y de crisis profunda del Estado de bienestar y de ingobernabilidad. En ese sentido, el gobierno del presidente Menem siguió una serie de políticas generalizadas en el mundo del capitalismo globalizado, como la reducción del peso productivo del Estado, de su rol de ejecutor directo, la apertura de la economía, la desregulación y la descentralización. Pero, por otro lado, el "shock liberal" y la mayor racionalidad en las cuentas públicas fueron de la mano de una fuerte pérdida de derechos sociales adquiridos, la reducción de la capacidad reguladora del Estado y un creciente endeudamiento y constitución de un Estado ausentista.[12]

La reforma del Estado, al operar más por necesidades de recorte del gasto que por afán de ampliar las capacidades de gestión, generó la tan difundida caracterización de este proceso como de "desmantelamiento". Un rasgo específico del caso argentino donde el Estado va reformándose pero en función de consideraciones modernizantes que son fundamentalmente de carácter fiscal y de caja. De la implementación de políticas que lo conciben más en términos de presupuesto, disciplina fiscal, "peso" o "tamaño", que de relación social, garante del bien común, o instrumento de transformación de la sociedad sobre sí misma. Lo característico de esta primera reforma del Estado no fue sólo la reducción del tamaño y el nivel de cobertura social, o desaparición de su roles empresario y empleador, sino su drástico debilitamiento en favor de los mercados. Podría decirse que lo equivocado de la misma fue, más que la salida de la crisis hiperinflacionaria, la retirada masiva del Estado en lugar de su reconstrucción, la no preocupación por dotarlo de instrumentos capaces de implementar políticas de mediano y largo plazo.

B. DESEMPLEO ESTRUCTURAL Y REFORMA DEL ESTADO II

A mediados de 1996 comienza a cerrarse el primer ciclo reformista por la aparición de dos factores no previstos en los supuestos iniciales del modelo: el creciente déficit fiscal, por disminución del crecimiento derivado de la salida de capitales luego de la crisis del "tequila", y el aumento exponencial de un fenómeno desconocido en la Argentina moderna: el desempleo estructural.

Ambos aspectos, junto con rivalidades agudizadas acerca de a quién correspondía la paternidad del modelo, comenzaron a generar un creciente desgaste de la relación entre el poder político y el tecnocrático, que culminó con lo que parecía imposible en la etapa anterior: el reemplazo del ministro Cavallo sin que ello supusiera la desestabilización económica. Hasta entonces, la lógica tecnocrática y la política habían establecido un juego de suma positiva, ya que el plan de estabilización, junto con el crecimiento y el mayor consumo, habían generado réditos electorales al gobierno y, al mismo tiempo, poder y prestigio al ministro para poder continuar con la reforma. A partir de la aparición de la recesión y el desempleo, los tiempos y objetivos de estas dos lógicas, la técnica y la política, comienzan a distanciarse y son de crecientes costos para el sector político.

La nueva iniciativa reformista, si bien tuvo por principal objetivo reducir el déficit fiscal, tendió a justificarse en la necesidad de hacer frente a los desafíos que implicaba la globalización, como la exigencia de mejorar la competitividad del país, reducir el costo argentino y el desempleo. Las medidas apuntaron a profundizar las reformas estructurales, a mantener el tipo de cambio y la actual política monetaria, a reducir el déficit fiscal y a flexibilizar el mercado de trabajo. Se trataba de reducir el gasto, aumentar la presión tributaria, privatizar lo que faltaba a nivel de los activos aún en manos del Estado nacional (aeropuertos, represas, centrales nucleares, banca nacional y provincial), eliminar gradualmente el sistema estatal de reparto, racionalizar el sistema financiero, disolver y fusionar organismos descentralizados (DGI-Aduana, ANSAL), y eliminar y/o reconvertir cerca de 15.000 empleados públicos de organismos de la administración central y de entes descentralizados, etcétera.

También se proponían metas para aumentar la agilidad estatal y los mecanismos de auditoría y de participación social. La ley apuntaba a emular prácticas empresarias y criterios de eficacia y eficiencia para efectuar el paulatino pasaje de estructuras y organizaciones de carácter piramidal, jerárquicas y centralizadas a estructuras más desconcentradas, implementar la eliminación y/o reorganización de organismos a través de la fusión, la reducción o transformación de instituciones, a profundizar la heterogeneidad y la competitividad entre sus agentes, estableciendo sistemas de premios a la productividad y a reemplazar la negociación colectiva por la negociación descentralizada e individual.

Cuadro 3
Reformas del Estado I y II

	Reforma I	Reforma II
Período	1989-1995 (Cavallo)	1995-1999 (R. Fernández)
Contexto	Hiperinflación Eje: estabilidad	Desempleo estructural Crisis fiscal
Reformas	Cambiaria (convertibilidad) Privatizaciones Desregulación Apertura Administrativa (Sinapa) Descentralización político-social Sistema de control (ley) Apertura	Reformas: provinciales, laboral, de la salud, educativa, de las obras sociales, de la Justicia, del sistema tributario. Política social focalizada Privatizaciones de bancos, aeropuertos, etcétera

Lo más novedoso de la segunda reforma fue el fuerte énfasis puesto inicialmente en la necesidad de flexibilizar el mercado laboral, fundamentándose en la necesidad de dotar de mayores oportunidades a los actualmente desempleados y disminuir el "costo argentino". Ello se tradujo en una apuesta por la precarización, por la reducción unilateral de salarios para las empresas, la modificación de la jornada horaria y de las fechas para tomar vacaciones, la extensión de la jornada laboral, la negociación a nivel de empresas, el fin del régimen de indemnizaciones y un nuevo régimen de contratación. No obstante, la derrota electoral de octubre de 1997 llevará al gobierno a propiciar una reforma laboral de nuevo cuño, esta vez concertada con los sindicatos y que ya no gozará de la aprobación del empresariado y de los organismos internacionales (particularmente del FMI).

Asimismo, la desregulación de las obras sociales se presenta como la posibilidad de libre elección para sus beneficiarios, lo que significa introducir la competencia de las empresas privadas en un campo hasta ahora controlado por los sindicatos. Esta orientación, si bien puede traducirse en una mejora en los servicios de salud, seguramente también va a implicar una diferenciación creciente en la utilización de los mismos por nivel de ingresos y una disminución del grado de solidaridad del sistema.

No obstante, el marco sociopolítico en el cual comienza a desarrollarse la segunda reforma, va a diferir significativamente de la primera. Porque a fines de los 80, los efectos de la alta inflación, la sensación de desorden dejados por la anterior administración y la lógica de emergencia del adelantamiento del poder, produjeron una fuerte delegación de los ciudadanos al gobierno, junto a requerimientos de eficacia respecto de la contención inflacionaria. Esto abrió las puertas a la modificación del consenso de posguerra sobre el Estado distribuidor y la constitución de uno nuevo sobre el privatizador. Pero la nueva situación de fines de los 90 muestra una opinión pública crecientemente desafecta no sólo respecto del gobierno sino también del "modelo". Ha cambiado el humor de la sociedad ya que la pérdida de capacidad de consumo y la creciente desocupación se constituyen en problemas centrales. Es un desencanto sobre lo privado que, por el momento, no se traslada a una opción antirreformista, pero que muestra escepticismo sobre las bondades de la actual.

La población comienza a percibir con más justeza los altos costos sociales que el modelo privatista a ultranza trae consigo, tanto en términos de precarización e inseguridad como de caída salarial. Sintiendo una desequilibrada presión fiscal en el marco de una situación de creciente esfuerzo tributario y tarifario, así como de malestar por la corrupción. Los ciudadanos ven que la educación pública está en crisis, afrontan el costo del cambio previsional y no tienen seguridades sobre sus resultados, y padecen la caída del sistema de salud pública. Este "malestar social" e incipiente "desilusión con lo privado", se va a traducir en huelgas exitosas a pesar del desprestigio de la dirigencia sindical, en nuevas formas de protesta y en la derrota electoral del oficialismo para cargos legislativos en octubre de 1997. Este panorama lleva a un distanciamiento entre gobierno y sociedad: el primero porque debe avanzar en las reformas estructurales, en concluir la Reforma II, sobre todo bajo la fuerte presión empresaria y de organismos internacionales en el eje flexibilización-privatización, y la segunda, porque paulatinamente le va restando apoyo al modelo, sin tener una alternativa de reemplazo.

Las orientaciones de la segunda reforma se entienden, entonces, en el cruce contradictorio entre la lógica de acumulación y la de legitimación. La primera es requerida por el modelo para la reducción del déficit, el aumento de la confianza de los inversores y acreedores externos y la reducción del "costo argentino" y del "riesgo país". La segunda, porque frente a la incapacidad de recrear expectativas positivas sobre las medidas económicas o la insuficiencia de un consenso sostenido exclusivamente en la estabilidad de precios, busca recuperar el apoyo político sobre nuevos ejes, primero sobre una orientación re-reeleccionista como alternativa frente a un eventual descontrol (plan de obras públicas, ley de reforma laboral consensuada con los gremios), luego sobre la problemática de la inseguridad.

C. FIN DE SIGLO Y PARADIGMA EMERGENTE

Luego de las crisis de fines de los 80 y a partir de las profundas e irreversibles medidas encaradas por el gobierno menemista, un nuevo Estado –postsocial o neoliberal– ha comenzado a perfilarse con menor capacidad interventora, que ha cedido actividades y servicios al sector privado, al nivel subnacional y a la sociedad civil, a la vez que presenta crecientes limitaciones en su autonomía y capacidad política. A partir de estas constataciones pueden extraerse algunas lecciones de esta experiencia reformista bajo el paradigma de Estado mínimo. En primer lugar, la reforma motorizada por la perspectiva fiscalista de achicar el gasto y equilibrar las cuentas, más que por un interés en mejorar la capacidad de gestión y reconvertir la economía en una dirección productiva, se basa en la lógica de "cierre de caja", que lleva a que nada garantice que después de la Reforma II no venga la III o la IV. Se trata de una lógica en que el Estado aparece como variable de ajuste de un proceso de creciente endeudamiento, que no hace otra cosa que contribuir a reproducir y alentar demandas de austeridad y de recorte del gasto. Pero en un cuadro de alto déficit fiscal y comercial, el seguir tomando deuda afecta el déficit de cuenta corriente, aumenta los intereses a pagar y reduce el nivel de actividad y de empleo. No sería extraño, entonces, que el costo económico-social de la defensa de la estabilidad sea aún más creciente e injusto; algo así como ajuste tras ajuste, como antes era devaluación tras devaluación, y que del financiamiento vía emisión se pase al financiamiento vía endeudamiento.

En segundo lugar, si bien es cierto que el proceso de modernización tiende a la diferenciación de las esferas económica, política y social, lo que se observa no es tanto un proceso de autonomía de los distintos subsistemas, sino más bien la subordinación de estas últimas esferas a la económica. El poder político hace lo que el poder económico más concentrado exige como necesario para lograr la confiabilidad de los mercados. Pero, desde un enfoque crítico, se observa un círculo no virtuoso de esta subordinación, porque la profundización de las reformas estructurales genera crecientes problemas de pobreza, altas tasas de desempleo y fracturas en el campo social. Y ello repercute en lo político, porque el descenso de los índices de popularidad reduce los márgenes de maniobra gubernamental, y la mayor incertidumbre obliga, a su vez, a incrementar las garantías a ofrecer a los mercados.

De esta manera, la crisis se torna social por la continuidad de una orientación económica fiscalista y excluyente; luego política, por la pérdida de apoyo electoral, transfiriéndose finalmente a lo económico, por aumento del déficit de cuenta corriente y del "riesgo país". Cuanto más profunda se hace la subordinación de la política a la economía, del sector interno al externo y del productivo al financiero, más aumenta la incertidumbre y con ella los costos de transacción del poder político al económico, que debe otorgar cada vez más garantías en lo referente a cesión de bienes públicos y derechos adquiridos del sector trabajo. De esta manera, hay una debilidad de la política para orientar la acción pública hacia el bien común y para dar respuestas eficaces a problemas sociales significativos, predominando una tendencia a naturalizarlos, a trabajar más sobre sus efectos que sobre sus causas, a considerar mayor seguridad como más policía y penalización, y menor pobreza como políticas de contención social.

Ahora bien, si estas tendencias son reales, ¿cuál sería el rol del Estado necesario en una etapa posneoliberal? ¿Es posible encontrar una perspectiva intermedia entre la visión totalizante anterior del Estado de bienestar y el enfoque minimalista que plantea la profundización de las reformas como lo "único posible"? Y si es así, ¿cuáles serían los elementos configuradores de un paradigma estatal deseable en una etapa posprivatización? Dicho en términos futuristas, ¿cuál debería ser el Estado del siglo XXI a partir de los cambios producidos?

Lo cierto es que a fines de los 90 empieza a erosionarse el paradigma del Estado "mínimo" del Consenso de Washington, e incluso aparece otro discurso dentro de los mismos organismos internacionales que forjaron el primero, en favor ahora de "reformas de segunda generación". Estas buscan asegurar una mayor transparencia de los mercados y el eje del debate gira hacia el problema de la calidad de las instituciones como factores de consolidación del cambio en las economías de la región, hacia reformas de justicia, educación, trabajo, capital social y previsional.[13] Se produce una orientación neoinstitucionalista y toda una suerte de teorías y enfoques[14] sobre el Estado –"tercera ola" y "tercera vía"– que no buscan tanto ya "desmantelar" como orientar en favor de una "reconstrucción del Estado".[15] Es decir, si bien queda atrás el modelo de Estado onmnipotente, centralizado, también comienza a ser cuestionado el rol ausentista del neoliberalismo.

Por ello, desde una perspectiva que busque no tanto "profundizar" el modelo sino superarlo, y no sólo tratar de hacer más transparente y prolija su gestión sino reconstruir capacidades estatales y hacer confluir equidad con eficiencia, podrían destacarse tres roles en los cuales podría encontrarse el Estado necesario o deseable hacia fin de siglo: el regulador, el solidario y el estratégico.

Cuadro 4
Roles del Estado

	Estado de bienestar ("desarrollista", "de compromiso")	Estado neoliberal ("mínimo")	Estado posneoliberal Regulador ("solidario")
Roles	Prestador, empresario, empleador y planificador	Privatizador, desregulador, aperturista, descentralizador Funciones básicas	Solidario, regulador, estratégico
Coordinación	Política	Por el mercado	Mix Estado-mercado-sociedad civil
Legitimación	Redistribución vía salario y pleno empleo	De acuerdo a prestaciones y redes de contención	Democracia fiscal, solidaridad pública, derechos de inclusión

El rol "regulador" (la defensa del consumidor)

Si bien el Estado ya no puede producir como antes en el Estado empresario, sí debe regular y controlar a un sector público privatizado para que no se constituyan nuevos monopolios en detrimento de los intereses de los consumidores. Esto hace referencia a la desprotección que padecen los ciudadanos consumidores frente a los grandes grupos y empresas, y a lo errático y deficitario que ha sido hasta ahora el manejo de los entes e instituciones de regulación, dejando consumidores cautivos por ausencia de competencia y de oferta alternativa, falta de información, ganancias extraordinarias o monopólicas de estas empresas.[16]

El porqué del rol regulador remite al proceso de privatización iniciado en 1989, el traspaso de actividades monopólicas del Estado sin la previa creación por ley de los marcos y los entes reguladores, o sin tomar los resguardos necesarios para que esos servicios se prestaran de forma competitiva. Hasta ahora, "el modelo" le ha asignado una postura muy secundaria a los entes y agencias que tienen una exclusiva función mediadora entre el Estado y las empresas prestadoras, y que deja muy poco lugar a la misión de velar por el interés de los consumidores. Es decir, se alentó la indefensión y explotación del consumidor, la prestación de servicios públicos por monopolios y se dio más garantías y beneficios al capital extranjero que al nacional. Esto fue facilitado por la concentración de las decisiones en el Ejecutivo, que define las políticas sectoriales y pauta a los entes restándoles autonomía.

Porque la cesión de funciones del Estado a la lógica de mercado y del sector privado no sólo no ha solucionado, sino que ha problematizado y complejizado las relaciones entre el sector público y el privado, comenzando a surgir la demanda de un rol "regulador" y garantista de bienes colectivos del que el Estado no puede desentenderse. Ese rol genera polémica no sólo respecto de su existencia sino también por la forma en que debe ser ejercido y a través de qué instituciones o agencias.[17] Y más allá de la postura que plantea la autorregulación de los mercados habría diversos modelos de diseño institucional en juego: el que privilegia la técnica e independencia del poder político para impedir que se privilegien intereses sectoriales o de corto plazo y pone énfasis en lo técnico y la ideoneidad profesional de sus miembros (pero que no elude el riesgo de "la captura del ente" por la empresa); el "superente" más agregado, de control parlamentario y de carácter político, y un tercer diseño, que incluye una intervención significativa del tercer sector, no sólo de técnicos idóneos y del sector político, sino también de organizaciones de usuarios y consumidores que pueden introducir una lógica de control y de bien público complementaria de las otras dos.[18]

Lo cierto es que se trata de responder al desafío de cómo avanzar en el funcionamiento del marco institucional-regulatorio posprivatizaciones, y que para ello se requiere un marco jurídico político preciso que evite la instalación de un capitalismo salvaje regido exclusivamente por el lucro inmediato y un ilusorio automatismo del mercado. Esto implica un cambio en la modalidad de operación de la economía, sustituyendo la tendencia a reemplazar la acción privada por la pública, por la de hacer que los intereses privados sean compatibles con el bien común.

En el caso de las empresas que prestan servicios públicos, dada la naturaleza de éstos, es necesario impedir tanto la privatización del concepto de servicio público como las condiciones de virtual monopolio en las que éstos se prestan. La participación social (usuarios o consumidores, constitucionalmente ya incorporada en el control) también puede contribuir a hacer más transparente el funcionamiento de las empresas y orientar socialmente sus resultados (por ejemplo, audiencias públicas). Pero hasta que esa cultura de la participación y del control social se generalice e institucionalice, se requiere de un mayor protagonismo del Estado, evitando tanto los excesos de la intervención como los de la abstención.[19]

El rol "solidario" (la defensa de los más débiles y de la integración social)

A diferencia del Estado liberal que se constituyó en derredor del valor de la libertad y del individuo, del Estado de bienestar que hizo su centro en la igualdad y en lo colectivo, luego del momento neoliberal apoyado en lo privado y en el individualismo competitivo, el nuevo rol podría descansar sobre uno de los lemas incumplidos de la revolución francesa: la fraternidad, la solidaridad (Vidal, 1994). En parte, porque tal vez sea la solidaridad la utopía del siglo XXI, y en parte, por la necesidad de articular el principio de subsidiariedad con el de solidaridad. Porque lo que también está en juego en la etapa posprivatizaciones es cuál va a ser el rol del Estado en la disminución de la pobreza, en la distribución del ingreso y en asegurar la cohesión social, lo que efectivamente no puede quedar por completo en manos del mercado como inicialmente se pensó.

Pero, ¿cómo definir este principio de solidaridad? Una forma puede ser considerarlo como el vínculo que une a los hombres y pueblos de modo que el bienestar de unos determine el de los otros. Otra, como el compartir más allá de relaciones estrictas de justicia. Pero el problema con el principio de solidaridad radica en superar su concepción de virtud moral y de carácter personal, de sentimiento circunstancial en situaciones excepcionales (por ejemplo, inundaciones), para incorporarlo como elemento de una nueva ética social capaz de generar conductas, derecho público y hasta prescripciones constitucionales. Una solidaridad pública capaz de legitimar derechos y amparos, y una democracia fiscal que permita realizar transferencias entre sectores (vía gravar ganancias extraordinarias, subsidios que financien el derecho a la inclusión, la promoción del empleo, etcétera).[20]

El principio de solidaridad podría regir la intervención directa del Estado, poniéndose en defensa de los más débiles, promoviendo algunos límites a la autonomía de las partes que deciden las condiciones de trabajo y asegurando, en todo caso, un mínimo al trabajador desempleado. Puede ser también interpretado en términos de una radicalización de la sociabilidad al asumir y dar respuestas a las asimetrías sociales. Esto incluiría la lucha contra la pobreza (indicadores NBI), pero también contra las desigualdades (índice de Gini) y contra la exclusión (sectores que independizan su prosperidad de otros, sociedad de dos velocidades o dual). En todo caso, se trata de ejercer una solidaridad con aquellos que están peor o con los perdedores de este proceso de reconversión económica. De establecer una nueva relación entre los que más han ganado con el proceso de transformación estatal y los que menos, entre la Argentina integrada a la economía global y la que no lo está. Y esto se vincula a una refundación del derecho social en la sociedad postindustrial: el derecho a la inclusión (Rosanvallon, 1995).

La reorientación del papel del Estado en los próximos años presenta así la disyuntiva entre insistir en el rol minimalista en lo social junto a políticas de contención de la pobreza y reforzamiento de la seguridad o apuntar al reforzamiento de su función solidaria. Esto último significaría plantearse no sólo la transparencia, el dar respuesta y autonomía de la justicia, sino también el discernir quién paga los costos de la cohesión social y mediante qué mecanismos (por ejemplo, nuevos mecanismos redistributivos para el financiamiento de emprendimientos productivos, obra pública, transferencia tecnológica, dar importancia a lo público no estatal, etcétera).

Pero en una época de economía globalizada, la solidaridad debe traspasar las fronteras nacionales. Así como se globaliza la economía también debe globalizarse la solidaridad, en el sentido de que debe incluirse en las relaciones comerciales, financieras y de intercambio entre distintas naciones y bloques (por ejemplo, deuda externa, barreras para las exportaciones de las naciones en desarrollo a las desarrolladas, regulaciones internacionales para los capitales especulativos, etc.). Sólo basta comparar el grado de concentración y distanciamiento creciente que se está produciendo entre las sociedades desarrolladas y en desarrollo para percibir esta necesidad. Según el informe del PNUD, más de la mitad de la población mundial (alrededor de 3.000 millones de personas) tiene ingresos inferiores a 2 dólares al día. Por otro lado, la parte de la renta mundial del 20% de las personas más pobres del mundo disminuyó del 2,3 en 1980 al 1,4 en 1993, mientras que la del 20% de las personas más ricas pasó del 70% al 85%.[21]

El rol "estratégico" (la construcción de un rumbo compartido)

La misma globalización genera la necesidad de incorporar una comprensión que permita discernir los desafíos que afronta el país en esta inserción al mundo global. Esto significa que se debe trabajar no sólo para la coyuntura sino también para el mediano plazo, y el desafío consiste aquí en divisar las oportunidades que se presentan y tener capacidad para constituir políticas de Estado mediante consensos suprapartidarios. La nueva etapa es poco propicia para dogmatismos, requiere consensos extensos y de largo plazo sobre temas en los que la unanimidad de criterios es sencillamente imposible.

Es algo propio también de este proceso contar con instrumentos de diagnóstico como aquellos que se vinculan a las herramientas del método de planeamiento estratégico (FODA), un análisis de las fortalezas y debilidades de una situación determinada, así como de las oportunidades y amenazas que se avisoran en el mediano plazo y de los escenarios que puedan construirse. Esto remite a un replanteo de cómo se configura el bien común en una sociedad pluralista y abierta, con un Estado con funciones y capacidades más limitadas. Lo cual no implica volver a la planificación e intervencionismo del Estado de bienestar pero sí incorporar una perspectiva flexible, concertada y comunicativa de la misma, entendiendo que para lograr compromiso se requiere contar con la participación de la sociedad civil, consensuar lineamientos para salir de la disyuntiva de tener que optar entre el principio eficientista de mercado o el de una administración partidizada; entre la inacción o la solicitud exclusiva del sector público a los intereses de un sector. Se trata de integrar a la construcción de un rumbo compartido no sólo los intereses del mercado (segundo sector) y del sistema político estatal (primero) sino también del emergente tercer sector. No sólo para coordinar mejor, sino para visualizar que los objetivos del sector público se cumplan a través de la acción combinada de diversas instituciones públicas y privadas.

Este rol supone incorporar capacidad estratégica para delinear un perfil productivo y de sociedad futura que maximice la demanda de empleo en cantidad y calidad. Una inserción a la economía global que no quede encerrada en la estrategia de concentración y transnacionalización de los *holdings* y organismos financieros internacionales propuesta como único camino. En este sentido, lo estratégico en la etapa de la globalización está vinculado a cómo mejorar la competitividad, pero ello no significa asociarse a una visión restringida de la misma sino vincularla a otra de carácter sistémico. El concepto de "competitividad sistémica" (Messner, 1992; Kosakoff, 1995), muestra que no son competitivas sólo las empresas sino que para ello es necesario un entorno vinculado a infraestructuras, educación, calidad ambiental, y que esto sólo puede ser incorporado mediante el activismo estatal.

La diferente conceptualización sobre cómo se mejora la competitividad de un país condiciona sus posibilidades de insertarse de uno u otro modo en los flujos de comercio internacional. En la perspectiva actual, la mejora de la competitividad es una cuestión de mercado que se dará natural y espontáneamente, vía diferenciación de otros mercados emergentes y vía flexibilización salarial, mientras que en otros países este proceso no es del todo espontáneo y requiere de la intervención del Estado a efecto de corregir las fallas de mercado. Esta tarea, al igual que lo que acontece en cualquier empresa, requiere realizar diagnósticos, fijar metas y plazos.

De allí que alentar una opción de competitividad sistémica puede significar que la política económica tenga su centro de gravedad en la preocupación por generar empleo y bienes transables con una coalición en favor del capitalismo real o productivo. De resaltar la importancia del conocimiento, de la política educativa, de la capacitación laboral y tecnológica, frente a la evidencia de que las empresas líderes en nuestro país no tienen autonomía técnica y comercial para asegurar que competirán con éxito en el mercado mundial, y que tampoco existen vínculos consistentes entre industriales, universidades y gobiernos que garanticen un espacio de creación y búsqueda permanente de competitividad y de regulación de dicha competencia.

Por ello, una estrategia alternativa significaría incorporar mayor valor agregado a las materias primas que hoy se exportan, desarrollar proveedores de las industrias productoras de bienes de consumo que hoy importan partes y componentes, conformar redes productivas con capacidad exportadora a partir de las PyMEs. Y esto no tendría un mero sentido de optimización relativa del crecimiento económico, sino que se vincula a una condición para integrar a la sociedad argentina. Porque la construcción de lazos entre los sectores modernos y el resto de la comunidad, no sólo de carácter comercial, se hace necesaria para hacer un país integrado. De lo contrario nos enfrentaremos a "dos mundos que hoy divergen, uno hacia la prosperidad detrás de alambradas y paredes con alarmas, y otro hacia la miseria y la anomia más absolutas. Muy poca gente está quedando en el medio" (Martínez, 1997).

En síntesis, la redefinición del Estado en la etapa de la posprivatización requeriría incorporar estos tres roles junto con la capacitación correspondiente de funcionarios y técnicos para poder ejercerlos. Porque de lo que se trata es de decidir un rumbo, de redefinir el bien común en la sociedad plural y abierta, y asimismo de dar coherencia a los otros dos procesos clave que se configuran conjuntamente a la reforma del Estado: el del "fortalecimiento de lo local" y el de la "construcción de la región".

NOTAS

1. "La especificidad de la matriz estadocéntrica latinoamericana no estuvo solamente asociada con la sustitución de importaciones ni con el cierre parcial de la economía, sino también su fórmula política y a cómo ésta resolvió los conflictos de intereses y valores." Cavarozzi, M., *Autoritarismo y democracia (1995-1996). La transición del Estado al mercado en la Argentina*, Ariel, Buenos Aires, 1997.

2. En los 80 con la crisis de la deuda externa, la reducción de los términos de intercambio y el incremento de la tasa de interés internacional, se produjo un agudo aumento de los servicios de la deuda y una caída de los precios de los bienes exportables, con la consecuente imposibilidad para los países de la región de revertir la situación sin un profundo cambio de la política económica.

3. Ver al respecto, del autor, *Estado y sociedad. La nueva relación a partir del cambio estructural*, Tesis Norma-FLACSO, Buenos Aires, 1995.

4. (Garretón, 1997); (Lechner,1995); (Bresser Pereyra,1996); (Oszlak, 1996). Bozzo, Cristina; López, B.; Rubins, R. y Zapata, A., "La Segunda Reforma del Estado. Balance", *Cuaderno CEPAS*, N° 5, 1997.

5. Williamson, John, *Democracy and the Washington Consensus*, Institute for International Economics, 1993. Este enfoque planteaba en una primera etapa, que la política económica debía centrarse casi exclusivamente en el establecimiento de un marco macroeconómico sólido. "Puesto que la inestabilidad es concebida como el resultado de un endeudamiento excesivo y volátil con fuentes internas para financiar el déficit del sector público, la prioridad en esta etapa es el logro de un superávit fiscal primario." En una segunda etapa, "implica la puesta en práctica de un conjunto de políticas cuyo objetivo es lograr que los incentivos privados sean más acordes con las verdaderas escaseces económicas". Durante esta etapa debe aplicarse la parte medular del paquete de liberalización, es decir las reformas de política para el sector financiero, la estructura comercial, la desregulación del mercado laboral, etcétera.

6. A diferencia del efecto "tequila", esta segunda crisis internacional, si bien mostró fortalezas de la convertibilidad, también puso en duda problemas de déficit de cuenta corriente del modelo, así como problemas vinculados a la falta de competitividad de nuestras exportaciones.

7. Leyes de Emergencia Económica y de Reforma del Estado. El déficit público entre 1980 y 1989 había subido del 5% al 21% sobre el PBI. Durante esta década, todas las empresas públicas cubrían con sus ingresos sólo el 63% de sus gastos, con lo cual fueron arrastrando un déficit que era financiado por el Tesoro, y en 1989 la tasa inflacionaria había llegado al 4924%. Ver FIEL, *El gasto público en Argentina,* Buenos Aires, 1991.

8. Ver Martínez Nogueira, Roberto, "La reforma del Estado en Argentina. La lógica política de su problemática organizacional", en *Forges*, Documento 25, Buenos Aires, 1993, pág. 1, y el análisis de la ley 23.696 de Reforma del Estado y la 23.697 de Emergencia Económica más los decretos de necesidad y urgencia.

9. Ver Rausch, Alejandro E., "La regulación en la Argentina: acerca de su diseño e implementación", Conferencia sobre posprivatización en América latina, Buenos Aires, 25 de marzo de 1995, PNUD-Ministerio de Relaciones Exteriores.

10. Se puede señalar asimismo los importantes subsidios que el Estado sigue asignando en los distintos activos transferidos: Peaje: US$ 110 millones por año. Ferrocarril, US$ 330 millones por año. Reducción de aportes patronales US$ 3200 millones anuales. Activos que aportan a las AFJP, no menos de US$ 1700 millones adicionales.

11. En el cambio de las articulaciones entre Estado y sociedad se puede reconocer una articulación horizontal o funcional, qué hace cada uno; la articulación vertical o jerárquica o quién define qué es lo que se hace y quién lo hace, y la material o equitativa, o quién se beneficia y quién paga los costes (por ejem-

plo, política fiscal). Dice Bitar (1998) que es evidente que de las tres articulaciones la decisiva es la segunda, en la medida que son los sectores hegemónicos aquellos que fijan la agenda y el contenido de lo público, aunque en un marco de aparente negociación con otros sectores.

Queda claro, también, que la reforma del Estado no es sólo administrativa (interburocrática), sino que lo que se modifica es la relación público/privado, produciéndose en este caso la restricción de la intervención del Estado en órbitas que antes eran de su incumbencia (Ozslak, 1993).

12. Dice A. Borón que, después de la oleada de privatizaciones y liberalizaciones en América latina, tenemos "mucho menos Estado y mucho más mercado. El péndulo se ha movido abruptamente en la dirección de los mercados incontrolados: si antes había supuestamente un exceso de intervencionismo estatal, ahora el peligro es exactamente el contrario, la patológica debilidad de los Estados para regular y encauzar lo que en la posguerra se denominara la 'destrucción creativa' del capitalismo, las ciegas fuerzas del mercado". Borón, A., "¿Yugo o Jaguar? Notas sobre la necesaria reconstrucción del Estado en América latina", *I Congreso del CLAD, Reforma del Estado y de la Administración pública*, Nº 5, Caracas, 1997, pág. 94.

13. Banco Mundial, IV Conferencia Anual sobre el Desarrollo en América latina y el Caribe, El Salvador (1998), "Beyond the Washington Consensus. Institutions matter".

14. Ver al respecto Evans, Peter, "El Estado como problema y como solución", en *Desarrollo Económico*, Nº 140, Vol. 35, enero-marzo de 1996.

15. Luiz Carlos Bresser Pereira en "Reconstruindo um novo Estado na América Latina", Congreso Interamericano del CLAD sobre la Reforma del Estado y de la Administración Pública, *Anales,* Nº 5, CLAD-BID-PNUD-AECI, Caracas, 1997, propone un Estado social-liberal para el siglo XXI.

16. Mediante la regulación se busca normar en general sobre las diversas imperfecciones del mercado o suplir la inexistencia de éste, de allí que con ella deba buscarse la creación de condiciones lo más semejantes posibles a la de los mercados para la operación de las empresas respectivas, la protección e información de los consumidores y la reglamentación de tarifas y de calidad de servicio. La regulación debe entregar señales e incentivos correctos que promuevan la eficiencia en la asignación de recursos. Lahera Parada, Eugenio, "Políticas de regulación y promoción de competencia", Congreso del CLAD, *op. cit.*, pág. 577. También ver Oszlak, O. y Felder, R., "La capacidad de regulación estatal en la Argentina. Quis custodiet custodes?, en Isuani, A. y Filmus, D. (comps.), *La Argentina que viene. Análisis y propuestas para una sociedad en transición*, UNICEF-FLACSO-Norma, Buenos Aires, 1998.

17. Ver al respecto López, Andrea (coord.), "Nuevas relaciones entre el Estado y los usuarios de servicios públicos en la posprivatización, Serie II Estado y sociedad", Documento Nº 30, INAP, 1997.

18. Gonzales, J. A., "La reforma del Estado en Argentina y sus incidencias sobre el sistema político. Los límites del Estado reformado", Congreso del CLAD, *op. cit.*, pág. 229.

19. Como señala A. Cortina, abandonar el colectivismo por inhumano es opción bien saludable. Pero para ello no es menester apostar por un individualismo que tampoco da cuenta de lo que los hombres sean. Tal vez quien entiende el socialismo en la línea de Habermas, como "una forma de vida que posibilita la autonomía y la autorrealización en solidaridad", debería optar más bien por un personalismo solidario, atento al carácter personal –autónomo– de los hombres y a la solidaridad que constituye su elemento vital". Cortina, A., *La moral del camaleón*, Espasa Calpe, Madrid, 1991, pág. 53. También, De Sousa Santos, Boaventura, "A Reinvenção Solidaria e Participativa do Estado", *Seminario Internacional sobre Sociedade e a Reforma do Estado*, San Pablo, marzo de 1998, y Petrella, Ricardo, *El bien común. Elogio de la solidaridad*, Tema de Debate, Madrid, 1997.

20. Fitoussi, J. y Rosanvallon, P. (1996) se refieren a ello cuando hablan de establecer una "solidaridad entre desiguales" para asegurar la cohesión social y el sistema democrático. El contrato social nacido en la modernidad, basado fundamentalmente en los principios de la libertad y de la igualdad (contrato social de seres humanos libres e iguales), ha de ser refundado introduciendo el tercer principio de la Revolución Francesa: la fraternidad/solidaridad. Con este principio se asume la inevitable asimetría de la condición humana y se le da la respuesta de la solidaridad, que es tratar a los desiguales (por carencia) de forma desigual (por vía de preferencia). Vidal, 1994, pág. 135.

21. Kliksberg, B., *El rediseño del Estado para el desarrollo socioeconómico y el cambio. Una agenda estratégica para la discusión,* Secretaría de Desarrollo Social, Buenos Aires, 1997.

3

LA REVALORIZACIÓN DE LO LOCAL

Hoy la ciudad es un lugar privilegiado de innovación democrática. La crisis del Estado-nación, el agotamiento o la insuficiencia de la democracia representativa articulada únicamente por elecciones y partidos y la falta de mecanismos que establezcan lazos entre lo local y lo global significan hoy un reto de carácter mundial que tienen ante sí las ciudades y los gobiernos locales.

Para responder a este reto es necesario reconstruir la ciudad como actor complejo, simbiosis de agentes públicos y privados, con capacidad para actuar en la escena internacional y de organizar la sociedad sobre la base del principio político legitimador de la proximidad.

JORDI BORJA, 1998

En los últimos años se observa la aparición de una nueva escena local, asociada al proceso de reforma del Estado. Una escena vinculada a un mayor interés de los ciudadanos por aspectos cercanos y puntuales de la ciudad, a programas de participación de gobiernos locales con organizaciones de base para ejecución de obras, a asociaciones para generar consorcios o entes de carácter intermunicipal, a planificación estratégica, a presupuestos participativos, etc. Todos estos fenómenos están mostrando una novedosa articulación público-privado, una mayor asociatividad horizontal de los municipios entre sí y la incorporación de nuevos roles económicos y sociales a su gestión.

En una era posfordista de producción flexible, de ciudades globales y nuevos espacios industriales, esta emergencia sugiere una revaluación de las políticas locales.[1] Se trata de nuevos escenarios donde, al mismo tiempo que se manifiestan señales de innovación por aumento de las actividades municipales y de las expectativas de la población sobre la misma, también se producen fenómenos de declinación y estancamiento de comunas enteras, de diferenciación creciente entre regiones y ciudades, de huelgas de empleados públicos, cortes de rutas y explosiones sociales. Por un lado, se produce una suerte de revitalización de la esfera local y, por otro, el municipio aparece también como punto de condensación de la fragmentación social, de la crisis de mediaciones y de la falta de recursos.

Por ello, la aparición de estos nuevos escenarios genera interrogantes sobre las causas que los promueven y su sentido último, en especial teniendo en cuenta la tradición centralista de nuestro Estado-nación.[2] ¿Qué fuerzas están gravitando hacia un mayor protagonismo local? ¿En qué medida estas innovaciones son pura adecuación al ajuste, una descarga hacia abajo de las tareas y responsabilidades que históricamente detentaban el Estado nacional y provincial o, por el contrario, insinúan perspectivas de gestión alternativa al modelo neoliberal?

Para responder a estos interrogantes, podemos pensar en dos factores impulsores de los nuevos escenarios: la reforma del Estado y la globalización.

– *El proceso de reforma estructural* llevado a cabo desde comienzos de los 90 sobre el Estado central tiene varios impactos sobre lo local. En primer lugar, la estabilización económica a partir del Plan de Convertibilidad se convierte en un fuerte posibilitador de la mejora de la eficacia y eficiencia de la gestión, al posibilitar el cierre de cuentas y un mayor control sobre el equilibrio fiscal municipal y permitir establecer secuencias, medir, comparar, apuntar a la obtención de determinados objetivos, presupuestos equilibrados, todo lo cual se volvía imposible o de muy difícil realización en procesos de alta inflación.

En segundo lugar, las políticas de descentralización han significado la cesión de competencias a provincias y municipios en el área de la política social (educación, salud, vivienda y planes focalizados de combate contra la pobreza). Si bien este proceso aparece como una megatendencia universal que encuentra fundamentos en la revolución científica y tecnológica, en las demandas de la sociedad civil y en las orientaciones privatizadoras,[3] en nuestro caso la descentralización ha estado básicamente vinculada a la crisis fiscal del Estado, a la distribución de los costos del ajuste y a la atención de la nueva cuestión social desde realidades más cercanas. La descentralización supone mayores competencias de hecho o de derecho, lo que significa mayor presión para las comunas. Con la descentralización, el Estado central "tira" la crisis para abajo, hacia las provincias primero, y de éstas hacia las comunas, en un proceso en donde los municipios tienen que hacerse cargo de problemas que tiempo atrás parecían impensados para esta dimensión. Tienen que dar respuestas más amplias y afrontar exigencias de eficacia y eficiencia, muchas veces sin recursos o sin las capacidades técnicas y de gestión necesarias. A la gestión de los servicios urbanos tradicionales se le unen los de salud, educación y asistencia a grupos de riesgo, y estos requerimientos de mayor respuesta implican la necesidad de contar con mayor capacidad de gestión. En este sentido, buena parte de esta reformulación de responsabilidades se ha instalado como un conjunto de hechos consumados ante los que las instituciones y actores locales han debido acomodar su accionar.

Esta transferencia de las cargas de la crisis a los gobiernos locales asigna a los municipios la gestión de las consecuencias sociales de las decisiones económicas del gobierno central. Y con ello, el gobierno local se transforma en receptor directo de la posible protesta ciudadana pero también de programas sociales generales. Los gobiernos provinciales se limitan a ejecutar un paquete de medidas preestablecido en el ámbito nacional pero, al mismo tiempo, las consecuencias de la aplicación de dichas medidas deben ser afrontadas no por el ámbito generador de las políticas sino por ellos mismos.[4] Se descentraliza el conflicto, pero la sobrecarga de tensiones y demandas sobre las instituciones municipales puede hacer que el estallido en el último eslabón termine impactando sobre la escena nacional vía los medios de comunicación. Si bien no hay que olvidar la importancia que tiene el federalismo en el actual esquema institucional y la figura de la provincia.[5]

La reforma institucional del proceso de consolidación democrática, por último, favorece estas tendencias de reforzamiento de lo local. En la Constitución del 94 se hace expresa mención a la autonomía municipal, y esta orientación se incorpora en numerosas constituciones provinciales de los 80 y 90. La inclusión dentro de esta ley marco de nuevas formas de participación de democracia semidirecta (referéndum, iniciativa y consulta popular) así como de mecanismos de control (audiencias públicas, auditorías), hace que ellas comiencen a implementarse, en las formas más variadas y creativas en el ámbito local.[6]

– *El impacto de la globalización*. En este marco los Estados nacionales pierden capacidad de regulación y soberanía, y pasan a competir entre sí por hacerse atractivos a las firmas y a la inversión externa directa, por flexibilizar y reducir impuestos. Pero no sólo lo hacen los Estados nacionales, sino también los provinciales y municipales.

La globalización genera cambios en los patrones de localización de las empresas, privilegiando consideraciones territoriales y relaciones más competitivas entre las ciudades, generando nuevos espacios industriales (por ejemplo, Zárate, provincia de Buenos Aires). La revolución tecnológica posibilita mayor capacidad de comunicación de conectividad local-global, lo que favorece esquemas multicéntricos y reticulares de intercambio de carácter horizontal-territorial, más que los basados en lo vertical, sectorial y centralizado, como fuera característico en el anterior modelo (Arocena, 1992). La globalización genera una nueva estructura de oportunidades, pero también promueve una mayor desigualdad en la distribución del ingreso y de la riqueza. Provoca un incremento de la incertidumbre de los mercados, promoviendo preferencias por el corto plazo, favoreciendo orientaciones especulativas y el predominio de la economía "virtual" sobre la "real". Provoca la inquietud de la competitividad en las distintas ciudades por la pérdida de puestos de trabajo, el aumento de la desigualdad social despertando preocupación por la capacitación y la educación como insumos clave de la nueva forma de producir.

En lo cultural, el impacto de la globalización genera pérdida de identidad nacional, uniforma los estilos de vida, estandariza los consumos y generaliza modas y prácticas que hacen que casi todos se vistan de una misma manera y tengan similares preferencias y aspiraciones, en una suerte de norteamericanización de la cultura. Pero la contrapartida a esta tendencia homogeneizadora es la búsqueda de identidad, que privilegia lo local, lo territorial, lo autóctono, y tiende a la heterogeneidad y a revalorizar las diferencias locales.[7]

En síntesis, la descentralización y la globalización están generando más tareas a resolver por los gobiernos locales y nuevos desafíos a enfrentar en lo político, lo económico y lo social, obligando a los municipios a efectuar un replanteo de su organización, misiones y funciones. Y este proceso está desplazando el anterior modelo municipal tradicional de carácter autárquico y clientelar –una suerte de administración de la ciudad sobre el ABL (alumbrado, barrido y limpieza)– hacia otro, de carácter gubernativo. Un cambio que comienza a producirse a través de tres áreas de innovación: la político-institucional, la económica y la social.

A. DEL MODELO ADMINISTRATIVO AL GUBERNATIVO

En el proceso de descentralización, el municipio aparece como un espacio de reconstitución de la política por dos razones. Por un lado, porque entra en crisis la lógica organizacional burocrática tan exitosa en la construcción del Estado-nación y, por otro, porque ocurre lo mismo con una forma de acumulación política estadocéntrica, vinculada al modelo de partidos de masas del Estado de bienestar.

Del modelo burocrático al gerencial

Lo que fuera otrora signo de la racionalidad moderna –la burocracia weberiana–, la sujeción de toda actividad administrativa a reglas, códigos y programas explícitamente formulados, empieza a presentar deficiencias: no está preparada para casos especiales o situaciones nuevas e inesperadas, y tiene un tiempo de elaboración y ejecución mucho más lento que el sector privado.

Si bien las competencias fijas en los planes de distribución de funciones alivian la jefatura de servicio, hacen más transparente la división del trabajo y evitan conflictos en torno a las diversas posibilidades, fomentan una mentalidad de reducción del sentimiento de responsabilidad al ámbito estrecho del trabajo específico y no al más integrado del producto final.[8] El principio jerárquico que permite estabilizar el carácter instrumental de la administración conduce a eludir las responsabilidades, enviando las decisiones hacia arriba, sobrecargando la capacidad de trabajo y de decisión del máximo nivel.

Este, a su vez, no está dispuesto a delegar su responsabilidad en instancias menores de la administración. Se trata de una combinación y sumatoria de rigidez, falta de involucramiento y de misión, exceso de compartimentación que es responsable de la insuficiente capacidad de adaptación e innovación de la organización burocrática frente a una sociedad que se ha vuelto más compleja y dinámica.

El pasaje del modelo de gestión burocrática de actuación autorreferenciada al "gerencial" parte de la búsqueda de una mayor eficacia-eficiencia en las organizaciones, principalmente vinculada a la racionalidad del gasto y apuntando a reducir la velocidad entre la decisión política y la ejecución administrativa. Es decir, a que las lógicas de control y de evaluación dejen de ser de proceso y de normas para pasar a medirse según el impacto y la *performance*. Pasar a gobiernos "abiertos e innovadores", donde las estructuras organizativas tiendan a no ser piramidales sino de interdependencia jerárquica y de autonomía funcional, favoreciendo el trabajo en equipos. Esto muestra la influencia de diversos aportes al proceso reformista provenientes de la administración privada, como los enfoques de "calidad total", de "reingeniería institucional" y de "planeamiento estratégico", en los cuales se apunta a que haya mayor compromiso e involucramiento del personal con la tarea realizada, incentivos, descentralización e incorporación de roles de auditoría y fiscalización. En todo caso, aparece un cuestionamiento a la funcionalidad de lo jerárquico, vertical y piramidal de las organizaciones, junto a la promoción de lo flexible, horizontal y de la coordinación en red. El modelo anterior, si bien funcional en sus orígenes a la construcción de un orden político moderno, hoy en día se ha convertido en una barrera a la innovación y a la generación de compromiso y motivación del personal.

Este proceso tiende a fomentar el buen manejo de los fondos públicos, la planificación y presupuestación en tiempo y forma, impulsando la realización de presupuestos por programa, así como la informatización del municipio. La incorporación de modalidades creativas para cambiar la tradicional baja cobrabilidad de las tasas, aumentar su recaudación y generar recursos alternativos, sea mediante políticas de incentivos, de simplificación de trámites, de terciarización bajo riesgo o de consulta y compromiso con el plan de obras a través de formas de democracia semidirecta.[9]

La eficacia y *performance* están vinculadas a la calidad de los servicios, a un ciudadano redefinido como cliente, consumidor o usuario, lo que supone una lógica de gestión basada en la demanda más que en la oferta y en la necesidad de suministrar información y capacidad de control a los ciudadanos. Por ello, dice Brunner, frente a la crisis actual, lo que se requiere es un "nuevo contrato social" entre las instituciones, la sociedad y el gobierno. Este nuevo contrato se debe fundar en dos ejes: la rendición de cuentas (*accountability*) y la evaluación institucional, por un lado, y la diversificación del presupuesto público mediante criterios racionales, por el otro.[10]

Del modelo partidario al de coordinación en redes y comunicativo

Si bien en gran parte de los municipios todavía está presente el modelo tradicional de gestión muy dependiente del gobernador de la provincia, con centralización de las decisiones y acumulación política vía obra pública, el mismo empieza a mostrar indicios de agotamiento. Porque las mayores competencias con menores recursos obligan a los municipios a tener que hacer más eficiente la gestión, y esto revela las limitaciones de ese modelo político tradicional para generar recursos y promover otra disposición de la sociedad civil a participar.

La clase política, a partir de la fuerte pérdida de credibilidad que se ha producido estos años, así como de la mayor libertad de los electorados, comienza a revisar las formas de acumulación vinculadas a lo partidario, ideológico y clientelar que empiezan a mostrarse limitadas tanto para generar consenso como para lograr una buena gestión.[11] Paralelamente se observa el surgimiento de otra forma de acumulación basada en una articulación con organizaciones de la sociedad civil, y una búsqueda del consenso, dialógica, cooperativa, basado en la eficacia, el control, la transparencia, pero también en la generación de compromisos a partir de perspectivas compartidas sobre la sociedad local deseada. De esta manera, se retoma una visión de la política basada menos en una concepción estratégica del poder y más en una concepción comunicativa y comunitaria del mismo, es decir, "como surgiendo del querer y del actuar juntos" de Hannah Arendt.[12]

Esto promueve un nuevo tipo de liderazgo comunal. Una conducción local más abierta hacia afuera del municipio con un diálogo transversal con distintas fracciones de los partidos e interjurisdiccional y un creciente rol de la mujer (por ejemplo, redes de intendentas). Conducciones que comienzan a moverse en un contexto de decisión donde los inversores privados operan en escalas globales y donde se requiere mayor conocimiento técnico y una distribución del tiempo distinta para posibilitar la innovación, ya que habitualmente lo urgente suele devorar a lo importante y los compartimientos sectoriales hacen que los liderazgos políticos sean devorados por las rutinas.[13]

También se revela la voluntad de la sociedad de participar a través de canales no partidarios o gremiales, cuestionando el usual funcionamiento de los partidos y de los Concejos Deliberantes que arrastran un fuerte desprestigio. Porque, como señala C. Tecco, no cumplen adecuadamente con la elaboración de políticas públicas municipales, por causa del principio de "gobernabilidad", por el cual el partido que se impone en las elecciones tiene garantizado no sólo el ejercicio del Poder Ejecutivo, sino también la mayoría absoluta en el Concejo. Esto conduce a que los concejales oficialistas se limiten a aprobar las iniciativas del Ejecutivo, mientras que la oposición –sin posibilidad de viabilizar sus proyectos– utilice al Concejo como caja de resonancia de sus denuncias.

Esta deficiencia se produce en parte por el "voto sábana", que impide a los ciudadanos seleccionar a los candidatos de real valía por los que desea votar; por la imposibilidad de control de gestión del Concejo Deliberante sobre el Ejecutivo o por no poder participar más de éste; por la desproporción del manejo de información que existe entre uno y otro poder; por los criterios predominantes en la selección de candidatos a concejales en los códigos electorales, que se basan más en consideraciones de carácter ideológico que territoriales, donde terminan predominando los "punteros" de distrito, con escasa e inadecuada preparación para el ejercicio de las funciones, así como la persistencia de una "cultura clientelar" (intercambio de apoyo político por diversos tipos de valores desde el poder) donde los aparatos y máquinas partidarias y las listas sábanas dificultan la selección de élites preparadas y con capacidad de trabajo en equipo.

Cuadro 5
Cambio político-organizacional

	Modelo administrativo-burocrático	Modelo gubernativo-gerencial
Lógica administrativa	De normas y procedimientos Legalismo	De eficacia y performance Evaluación y monitoreo
Principios	Centralismo Jerárquico Verticalidad Sectorialización Descompromiso del personal Incentivos colectivos	Descentralización Trabajo en equipos Horizontalidad Flexibilidad Implicación del personal Incentivos selectivos
Presupuestación	Ausencia de programación del gasto y de caja, alta incidencia de la deuda flotante de arrastre Presupuestación general	Cierre de cuentas Presupuestos por programa base cero y participativos
Lógica política	Acumulación vía punteros, clientelismo y centralismo Política tradicional partidaria	Acumulación vía eficacia en la gestión, nueva articulación público-privado, descentralización, liderazgo innovador
Control	Escasa cultura de control y evaluación Burocrático	Nuevos roles de auditoría y control Acercamiento de las estructuras a usuarios y clientes

Ahora bien, el cambio del modelo de gestión se enfrenta a diversos problemas y dificultades, tanto en lo referente a los aspectos administrativos como a los de acumulación política. En primer lugar, porque los recursos humanos en los municipios plantean la paradoja de tener exceso de personal y, a la vez, falta de personal especializado. De tener tradiciones clientelares de reclutamiento y una carrera administrativa asociada a enfoques burocráticos basados en la antigüedad más que en lo meritocrático y en la productividad y con muy bajos sueldos. Hay una crónica falta de técnicos preparados para asumir las responsabilidades que se les exige desde el nivel nacional, situación que se agudiza en las instancias locales más pobres, por la mayor capacidad que tienen las comunas con gestiones más profesionalizadas y con más información para capturar fondos de los programas nacionales y de la cooperación internacional.

La reformulación del sector público y la búsqueda de eficacia conviven con reformas administrativas interpretadas como "mini-mización" del nivel municipal del Estado, cuyo objetivo se lograría a través de la reducción del aparato institucional y del Estado. El riesgo es el predominio de una visión de transplante del modelo *managerial* del sector privado al público, y de pensar al municipio como empresa, como una administración eficaz pero dejando de lado sus dimensiones políticas específicas, considerando la eficacia exclusivamente en términos de "ajuste" y reducción del gasto.[14]

Y esta situación de hacerse cargo de las nuevas competencias y exigencias de la descentralización, puede realizarse de dos modos diferentes: acríticamente, pensando en la inevitabilidad de un proceso que desborda los márgenes de este escenario o recuperando la idea de creatividad de lo político y del lugar ineludible que tiene el Estado en esa construcción. Del mismo modo, el proceso reformista puede encararse de una forma abstracta, al no tener en cuenta los problemas que derivan de la significación alcanzada por el clientelismo político, de la escasa diferenciación existente entre cargos políticos y técnicos, y aun de la baja implantación del patrón burocrático en el modelo anterior.

En la dimensión política, si bien el nuevo modelo de gestión es bien visto por los funcionarios, se puede dilatar su incorporación porque no hay recursos para llevarlo a cabo –por recortes de la coparticipación provincial o por una menor recaudación percibida en las tasas–, como por no ver con claridad el rédito político que puede obtenerse encarando este cambio, o por las resistencias que despierta esta transformación en las culturas burocráticas y estructuras políticas centralizadas. También porque se produce un conflicto entre el surgimiento de la nueva esfera pública, basada en modalidades de participación social desde organizaciones vecinales y ONGs, y la política tradicional de los partidos.

Por último, subyace como obstáculo la histórica debilidad institucional y de recursos de los gobiernos locales. Como señala Cormick (1997): "En el municipio argentino ha predominado una visión formalista y administrativista de la acción municipal. Uno de los resultados más graves de esta perspectiva se pone de manifesto en la restricción de recursos de los municipios. La lógica aplicada sería la siguiente: al no ser nivel estatal con competencias relevantes, no le corresponden recursos significativos. Como consecuencia, los recursos con que cuenta son los imprescindibles para encarar las tareas de administración. De este modo, se cierra un círculo que atenaza al municipio entre la incapacidad para encarar políticas activas y el cuestionamiento por parte de la sociedad por su ineficacia para dar cuenta de sus demandas".

B. DEL ROL PASIVO AL DESARROLLO LOCAL

El rol pasivo en lo económico en la tradición municipalista argentina –una suerte de subsidiariedad entendida a la liberal– tuvo dos motivos. El primero, por el carácter autárquico y delegativo del gobierno local, su falta de competencias y de recursos extractivos como se lo definiera en los comienzos de la organización nacional a mediados del siglo XIX, su carácter no gubernamental sino administrativo y autárquico. Y el segundo, por el predominio de las políticas de desarrollo desde los 40 en adelante, que promovieron un desarrollo "desde arriba", donde los enfoques keynesianos y desarrollistas privilegiaron el Estado nacional y, cuando mucho en los 60, algunas orientaciones al desarrollo regional e interprovincial.

Un nuevo activismo económico municipal

Esta perspectiva pasiva local ahora es cuestionada por el influjo de las privatizaciones, la descentralización y la rápida desestructuración del modelo productivo anterior por la economía abierta y competitiva, y por el dinamismo que imprime la globalización. Debido a las dificultades de orden económico (ajuste) y las crecientes demandas sociales provocadas por las políticas neoliberales, los municipios se orientan hacia un mayor activismo económico. En principio, las preocupaciones se originan en derredor de la falta de empleo y de la necesidad de capacitación, de vincular oferta y demanda de mano de obra con las empresas locales, terciarizar la gestión y suplir con cursos, pasantías y apoyos universitarios las capacidades requeridas para el empleo.

Parte del supuesto es que los problemas de empleo pueden resolverse en una forma más eficaz y sostenible a través de la tarea de las autoridades locales, la administración pública más próxima al ciudadano puede afrontar estos temas en forma más rápida y precisa, y podría añadirse creativa. Pero ello requiere capacitación técnica y política de los recursos humanos locales, junto con el máximo aprovechamiento de los recursos de la zona como claves del éxito.

Lo novedoso es que se intensifica la búsqueda de las potencialidades locales propias antes que esperar las decisiones centrales; que esa búsqueda de soluciones incorpora a productores, empresarios y organizaciones sociales del lugar para encontrar alternativas de organización económica que amplíen y diversifiquen los negocios locales; que se busca racionalizar el uso de los recursos financieros e intensificar la utilización productiva de los recursos disponibles.[15] Esto da lugar a distintas formas de encarar el desarrollo local: la conformación de "distritos industriales" (apoyo a las redes de PyMEs por el sector público, caso Rafaela); los "entes" interjurisdiccionales para promover el desarrollo regional, organizar productores, facilitar su acceso al crédito, entre varios municipios y con fuerte influencia universitaria en la coordinación y planificación del desarrollo (por ejemplo, ADES en Córdoba); y los "consorcios" o corredores productivos de la provincia de Buenos Aires.[16]

Todas estas experiencias hablan de la importancia de la configuración de nuevas áreas de solidaridad basadas en lo territorial, económico y cultural, y del reposicionamiento de cada ciudad, de cara a una competencia económica de carácter global. Esto lleva a una novedosa vinculación del municipio con las cámaras y diversas organizaciones del conocimiento, y a despertar potencialidades ocultas que hasta hace poco estaban exclusivamente referenciadas a capacidades de nivel nacional o provincial.

La planificación estratégica en el desarrollo local

La planificación estratégica presupone incorporar a la gestión pública al sector privado y social, así como una mayor reflexividad sobre las fortalezas y debilidades de la estructura productiva local.[17]

Esto requiere que los municipios amplíen su esfera de actuación, agregando a sus funciones tradicionales (obra pública, servicios básicos, regulación de la vida comunitaria) el diseño de estrategias de desarrollo local tendientes a la generación de ventajas y asistencia a la competitividad empresarial local, así como la atracción de inversores.[18]

Esto no significa salir de un rol pasivo en lo económico para pasar a otro interventor, productor y empleador, similar al del Estado de bienestar, sino incorporar una perspectiva de Estado "catalizador", "estratégico", que incorpore un rol más activo del municipio y no tan sólo como mero redistribuidor de recursos públicos. Pero con un mayor compromiso con los distintos sectores para definir el perfil productivo regional. El objetivo es amplificar la capacidad productiva de una ciudad o microrregión a través de la coordinación e integración de esfuerzos focalizados en un territorio de actuación, haciendo que las políticas públicas no sean sólo diseñadas y realizadas por las administraciones centrales sino también por los gobiernos locales.

Las tendencias promovidas por la globalización aumentan las amenazas de desestructuración productiva y de desempleo, pero también abren oportunidades para configurar nuevas empresas y servicios y aprovechar nichos productivos, por lo que las particularidades territoriales son de suma importancia para desarrollar una capacidad estratégica local. Como dice Vázquez Barquero: "En realidad, el carácter diferencial de la estrategia (de desarrollo económico local) es reconocer que el territorio también cuenta, que en el territorio se produce la coordinación/descoordinación de las acciones de todos los agentes económicos y que, por lo tanto, la visión estratégica desde lo local es relevante para el desarrollo económico".[19]

Para esta capacidad estratégica, cada municipio dispone de un conjunto de recursos humanos, naturales y financieros, un patrón histórico y cultural y una dotación de infraestructuras, así como de un "saber hacer" tecnológico que constituyen su potencial de desarrollo. Las condiciones de competitividad no sólo implican la reducción de costos, sino también la existencia de condiciones de sustentabilidad ambiental, de calidad regulatoria y de servicios del propio lugar. Se trata de identificar las competencias de base con que se cuenta, de aumentar el valor agregado local y de generar sinergias, como cooperación entre actores sociales para el logro de propósitos compartidos. En algunos casos, para la promoción de economías mixtas, en otros, para alentar convenios intermunicipales para crear parques industriales o zonas francas, facilitar la incorporación tecnológica a las empresas locales, proporcionar control de calidad, incubadoras de empresas, o promover la participación de los productores locales en ferias y exposiciones internacionales (por ejemplo, Maipú, en la provincia de Mendoza).

En este nuevo contexto, las ciudades revisten una importancia especial, porque desarrollan más competencia entre sí. Una de las mayores consecuencias de la globalización es la reaparición de la ciudad como protagonista de la escena mundial. Y esto no sólo es evidente para esas ciudades globales que ya desempeñan un papel mundial, sino que en todo el mundo las ciudades van definiendo nuevas políticas metropolitanas que, muy a menudo, se adoptan con plena autonomía respecto del gobierno nacional. "En no pocos terrenos –dice Petrella–, las ciudades parecen mejor capacitadas para ofrecer plataformas para la concepción y puesta en marcha de proyectos de tipo cooperativo –abiertas, flexibles y participativas– que el viejo Estado-nación."[20]

Pero este proceso impulsado por la globalización también está profundizando las diferencias sociales y geográficas, haciendo que la innovación y el mayor protagonismo local no sean homogéneos ni generalizados. Pueden distinguirse diversas situaciones de acuerdo al tamaño de los núcleos urbanos y desarrollo económico previo en las grandes ciudades o megalópolis, con una problemática específica, y en las ciudades intermedias y las pequeñas comunas. Las primeras, porque cuentan con recursos y contactos de nivel internacional y buscan encarar un reposicionamiento productivo luego de la crisis del modelo de desarrollo sustitutivo (Buenos Aires, Córdoba, Rosario, La Plata). En la actualidad, estas grandes ciudades se hallan integradas económicamente al circuito de la producción y el consumo internacional de una manera e intensidad diferente a como lo hicieran en el pasado, y han comenzado a ser los espacios privilegiados de articulación de las realidades nacionales con la global. También por el hecho común a todas ellas de concentrar cordones de pobreza, afrontar problemas de exclusión así como situaciones de inseguridad creciente y problemas de gobernabilidad específicos.

Por su parte, en las ciudades intermedias que cuentan con cierta base de recursos materiales propios, es donde se observa un gran dinamismo e innovación en esta orientación al desarrollo local (por ejemplo, particularmente interesante es la experiencia de Rafaela, provincia de Santa Fe).[21] Por último, aparecen la mayoría de los municipios de tercer rango, entre los cuales hay una enorme proporción que transita por situaciones dependientes, donde cuanto más pequeño el municipio menos capacitado está para responder a los nuevos requerimientos, pero también donde surgen respuestas innovadoras vía concertación intermunicipal para constituir microrregiones productivas o poder de *lobby* para obtener recursos adicionales de la provincia.[22]

En este sentido, la planificación estratégica puede convertirse en un instrumento clave para asociar a la comunidad y comprometerla con esas metas del desarrollo local; para identificar oportunidades y amenazas para un desarrollo sostenido y equitativo, y para ser generadora de una nueva institucionalidad. Este enfoque replantea el planeamiento tecnocrático centralizado, "escrito" y estático, comenzándoselo a concebir como un instrumento de una nueva forma de hacer política, de carácter concertado e interactivo. Y esto requiere infundir cierto "patriotismo sobre la propia ciudad", de reconocer que las ciudades son diferentes y que es importante conservar esa diferencia.[23]

Este planeamiento parte de una concepción no meramente técnica y apropiada para expertos, sino amplia e interdisciplinaria, que busca una evaluación compartida entre el gobierno y los representantes sociales sobre los escenarios futuros, la identificación de oportunidades basadas en sus fortalezas y la disminución de sus debilidades y amenazas. En realidad, el gran desafío del planeamiento estratégico es que la comunidad asuma como propio el proyecto o el lineamiento que surge de esta concertación. Esto requiere la intervención conjunta sobre aspectos urbanísticos, económicos y culturales; una menor verticalidad; un debilitamiento del estilo partidista de hacer política; sacar a ésta del corto plazo, y transformar políticas de un gobierno en políticas de Estado.

Cuadro 6
Cambio del rol económico municipal

Rol	Pasivo, subsidiario	Activo, inductor, catalizador
Orientaciones	Servicios públicos urbanos Alumbrado, barrido y limpieza (ABL) Asfalto de calles	ABL Competitividad, promoción de redes productivas, capacitación Preocupación por el medio ambiente
Políticas	Limitaciones para afrontar los desafíos productivos Escasa información gerencial	Políticas de empleo y promoción de la inversión Configuración de equipos para la toma de decisiones Generación de infraestructuras educativas y tecnológicas
Instrumentos	Presupuesto general Planificación tecnocrática	Presupuestos por programas Planificación estratégica Vinculación con cámaras, universidades, etcétera

Las oportunidades y amenazas al desarrollo local, en las actuales circunstancias, se encuentran condicionadas por:

– La histórica debilidad institucional y de recursos propios así como la ausencia de tradición municipal en Argentina en el desarrollo y en la regulación urbana. Esta escasa capacidad institucional debe confrontar con la presencia de un urbanismo de mercado donde el que planifica es el sector privado. Esto implica un fuerte impacto en la trama social y productiva de la región por la instalación de *shoppings* e hipermercados y de empresas que funcionan como enclaves sin ninguna relación con el lugar y por los procesos de suburbanización de sectores de alto consumo y, a la vez, de miseria.

– La existencia de zonas en el actual esquema de desarrollo "inviables", vinculadas al anterior trazado ferroviario del modelo agroexportador (por ejemplo, Cruz del Eje en la provincia de Córdoba), a la desestructuración del modelo industrial sustitutivo (San Lorenzo en la provincia de Santa Fe), al impacto de las privatizaciones de empresas públicas con reducción del personal y cierre de agencias (Cutral Co, Tartagal, Río Turbio) o que quedan fuera del eje productivo del MERCOSUR. Aparece un cuadro de disparidades regionales acentuadas que muestra que las inversiones realizadas en los últimos años se concentran en muy pocos centros poblados del país. La localidad de una inversión responde a criterios de máxima rentabilidad, y en ello juegan un rol principal las ventajas que ofrecen las ciudades y regiones en cuanto a infraestructura básica, de comunicación, disponibilidad y calificación de la oferta laboral, la existencia de centros de desarrollo tecnológico y de capacitación. Todos estos factores definen el nivel de competitividad territorial y la consiguiente capacidad para atraer inversiones.[24]

En este punto, es muy notoria la falta de políticas activas por parte del gobierno nacional, el escaso apoyo prestado a las PyMEs, no sólo en el crédito sino en la elaboración del diseño e innovación tecnológica, en las posibilidades para exportar o para evitar importaciones indiscriminadas. Todo esto lleva a que cada zona deba reconstruir su propio escenario sin mayor ayuda, en una suerte de "sálvese quien pueda", en el marco de un proceso de concentración económica y quiebre de economías regionales. De allí que los territorios que han alcanzado ciertos niveles previos de desarrollo y que, además, cuentan con cierta masa crítica de capacidades estratégicas, puedan utilizar las nuevas oportunidades con mayor facilidad. La globalización se transforma en una oportunidad especialmente favorable para aquellos territorios con niveles medios de desarrollo y dotados de capacidades estratégicas relevantes.[25]

– Otro obstáculo lo constituyen las debilidades tecnológicas y comerciales de las comunidades locales para participar activamente en el mundo global. Por eso, frente a la falta de integración del tejido social y productivo, se trata de aprovechar en beneficio común las fortalezas parciales, tanto tecnológicas como comerciales que ya existen en cada ámbito. En lo local se trata de otorgar estímulos económicos directos e indirectos a la capacitación local a cargo de empresas líderes en términos de gestión, organización administrativa, logística, oficinas de comercio exterior de base local dirigidas por empresas con tradición exportadora; instalar transformadores de materias primas agrícolas o industriales producidas localmente; desarrollar proveedores locales de componentes industriales o de servicios, y proteger localmente los micromercados para enfrentar el nivel global, etc.[26] Y en un nivel más amplio, provincial, nacional o regional, es necesario fortalecer esta inyección de participación social como una propuesta de fuerte incorporación tecnológica al mundo de las PyMEs y lo local, para compensar el desarrollo exclusivamente basado en los grandes *holdings* que es desequilibrador en lo social.

– Por último, también puede señalarse como obstáculo la habitual disociación existente entre producción, competitividad y recursos educativos zonales. Esta brecha se hace cada vez más evidente cuando se observa el decisivo aporte que tiene el conocimiento para el logro de productos de calidad y para la generación de puestos de trabajo. De allí también el desafío para el sector público, de promover capacitación y una mayor articulación entre instituciones tecnológicas, educativas y universitarias locales con las empresas.

C. DEL MODELO RESIDUAL A LA GERENCIA SOCIAL: ASPECTOS SOCIALES

La política social fue prácticamente inexistente en la gestión local tradicional, salvo en lo concerniente a algunas prácticas asistenciales y de emergencia, como la entrega de materiales de primera necesidad, el traslado de enfermos, etc. En el anterior modelo, la política social era llevada a cabo por el gobierno nacional, y quedaba inserta en el modelo de desarrollo industrial sustitutivo, porque el empleo estable significaba ya formar parte de una serie de reaseguros y beneficios sociales. Pero en la nueva relación Estado-mercado-sociedad civil que promueven las políticas neoliberales, se produce una desarticulación de la condición salarial, el surgimiento de la informalidad, del desempleo estructural y de la precarización. Y junto con ello, una redefinición de la política social local que, partiendo de una concepción universalista, centralizada y de financiamiento de la oferta de nivel nacional, se pasa a otra de políticas focalizadas de carácter descentralizado y de financiamiento de la demanda.

El agravamiento de la situación social por la desestructuración de las economías regionales y la expansión del desempleo lleva a que el municipio tenga que ocuparse crecientemente de la política social, constituyéndose "en la cara más inmediata de un Estado en retirada" y en objeto de demandas que, muchas veces, no se corresponden ni con las competencias que se le asignan formalmente ni con sus recursos reales. El quiebre del contrato laboral previo genera vulnerabilidad y declinación de clases medias, una ampliación de la problemática social no sólo por el surgimiento de una nueva pobreza y profundización de la histórica, sino por aspectos vinculados a la pérdida de integración social, a la inseguridad, la droga y la exclusión.

Esto es asumido por el municipio de diversas formas y según las provincias: algunos, en forma más centralizada, donde la búsqueda de eficacia y gobernabilidad hace de los municipios casi un efector de una política asistencial dirigida por la provincia. En otros, optando por estrategias descentralizadas que incorporan a las asociaciones vecinales en la implementación de políticas sociales y en funciones que son también descentralizadas. Por último, se promueve una modalidad de "gestión asociada", donde se comparte el diseño e implementación con las organizaciones vecinales, la promoción de Consejos Sociales con organizaciones de la sociedad civil para decidir la orientación y destino de los préstamos, etcétera.[27]

– *Nueva articulación del gobierno con la sociedad civil.* Se trata de fomentar no sólo un contacto con el tradicional fomentismo así como con las organizaciones partidarias de base, sino más amplio y abierto. De establecer vínculos con sectores de la producción, del conocimiento y del asociacionismo no gubernamental que reivindican autonomía y no partidismo para diseñar y gestionar conjuntamente políticas sociales. De realizar un cóctel de programas nacionales con propios, incorporando la problemática del desempleo y vivienda, fomentando microemprendimientos y autoconstrucción, desarrollando experiencias que van desde organizaciones comunitarias vinculadas a la autogestión hospitalaria o la defensoría de menores hasta proyectos para jóvenes en riesgo, grupos de tercera edad, etc. Pero, sobre todo, el nuevo rol del municipio se constituye en la descentralización, la terciarización de servicios públicos y en el mejoramiento de la calidad ambiental.

En esta perspectiva, se observa la paulatina incorporación de un nuevo paradigma de política social focalizada que desplaza al vinculado a políticas universales, que trabaja sobre la demanda más que sobre la oferta, y que busca promover la organización de los sectores populares y su capacidad para elaborar proyectos sociales, evaluarlos e implementarlos. Comienza a incorporarse una incipiente forma de coordinación en base a redes.[28] El pasaje de una política vertical que asignaba bienes materiales para distribuir, hacia otra modalidad que genera una demanda organizada para obtener los recursos que provee la política social. Se modifica la esfera de la asistencia, que ya no se limita a la distribución de una oferta de recursos con los que cuenta una institución determinada sino que torna necesario definir los actores que demanden los recursos.[29]

Lo cierto es que en este esquema el gobierno local requiere de una sociedad civil activa para maximizar los escasos recursos disponibles, y por otro lado, ésta se vuelve más diversificada demandando nuevas formas de articulación para identificar problemas, definir metas y objetivos. Esto puede promover una relación de "corresponsabilidad" entre Estado y sociedad para sortear la crisis e ineficiencia de un Estado sobrecargado y las tendencias a otorgar subsidios cuyo destino es confuso y dispendioso.[30] Como señala Marsiglia, "la consecuencia de esta apertura a diferentes voces y protagonismos lleva a una redefinición de lo que entendemos por espacio público y espacio privado, y a dejar abierta la posibilidad de que desde la esfera privada puedan llevarse adelante servicios reconocidos como públicos –en el sentido de interés general de la sociedad– a través de determinados marcos jurídicos y controles de gestión".[31]

Si bien se están empezando a difundir programas nacionales destinados a la consolidación de organizaciones comunitarias y a la constitución de redes horizontales autónomas, también es evidente que el acceso a estos programas depende de la capacidad tanto gerencial como de contacto y *lobby* político de que se dispone. Y que estos procesos de concertación no se instrumentan a partir de instituciones fijadas en las cartas orgánicas, sino que se trata de una nueva institucionalidad conformada por mesas de concertación, consejos consultivos, espacios de planeamiento estratégico, talleres, consejos sociales, expansión de lo público no estatal, etcétera.

Cuadro 7
Cambio de la política social

	Modelo residual	Modelo gerencial
Rol	Política social a nivel nacional, financiamiento público, asociado al pleno empleo	Política social focalizada a nivel local
Instituciones	Financiamiento de la oferta y total Secretaría de asociaciones intermedias, vínculo con juntas vecinales	Financiamiento de la demanda y cofinanciamiento Consejos, talleres, planificación estratégica, audiencias públicas, mecanismos de control e información a la comunidad
Lógica	Lógica de petición, monopolio de la política social por el Estado	Participación comunitaria en el diseño, gestión y evaluación Nuevas formas de articulación con la sociedad civil

Ahora bien, la incorporación de la política social en lo local enfrenta no pocas tensiones y obstáculos. La mayoría de los gobiernos locales no tienen política social sino de reparto, y ello se debe a la falta de recursos propios, ya que la mayor parte del presupuesto se destina al pago de salarios. Si bien tienen capacidad para determinar demandas sociales y articular los recursos locales debido a la menor distancia de las relaciones sociales, presentan una deficiente capacidad de intervención técnica y escasez de recursos presupuestarios, lo que les pone límites concretos para hacer frente a los problemas.

La descentralización suele chocar con la falta de recursos para llevarla a cabo, más allá de su enunciación política ya que la mayor parte del presupuesto se lo llevan los sueldos del personal. Por ello, "llevar adelante una política de descentralización sin asegurar los ingresos de los municipios y sin una compensación financiera entre las regiones ricas y las pobres –dice Karin Stahl– puede agravar por añadidura las desigualdades regionales y con ello también las desigualdades sociales, y fomentar así un mayor deterioro del sistema estatal de servicios sociales, sobre todo en los municipios más pobres".[32]

También el cambio de paradigma hacia el modelo gerencial que viene a compensar las consecuencias sociales que genera la apertura económica, obliga a repensar en qué medida la política social focalizada puede cambiar las estructuras que reproducen la pobreza y no solamente paliarla. Aquí es donde la política social debe vincularse con el desarrollo local y con la articulación micro-macro, no reproduciendo una visión escindida entre lo social y lo económico, y no trabajando sólo sobre los síntomas de la pobreza sino también sobre sus causas.

También se producen conflictos entre los tiempos distintos que manejan los técnicos (mediano plazo) y los políticos (urgencia); entre la orientación profesionalista y la clientelar; entre la turbulencia de los tiempos electorales de los políticos, el de los técnicos, el de la burocracia y de la misma gente; entre la esfera de la asistencia que se polariza entre asistencialismo y reivindicación, y entre la legitimidad de la solución técnica adoptada y a lograr ante la sociedad local. Por último, otra problemática deriva de la debilidad de los actores que tienen que interactuar con el municipio para concertar las políticas sociales, con la escasa densidad de su sociedad civil.[33] Los conflictos también provienen del escaso reconocimiento de variables socioculturales de los programas, de la poca atención a su historia y a las verdaderas demandas, sino al menú de las agencias.

Por otra parte, la articulación de la relación gobierno-sociedad civil genera conflictos entre las ONGs, preocupadas por su autonomía, y una clase política con orientación electoral y clientelar. Los gobiernos locales se encuentran frente a la desconfianza natural que existe en las asociaciones intermedias respecto del gobierno comunal, en términos de capacidad para cooptar o partidizar programas o favorecer barrios adictos. A la vez, los municipios no logran establecer interlocutores válidos, o muchos no ven a las ONGs como tales, tendiendo a trabajar sólo con organizaciones de base, aun cuando éstas muestran escasa capacidad de gestión. En muchos casos, la política social compensatoria tiene como objetivo primordial mantener la gobernabilidad, eliminando o conteniendo los focos de pobreza extrema y de posible desestructuración del sistema social, pero evitando entrar en el arduo trabajo de negociación con otros actores sociales que contemple la participación de asociaciones intermedias, ONGs y universidades.

El desempleo estructural y el dualismo que generan las políticas macroeconómicas neoliberales hace que algunos municipios atraigan migraciones que complican su situación, generando nuevas fuentes de dependencia y clientela. El éxito en la política social de una ciudad puede significar aumentar los factores expulsores de regiones lejanas. Hay ciudades que gastan gran parte de su presupuesto en tareas de asistencia destinadas a periferias que no dejan de seguir creciendo y que escapan a su capacidad de resolución (tal es el caso de la ciudad de Rosario). Empieza a aparecer en el horizonte la configuración de una "ciudad incívica", dual, de guetos, entre sectores de alto bienestar y medios y otros amenazados o sumidos en la desesperación social, donde se instala el fenómeno de la inseguridad y donde se producen migraciones ya no por búsqueda de empleo sino de asistencia. Esto da lugar a una polarización que se expresa en la tendencia a una urbanización de espacios privados muy protegidos y cuidados, y por otro lado, a la consolidación de zonas de supervivencia con falta de servicios y alta inseguridad.

D. Condiciones y desafíos a la innovación

Requerimientos para la sustentabilidad del proceso de cambio

   La revalorización de lo local muestra el comienzo de otro modelo de gestión local y de vínculo entre gobierno y sociedad civil. Si bien la asunción de los nuevos roles del municipio no significa la eliminación de los antiguos sino su mejor cumplimiento –ya que las elecciones siguen ganándose aún por obra pública, barrido y limpieza urbana–, aparece una concepción de la política más dialógica y negociadora. Este fin de siglo parece signado por la emergencia de una concepción de la política local más como coordinación y articulación de energías sociales y espacios descentralizados que como confrontación ideológica. Más basada en la capacidad estratégica y de gestión propia que descansando en la nacional o provincial, y más vinculada a la coordinación e impulso de redes sociales autónomas que a la articulación de organizaciones piramidales y controladas. En todo caso, las condiciones básicas para que este proceso de innovación sea sustentable parecen ser las siguientes:[34]

– *El liderazgo.* Un proceso innovador sin un liderazgo promotor de nuevas ideas de gestión pública y de proyectos difícilmente puede ser concebido. Sin la necesaria voluntad política de innovación es infrecuente suponer que el personal intermedio de un municipio pueda encarar por sí solo un proceso de autorreforma. Pero el nuevo liderazgo ya no es un personalismo inspirado, sino un hábil promotor de equipos que permiten descentralizar las tareas y generar masa crítica. Más que un líder político clásico de la política de masas, aparece como aquel que muestra capacidad de orientación estratégica de mediano plazo y de generar consensos amplios y políticas de Estado. En algún sentido, aparece también como un empresariado público que promueve y genera incentivos e imagen zonal.

– *Los mecanismos de participación social y la coordinación con redes.* Son centrales para la generación de sinergias. El involucramiento de la población en las políticas públicas a través de organizaciones comunitarias, mediante consejos con distintos marcos legales y descentralización de la gestión municipal, se muestra como forma idónea para generar capacidades de resolución local y adecuadas a las características de la economía globalizada. En todos los procesos de innovación, la participación comunitaria y ciudadana es fundamental para multiplicar los efectos innovadores.

– *La constitución de redes interorganizacionales (articulación vertical y horizontal)* es ineludible porque los municipios no son autosuficientes financiera, económica ni políticamente. Las redes requieren de la conformación de una "coalición productiva" que aumente su capacidad de presión y obtención de información y recursos de agencias provinciales, nacionales e internacionales. También requieren el aumento de la capacidad de *lobby* para gestionar leyes, subsidios y programas de ayuda social, así como aumentar la capacidad de concertación intermunicipal a través de subregiones productivas para producir con una calidad y productividad distintivas.

– *El aumento del componente técnico (el conocimiento).* Significa contar con mejores diagnósticos, información y capacidades institucionales. Para el buen gobierno ya no es suficiente la capacidad política y la intuición, así como tampoco pueden seguirse subestimando los sistemas de información sino que es necesario tener escenarios más precisos sobre la realidad social y económica circundante y contar con equipos capacitados para gestionar e innovar. No se trata sólo de considerar la evaluación como maquillaje o concesión retórica, sino de gestionar con recursos de mejor nivel y elevar el nivel educativo general de la sociedad, porque ello promueve una mayor competitividad y empleabilidad local. Y esta transferencia de conocimientos puede realizarse desde universidades, politécnicos, centros de investigación, consultoras o institutos de investigación y a través de diversas modalidades (convenios, posgrados, cooperación técnica, pasantías, etcétera).

Sin algunos de estos componentes (liderazgo, participación, articulación y conocimiento) difícilmente pueda pensarse en un proceso de reforma de la gestión local que pueda trascender la coyuntura y orientarse simultáneamente a la eficacia y a la equidad, a la eficiencia junto a la participación. Estas condiciones parecen necesarias para hacer sustentable un proceso innovador, pero ninguna de ellas constituye aisladamente una condición suficiente.

Límites y posibilidades del fortalecimiento de lo local

De cualquier forma, la innovación en la gestión local no significa recortar el espacio público, alentar un nuevo localismo, o idealizar los niveles subnacionales como los únicos verdaderamente políticos y convivenciales, entre otras cosas porque la economía y la política local no son autárquicas. Tampoco se trata de ignorar la responsabilidad del ámbito nacional en la profundización del dualismo y la exclusión, pero sí afirmar que lo local tiene márgenes de autonomía y que pueden aprovecharse a través de esta mayor capacidad gerencial, estratégica y de articulación público-privado. Y que se trata de evitar por lo tanto un doble problema: el de la total identificación con la microrregión y la propia ciudad, considerada como último punto de referencia (el sesgo localista), y el considerar la esfera macro o nacional como la única relevante o específicamente política (el centralista).

Esto significa reconocer los distintos niveles en que se juega la problemática del poder en la etapa de la globalización (el nacional, el subnacional y el regional), y ver la necesidad de una articulación coherente entre éstos. Porque descentralizar puede significar tanto fortalecer lo local en lo institucional y en sus recursos económicos y de capacitación, como sólo mejorar su rol de contención y descentralización de la crisis. O confirmar una situación en donde el aprovechamiento de las nuevas oportunidades de desarrollo local en la economía global será sólo para algunas pocas ciudades, reproduciendo también a nivel espacial la dinámica incluidos y excluidos que se observa en lo social.[35]

Y esta articulación de diversos niveles (local-nacional-regional) no es indiferente al sentido que tenga la descentralización y la posibilidad de generar poder local. Porque mientras por un lado se da la descentralización intranacional –señala Coraggio (1997)– "por otro, hay que avanzar hacia un nivel de regionalización supranacional, construyendo una voluntad política capaz de representar las sociedades de diversos países como interlocutor colectivo en la escena política mundial. Porque es en esa escena donde los condicionamientos pueden resignificar regresivamente las mejores propuestas de descentralización".[36]

En ese sentido, "fortalecer lo local" no sólo requiere mejorar la asignación del gasto, reordenarlo, hacer más transparente y eficiente la política social, sino también promover una mayor autonomía institucional y económica, una redistribución distinta de los recursos económicos, institucionales y de poder en la relación nación-provincia-municipio. Explorar nuevas posibilidades institucionales, tanto en el eje de las contribuciones municipales (no sólo tasas), en los niveles de coparticipación provincial, como en las medidas promocionales para dar apoyo crediticio y capacitación a la nueva institucionalidad emergente, y en el apoyo tecnológico y de recursos que se presten a este tipo de acciones. Porque de lo contrario esta transformación sólo podrán acometerla las pocas ciudades que hayan tenido desarrollos productivos previos.

De allí que esta revalorización de lo local no supone una revolución sino una oportunidad, un desafío de cara al fin de siglo y del milenio, ya que, en orden a una transformación de la sociedad con rasgos solidarios e inclusivos, se requiere llevar a cabo una generalización del nuevo modelo de gestión hacia el conjunto de los municipios del país. Tener capacidad de replicabilidad de las experiencias más exitosas, y de superar las limitaciones de poder y de recursos que las actuales políticas neoliberales generan. Por último, se trata de asumir que este desafío no sólo es para la clase política local, sino también para la sociedad civil, tanto del sector privado como del tercer sector.

NOTAS

1. Sobre la tendencia universal a que el municipio incorpore nuevas funciones y asuma un rol más protagónico ver Coraggio, J. L., *Descentralización, el día después...*, Publicaciones del CBC, Universidad de Buenos Aires, 1997.

2. Al respecto ver Vanozzi, *El municipio*, De Palma, Buenos Aires, 1990, y García Delgado, D. y Garay, A., "Situación del gobierno local en Argentina", en Peñalba, Susana y Grassi, María, *Gobiernos locales en América latina*, Sur, CLACSO, Santiago de Chile, 1987.

3. "Dados los cambios sociales y económicos experimentados a nivel local, como las demandas de democratización municipal o regional, las actuales formas de organización territorial están cambiando. El nuevo Estado, para tener una mayor eficacia política y económica, necesita ser más legítimo desde el ámbito local", Calderón, F. y Dos Santos, M., *Hacia un nuevo orden estatal en América latina. Veinte tesis sociopolíticas y un corolario de cierre*, CLACSO, Buenos Aires, 1990.

4. Cormick, H., "Algunos problemas del gobierno y gestión en los municipios del conurbano bonaerense", en García Delgado (comp.), *Hacia un nuevo modelo de gestión local. Municipio y sociedad civil en Argentina*, FLACSO-CBC-UCC, Buenos Aires, 1997, pág. 341.

5. Escandell, Stella, "Viabilidad del federalismo en contextos de ajuste, el caso argentino", *Documentos del MAP*, Primer Congreso Interamericano del CLAD sobre la Reforma del Estado y la Administración Pública, Río de Janeiro, noviembre de 1996.

6. La cercanía de los intendentes con la gente y su fuerza de tracción electoral que ha aumentado, ha llevado al gobierno nacional a buscar su apoyo, y ahora está en proyecto que un 15% de la Coparticipación Federal llegue directamente a las intendencias sin pasar por los gobernadores.

7. González Cruz, F., "Nuevas formas de desarrollo institucional, de organización social y de representación política: realidades, experiencias y desafíos", Calderón, F. y Dos Santos, M., *Hacia un nuevo orden estatal en América latina. Veinte tesis sociopolíticas y un corolario de cierre*, CLACSO, Buenos Aires, 1990.

8. Guillén, Diana M. y Esther, Rafaela, "Incidencia de los tipos de gerenciamiento en la administración de los fondos del Estado", *Control y Gestión de Políticas Públicas* (mimeo), FLACSO, marzo de 1997.

9. Al respecto ver Grupo Sophia, *Hacia un nuevo sector público*, Buenos Aires, 1998.

10. Brunner, J. J., "Educación superior en América latina: coordinación, financiamiento y evaluación", en Marquis, C. (comp.), *Evaluación universitaria en el MERCOSUR*, Ministerio de Cultura y Educación, Buenos Aires, 1997.

11. Se busca revitalizar el concepto de comunidad, de manera que el carácter eminentemente partidista o gremialista y sectorial que ha marcado hasta ahora la cultura de nuestros gobiernos locales, por un lado, y nuestras organizaciones sociales, por otro, deje cada vez más espacio al predominio de los intereses colectivos sobre los particulares al interior de esas formas organizativas. Garnier Rimolo, L., "La reforma del Estado: reto de la democracia", I Congreso Interamericano del CLAD, *Anales*, N° 5, *La reforma del Estado. Actualidad y escenarios futuros*, CLAD-BID, PNUD, AECI, 1997, págs. 35-36.

12. Este modelo se diferencia de la teoría estratégica del poder según Max Weber que es la actualmente vigente, y desarrolla una concepción comunicativa del poder político. Según este planteamiento el poder se origina en el actuar juntos y querer juntos, y a eso se subordina el uso estricto del mismo (es decir, la relación mando obediencia y la lucha por el poder), aunque estos aspectos sean también concebidos como constitutivos de lo político (Scannone, 1998).

13. Algunos rasgos del liderazgo de intendentes a superar del tipo "patrón de estancia", encerrado con repartijas asignadas partidariamente, con fuerte puja entre municipios para captar fondos provinciales y premiar seguidores o barrios adictos. Una estructura burocrática clientelar sin mecanismos de participación de la sociedad civil que signifiquen una transferencia real de poder hacia ésta más que contratos de adhesión. El municipio así no arraiga en la gente, se vive como algo ajeno y no resuelve la crisis de representación.

14. Tecco, Claudio, "El gobierno municipal como promotor del desarrollo local-regional. Acerca de la adecuación organizacional de los municipios a los nuevos desafíos y roles institucionales", en García Delgado (comp.), *op. cit.,* pág. 107.

15. Ver Richards, S., "El paradigma del cliente en la gestión pública", en *Gestión y análisis de políticas públicas*, INAP, Madrid, septiembre-diciembre de 1994, y también Krugman, P., "A Country is not a Company", *Harvard Business Review*, enero-febrero de 1996.

16. Nafria, G., *Los corredores productivos de la provincia de Buenos Aires*, FLACSO (mimeo), 1997. Lo cierto es que los recursos para políticas activas locales derivan de varios lugares, que incluyen privatización de bienes o servicios públicos, *joint ventures* con inversores privados, nueva autoridad en impuestos, fondos de inversión, innovaciones institucionales. Ver Clarke, Susan E., "The New Localism. Local Politics in a Global Era", Goetz, E. G. y Clarke, Susan E.

(eds.), *The New Localism.Comparative Urban Politics in a Global Era*, A Sage Focus Edition, Londres, 1993.

17. Arocena, J., *El desarrollo local. Un desafío contemporáneo*, CLAEH, Universidad Católica del Uruguay, Nueva Sociedad, Caracas, 1995.

18. Madoery, O., "La gestión estratégica del desarrollo en el área del Gran Rosario", en *Hacia un nuevo modelo de gestión local*, García Delgado (comp.), *op. cit*, pág. 155. También Massolo, A. (comp.), *Municipio y desarrollo local en la región del Comahue*, EDUCO-REUN, Neuquén, 1998. ˙

19. Vázquez Barquero, A., *Política económica local*, Pirámide, Madrid, 1993.

20. La globalización ha cambiado la geografía de las actividades económicas: "Las ciudades y las ciudades-región, más que los territorios nacionales, pasan a ser los espacios predilectos para la reindustrialización y la reorganización de las economías en vías de globalización. Las autoridades responsables de las ciudades y ciudades-región desempeñarán un papel cada vez mayor en la reconstrucción de las sociedades urbanas" (Petrella, 1996, *op. cit.*, pág. 132).

21. Herzer, H. M., *Las ciudades intermedias en Argentina y sus posibilidades de integración al* MERCOSUR, Programa Alfa, Instituto de Investigaciones Gino Germani, UBA (mimeo), 1996.

22. Mac Carney, P., "Consideración sobre la noción de gobernabilidad. Nuevos rumbos para las ciudades del mundo en desarrollo", en Lungo, Mario (comp.), *Gobernabilidad urbana en Centroamérica*, FLACSO, Guri, San José, 1998.

23. Borja, J., *Revista del Instituto de Estudios Municipales, Económicos y Sociales*, N° 0, diciembre de 1996, pág. 15.

24. De todas formas desde un punto de vista teórico se alcanzan a distinguir diversas estrategias y metodologías vinculadas al desarrollo local, vinculada a las redes PyMEs y densidad de la sociedad civil (Arocena, 1994, Alburquerque, 1996); a la economía popular (Coraggio, 1997), al desarrollo social, a la estrategia de desarrollo humano local, de carácter sustentable, etcétera.

25. Bervejillo, F., "Nuevos procesos y estrategias de desarrollo. Territorios en la globalización", *Prisma*, Universidad Católica del Uruguay, N° 4, 1995.

26. Martínez, E., "Los tres liderazgos. Políticas de promoción de empleo en la Argentina", en Villanueva, Ernesto (comp.), *Empleo y globalización. La nueva cuestión social en la Argentina*, Universidad Nacional de Quilmes, 1997.

27. Arroyo, D., "Políticas sociales y estilos políticos", D. García Delgado (comp.), *Hacia un nuevo modelo de gestión. Municipio y sociedad civil en Argentina*, FLACSO-UCC-CBC, Buenos Aires, 1997.

28. Ver Lechner, Norbert, "Tres formas de coordinación social", *Revista de la* CEPAL, N° 61, Santiago de Chile, abril de 1997.

29. Oliva, O., *Trabajo social en el contexto actual. Perspectivas de la práctica profesional*, Pontificia Universidade Católica de São Paulo-Universidad Nacional de la Plata (mimeo), Tandil, agosto de 1997.

30. Villarreal, R., "El reencuentro del mercado y el Estado con la sociedad. Hacia una economía participativa de mercado", en *Reforma y Democracia,* Revista del CLAD, N° 8, mayo de 1997, pág. 223.

31. Marsiglia, J., *op. cit.*, en García Delgado (comp.), *op. cit,* pág. 104.

32. Stahl, K., "Política social en América latina. La privatización de la crisis", *Nueva Sociedad*, N° 131, Caracas, mayo-junio de 1996.

33. Kliksberg, B., "Repensando el Estado para el desarrollo social; más allá de convencionalismos y dogmas", en *Reforma y Democracia,* Revista del CLAD, N° 8, mayo de 1997, pág. 150.

34. Seguimos aquí en parte el enfoque de Enrique Cabrero Mendoza, utilizado en "Capacidades innovadoras de municipios mexicanos", *Revista Mexicana de Sociología*, N° 3, 1996, págs. 90-91.

35. La descentralización –dice Bitar, A.– es una oportunidad para adecuarse a las crecientes exigencias que se le plantean a la educación y para que mediante el fortalecimiento de la sociedad de las comunidades locales y regiones, consoliden sus identidades culturales y disponibilidades de recursos a partir de un acrecentamiento de la riqueza en el marco de la modernización actual. Pero esto no será posible sin un Estado activo que refuerce estas tramas. Es decir, frente a la matriz actual de un Estado que deja librada al mercado la asignación de la riqueza, que mantiene una estructura impositiva regresiva, no emprende políticas activas a la desocupación y no enfrenta con claridad la crisis de las economías regionales, esta dinámica "horizontal" instalada en los territorios locales puede potenciar la debilidad de sus comunidades cuando no partan de una condición relativa de cierta fortaleza para gestionar su desarrollo (Bitar, *op. cit.*, pág. 109).

36. Coraggio, J. L., *op.cit.,* pág. 55.

4

LA CONSTRUCCIÓN DE LA REGIÓN

*El MERCOSUR no sólo provee a sus miembros con un merca-
do amplio, es también una herramienta fundamental de política internacional.*

HELIO JAGUARIBE, 1998

*Así como creo que el futuro político del MERCOSUR sería
mucho más importante si se creara una moneda única ya
que esto significaría que la voluntad política se impone al
mercado. Si queremos evitar los totalitarismos, todos los totalitarismos, debemos saber combinar el principio del mercado y el de la democracia. Es decir, debemos encontrar un
espacio para que la sociedad elija su propio destino y para
que los políticos muestren el futuro.*

JEAN-PAUL FITOUSSI, 1998

La importancia de las regiones es creciente en el mundo de fin de
siglo. No son las naciones sino las regiones, tanto de nivel subnacional como supranacional, las que comienzan a configurarse por debajo del anterior esquema político institucional de los Estados-nación.
Una nueva jerarquización espacial tanto de carácter económico y político como cultural, empieza a emerger al compás del proceso de globalización (NAFTA, UE, ASEAN, APEC, MERCOSUR, etc.). La formación de bloques regionales para encarar complejos procesos de
desarrollo económico, social y cultural de los países, y su inserción
internacional es una característica del mundo contemporáneo. La regionalización es así constitutiva de procesos más amplios y que, de
alguna manera, aparecen como respuesta para recuperar capacidades

económicas y gubernativas en el marco de la tendencias homogéneas de la economía-mundo.[1]

Las economías nacionales van declinando junto con el lugar decisivo y casi excluyente que tenían los Estados en la escena internacional, dejando lugar a una nueva configuración del poder mundial. Estamos ante un vasto proceso de reconfiguración del panorama al que dio lugar en el siglo XIX la paz de Westfalia, luego de la revolución francesa y la americana, un conjunto de Estados-nación fuertemente centralizados y constitucionalmente soberanos. Y posteriormente, en el siglo XX, al escenario a que diera lugar la revolución socialista y los acuerdos de Yalta (1945), la configuración de dos grandes bloques políticos militares e ideológicos, hegemonizados por los Estados Unidos y la Unión Soviética respectivamente y que delinearan los conflictos de la guerra fría.

En los últimos años, se produce una reconfiguración de ese mundo, causada por la Tercera Ola o revolución electrónica y de las comunicaciones, por la caída del socialismo y la primacía del capitalismo financiero. Se trata de la configuración del capitalismo triádico, de tres bloques con distinto grado de institucionalidad en la disputa por la hegemonía mundial: entre el capitalismo asiático con base en el yen, el norteamericano con base en el dólar y el de la comunidad europea con base en el euro (Thurow, L.; Albert, M., 1994).

Esta reconfiguración geopolítica mundial va acompañada de una generalización de la democracia liberal como forma de gobierno legítima, así como de la economía de libre mercado en la acumulación y la sociedad de la información en lo cultural, junto con la rápida salida del enfrentamiento ideológico (capitalismo vs. socialismo) y militar (OTAN-Pacto de Varsovia) que caracterizara la escena internacional en las últimas cinco décadas.[2] En este marco, se observan los esfuerzos por parte de los Estados Unidos para prolongar la hegemonía sobre Occidente que tuviera durante ese período de la guerra fría, y que mantiene en lo militar y comunicacional, pero que comienza a alterarse en lo económico en función de una diferenciación creciente de intereses entre los bloques de la tríada: por lo pronto, la Unión Europea comienza a tomar distancia, a trazar su propia estrategia político-económica.[3]

Este fenómeno de constitución de la región surge en el sur de América latina por un proceso de articulación de agencias estatales en función de procesos de democratización regionales y por la fusión y los acuerdos empresariales para ampliar sus mercados.[4] Pero se trata de un proceso que despierta interrogantes: ¿la región es un espacio comercial que se produce por la necesidad de ampliar la escala de las transacciones de las grandes corporaciones, presupone algún tipo de constitución sociocultural y política de otro grado? Así como la modernidad dio nacimiento al Estado-nación, ¿la posmodernidad es el marco en que se produce el pasaje a los Estados-región, con los atributos de soberanía, ciudadanía y representación precedentes? Y si esto fuera así, nuestra región –el MERCOSUR–, ¿tiene un potencial de identificación, de autonomía y ciudadanía para su constitución, o es una fase transitoria hacia uniones continentales mayores de carácter comercial, como el ALCA?

En lo que sigue, se buscará responder a estos interrogantes, analizando la evolución histórica de la región en sus aspectos económicos, sociales y político-institucionales, mostrando que, al mismo tiempo que el Estado se reforma y descentraliza, también se recentraliza por medio de acuerdos económicos, jurídicos y políticos que lo vinculan a instancias de coordinación de rango superior. En un segundo momento, intentaremos mostrar las oportunidades y riesgos que este proceso de regionalización enfrenta hacia el fin de siglo.

A. LA CONFIGURACIÓN DEL BLOQUE

La construcción de la unidad continental estuvo en los mismos orígenes de nuestro proceso independentista. Promediando el siglo XIX, se asistió a los últimos intentos de lograr una confederación más amplia y bolivariana ("una nación de repúblicas"), que lograra aglutinar los distintos fragmentos del extinto imperio español en América y el ideal artiguista de una "confederación de los pueblos libres". No fue posible, entonces, que el sueño integracionista se hiciera realidad y, de esta forma, la configuración de la etapa de los Estados-nación se realizó bajo una estructura "balcanizada", a la cual contribuyeron numerosos factores: las distancias, las desinteligencias políticas y, en buena medida, las influencias de las potencias hegemónicas de entonces para tener Estados más controlados.

Esto dio lugar a un proceso independentista exitoso y particularmente rápido en el caso argentino, la configuración del Estado-nación de carácter soberano en lo político-militar, pero no en lo económico ni en lo cultural, porque se produjo a partir de una particular forma de articulación al comercio internacional entre sociedades de modernización "temprana" (Inglaterra y Francia) y las "tardías" (América latina) como proveedora de materias primas para el proceso de industrialización central. Una situación que dio luego en llamarse "neocolonialismo" por los rasgos dependientes que generara. Sin embargo, ese destino de "patria grande" permaneció en el imaginario político latinoamericano a lo largo del siglo XX, renaciendo bajo formas nacionalistas, socialistas y aun liberales en cuanta ocasión se presentara.

En el marco del Estado de bienestar, esa voluntad integradora se manifestó a mediados de este siglo en numerosas oportunidades, primero con los intentos del ABC entre Argentina, Brasil y Chile (1951), luego con la conformación de la Asociación Latinoamericana de Libre Comercio (ALALC, 1960), su reemplazo por la Asociación Latinoamericana de Integración (ALADI, 1981), el Pacto Andino en los 60; finalmente, el comienzo del MERCOSUR como Zona de Libre Comercio con la Declaración de Iguazú (1985). Este período estuvo tensionado entre las orientaciones nacionalistas, proindustrialistas y proteccionistas de los distintos países y las técnico-comerciales de los intentos integracionistas. Otros casos, como el de la Alianza para el Progreso, mostraron una tendencia "panamericanista" de carácter recurrente en el continente, que tuvo un sesgo de subordinación a la potencia hegemónica y que finalmente no diera lugar a una realización de significación, salvo tal vez la OEA.[5]

Pero en los últimos 15 años se pasa a una situación novedosa, precisamente como telón de fondo de la crisis del Estado de bienestar, cuando comienzan a desestructurarse los rasgos más centralistas del Estado-nación (desmilitarización y desburocratización) y cuando las reformas neoliberales desestructuran las economías protegidas (apertura y desregulación), el regionalismo da un salto. Empieza a enfatizarse la cooperación y comunicación entre países vecinos y a debilitarse las hipótesis de conflicto militar. Las fronteras comienzan a desmitificarse, a perder su carácter último de soberanía e identidad, comienzan a desvanecerse o, como dice Rosenau, a convertirse en "más porosas y menos significativas".

A partir de las reformas introducidas con el proceso de transición democrática y de reconversión económica, el subcontinente empieza a hacerse más previsible, a homogeneizarse en sus estructuras políticas y económicas, convirtiéndose en sujeto de inversión externa creciente. Un proceso de integración sorprendente, no sólo por lo exitoso y rápido (la cuarta economía mundial), sino porque el núcleo duro de la misma, la articulación entre Brasil y Argentina, se constituye entre dos realidades histórico-políticas que estuvieron fuertemente enfrentadas en el pasado, tanto durante el período colonial (la zona de influencia hispánica y la portuguesa), como en la etapa nacional, en la que ambos países buscaron establecer su hegemonía en el subcontinente.

En este sentido, el proceso de globalización propicia relaciones de cooperación regional más que de confrontación para hacer frente a las tendencias de economías abiertas, e impulsa fusiones, ampliación de los mercados y apertura de las fronteras. De hecho, las primeras propulsoras del MERCOSUR fueron las automotrices y de allí la ambigüedad de estos procesos: porque cabalgan tanto sobre los requerimientos de los mercados y el impulso comercial –con el peligro de aumentar la desocupación y las desigualdades–, como sobre las necesidades de los pueblos de integrarse a una escala que les permita maximizar sus posibilidades de desarrollo, autonomía e identidad.

B. LOS DIVERSOS NIVELES DE LA INTEGRACIÓN

Ahora bien, ¿por qué el MERCOSUR, en los últimos 15 años, da un salto cualitativo respecto de las experiencias anteriores de integración (ALALC-ALADI)? ¿Y por qué puede considerarse a la región como una de nuestras fortalezas frente al mundo del siglo XXI?[6] Porque con sólo 7 años de Mercado Común (marzo de 1991) y con una Unión Aduanera (Arancel Externo Común) que entró en vigencia en 1995, el MERCOSUR cuenta ya con un PBI de aproximadamente un billón de dólares y un mercado de 204 millones de habitantes. Es uno de los bloques económicos más dinámicos del planeta y la cuarta zona geoeconómica del mundo, superada solamente por el NAFTA, la Unión Europea y el Japón. El territorio, de casi 12 millones de kilómetros cuadrados, presenta tasas de crecimiento promedio del PBI del 4% en los últimos seis años, superando los índices del conjunto de las naciones (3%). Se trata de la conjugación de regímenes democráticos, estabilidad económica y de un bloque económico que concilia políticas regionales con multilaterales.

Dentro de los logros económicos puede remarcarse el aumento del monto del volumen comercial, de nuestras exportaciones, el crecimiento de interconexiones y la profundización de los acuerdos económicos y fronterizos con Chile. Esto muestra también la tendencia a la paulatina eliminación de los puntos de conflicto territoriales característico del anterior modelo y que aún permanecen latentes.

El MERCOSUR resultó una plataforma de iniciación de la actividad exportadora para muchas empresas, especialmente las de menor dimensión. Los exportadores de menor tamaño (definidos como aquellos que exportan menos de 2 millones de dólares anuales) –alrededor de 10.000 empresas– duplicaron sus ventas en los últimos años, y cerca de las tres cuartas partes de este crecimiento se explica por los mayores envíos a Brasil, Paraguay, Uruguay, Chile y Bolivia.[7] El MERCOSUR es un mercado que le compra a la Argentina una mayor proporción de productos de origen industrial que el resto del mundo. El Estado de San Pablo compra más productos argentinos que todo Estados Unidos. Lo cual también produce una fuerte dependencia de la Argentina del socio más poderoso, que en el choque de intereses que se produce por respectivos problemas de balanza comercial, ha sido resumido en términos de "Brasil dependencia".

En 1995, recién inaugurada la Unión Aduanera de carácter "imperfecto", mostró flexibilidad y capacidad de aprendizaje en la resolución de los conflictos de la integración entre los distintos países. El MERCOSUR sobrellevó las graves consecuencias derivadas de los efectos "tequila" y "dragón" y, en estas circunstancias, tanto la Argentina como el Brasil realizaron ingentes esfuerzos para neutralizar los efectos de la crisis, respetando al mismo tiempo los cambios estructurales efectuados y la esencia de los acuerdos de integración. Las crisis generaron grandes perjuicios, pero al mismo tiempo sirvieron para mostrar la fortaleza de las economías de la región en general. La crisis asiática aparece no sólo como la primera crisis global, sino también como un nuevo test de confiabilidad para la unión aduanera y como una oportunidad de posicionarse positiva y diferenciadamente en ese mercado internacional cambiante.

De todos modos, a casi dos años de la puesta en marcha de la Unión Aduanera, los miembros todavía continúan exigiendo requisitos de origen a la totalidad de los productos que ingresan desde otro país miembro (o para los productos exceptuados) obstaculizando así la libre circulación de mercancías. Una razón para este procedimiento es que aún no se dispone de una lista consolidada definitiva que incluya los productos sujetos al régimen de origen MERCOSUR y sus respectivos requisitos.

En términos políticos, el bloque ha funcionado como un marco de estabilización de la democracia en la región, como se demostrara en la crisis paraguaya de 1995, en la cual los embajadores del MERCOSUR impidieron cualquier otra salida que no fuera la democrática. El MERCOSUR se configura no sólo como un bloque económico sino también como una alianza de países comprometidos con la democracia.

El marco institucional del bloque está compuesto por el Consejo del Mercado Común, integrado por los ministros de Relaciones Exteriores y de Economía, organismo superior del MERCOSUR y encargado de la conducción del proceso de integración y de la toma de decisiones que aseguren el cumplimiento de las metas establecidas en el tratado de Asunción. El Grupo Mercado Común es el organismo ejecutivo del sistema.[8] Pero si bien la trama institucional del bloque es aún débil, el presidencialismo y la relación personal entre los presidentes Sarney y Alfonsín primero, y luego entre Cardozo y Menem, actuaron positivamente para lograr acuerdos que requerían urgente tratamiento. Sobre todo en los 90, frente a las grandes crisis financieras mundiales como las de México y del Sudeste Asiático, el sistema presidencialista fue favorable para lograr compromisos y decisiones rápidas que, de lo contrario, hubieran quedado sujetos a largas deliberaciones. Pero a mediano plazo ello parece insuficiente, ya que el peso principal de la decisión puede quedar sujeto a personalidades e intereses coyunturales. De allí que el proceso eleccionario en Brasil haya parado las decisiones de importancia sobre el MERCOSUR, siendo conveniente orientarse hacia una institucionalidad supranacional que empuje a la profundización de la integración más allá de personas e intereses circunstanciales.

El pacto también mostró voluntad política de integración con los países vecinos, como lo demuestra el reciente acuerdo con la Comunidad Andina y la asociación parcial de Chile y Bolivia, que tiene logros considerables. En el caso de Chile, este país está ligado al bloque a través de un acuerdo de libre comercio. Desde esta posición este país consigue beneficios económico-comerciales, evita someterse a la disciplina económica comercial que regula las relaciones en la Unión Aduanera y se asegura la no adopción del arancel externo común (AEC), más alto que su arancel uniforme de 11%. Pero se incluyen pautas para avanzar en lo que hace a cuestiones de integración física, lo que permitiría al MERCOSUR y en particular a la Argentina, lograr una salida al Pacífico y a Chile una salida al Atlántico con favorables consecuencias en lo que se refiere a mejoras en la integración física (puentes, pasos, caminos, comunicaciones en general) y a nuevas posibilidades comerciales.

De esta forma en la región crecieron y se estabilizaron las democracias, las políticas se vuelven más homogéneas y la región se hace previsible. Así como el mercado común multiplicó la riqueza de Europa el MERCOSUR lo está haciendo para esta región. No obstante, en la dimensión política también pueden anotarse concepciones estratégicas no del todo coincidentes entre los actores principales, ya que queda más clara la orientación de Brasil de proteger sus industrias de las orientaciones aperturistas –tipo ALCA– a las que es más proclive la cancillería argentina. En el caso de Brasil tanto el oficialismo como la oposición tienen una posición adversa a la inclusión en el ALCA en los actuales momentos, y ven al MERCOSUR con posibilidad de garantizar una presencia más soberana en el mundo. Mientras que la cancillería argentina tiene muy fuerte el concepto de regionalismo abierto, que tiende a abrirse hacia todas las iniciativas de intercambio, pero con el riesgo de acentuar su carácter exclusivamente comercial.

En síntesis, el éxito señalado de la región tiene que ver con hechos económicos pero, al mismo tiempo, fuertemente interpenetrados por lo político, ya que muchas inversiones directas vienen porque el país es una base para un mercado regional y, al mismo tiempo, visitas de políticos de significativa importancia, como las del emperador de Japón, el presidente de los Estados Unidos y varios primeros ministros europeos, se realizaron por ser la Argentina parte –y la parte más liberal–, de un bloque en expansión. Es decir, que tanto Estados Unidos como Europa buscan generar una zona de libre comercio exclusiva con el MERCOSUR y la región empieza a entrar en la disputa del capitalismo trilateral.

Pero en ese contexto las relaciones tienden a ser asimétricas, las economías de los países avanzados y sus bloques productivo-comerciales concentran gran parte de su comercio y de sus inversiones entre ellas mismas, al mismo tiempo que intensifican su competencia y aumentan el proteccionismo respecto de los países de América latina y del Sur. Aquéllas les exigen la apertura en favor de sus propias exportaciones e inversiones, les imponen condiciones desfavorables en el comercio exterior y en el financiamiento, incrementan sus exportaciones en esa dirección y disminuyen sus importaciones del mismo origen. Esto lleva a la baja en cantidad y precio de las exportaciones de países latinoamericanos y al deterioro de los términos del intercambio lo que resulta en balanzas comerciales y de pagos desfavorables. Las consiguientes brechas se amplían con la repatriación de inversiones y beneficios, el pago de intereses con tasas en alza, la fuga de capitales especulativos y los costos de la dependencia tecnológica. A la inversa, resultan insuficientes los flujos de ayuda y los préstamos de agencias multilaterales de desarrollo (Kaplan, 1997).

En términos sociales es donde en comparación con los otros bloques el MERCOSUR muestra una de sus mayores debilidades por la creciente desigualdad y regresiva distribución del ingreso. Pero no como efecto de la integración regional sino como parte del efecto de la apertura irrestricta hacia afuera. Estas desigualdades se dan con una fuerza particular en el Brasil, pero también se agudizan en la Argentina, que venía de una tradición social más igualitaria, y están también presentes en Chile más allá del éxito de sus políticas económicas.[9] Lo cierto es que de todas las regiones con extensión continental, América latina es la que menos atención ha prestado a este aspecto. Por lo tanto está en juego una dimensión social de la integración (incorporar la problemática de los desempleados, de jóvenes y pobres, de zonas geográficas deprimidas, circulación de trabajadores, de derechos humanos, cuestiones relativas a salud, educación, etc.), "el MERCOSUR social". Lo cierto es que hasta ahora hay poco activismo o ninguno se ha realizado en este sentido.[10]

En términos culturales, el bloque ha avanzado en la homogeneización de credenciales educativas en la homologación de títulos universitarios, bilingüismo, etc. Hay conciencia acerca del imperativo de hacer un camino basado en una unidad respetuosa de la diversidad local, regional y nacional como condición de supervivencia y protección para cada uno de los países que componen el área.[11] Esta dimensión cuenta con una fortaleza previa, y es que la integración se enraiza en representaciones favorables de integración que anclan en los mismos procesos de independencia de América latina, así como la menor conflictividad entre pueblos y culturas que existen en otras regiones y sus comunes experiencias de dominación. Pero sin ser esto un proceso natural, sino que es también a construir, sobre todo en el plano comunicacional. Se trata de la búsqueda de afirmación de identidades culturales, de recuperar las características particulares de la región ante un contexto mundial que tiende a la homogeneización, y de crear una conciencia social abierta al conocimiento y comprensión de los otros.

Este avance se produce también por iniciativas de municipios fronterizos que aumentan el nivel de intercambios con los países de la región, de ONGs y universidades. Sin embargo todavía las redes académicas y de investigación no están demasiado articuladas entre sí, y el MERCOSUR Cultural no ha sido homologado por los distintos países. Por su parte, la opinión pública hasta ahora se mantiene ajena, como si no estuviera involucrada en este proceso. Pero este fenómeno tiene que ver más con la orientación predominante en los medios de comunicación, que no privilegian la relación sur-sur, que con el rechazo o indiferencia al proceso de integración.

C. LA AGENDA PENDIENTE: ¿BLOQUE COMERCIAL O ESTADO-REGIÓN?

A mediados del siglo XIX comenzaron a plasmarse los primeros elementos de la configuración de la nación independiente en Argentina, como población, territorio, gobierno, lenguaje común, burocracia, en detrimento de los anteriores sujetos soberanos: las provincias. O, en términos de la conceptualización weberiana, el momento en que el Estado expropia poder político a los diversos poderes locales y se hace depositario del monopolio legítimo de la coacción. Se trató de un fuerte y rápido proceso de centralización del poder político y económico, sobre todo en una nación construida por el Estado a diferencia de lo ocurrido en el caso europeo.

La constitución del ejército nacional significó la eliminación de las fuerzas militares que controlaban las provincias, la campaña del desierto aseguró límites territoriales precisos en el sur, la acuñación de una moneda común plasmó otro signo de la naciente soberanía, a la vez que se unificaron las relaciones internacionales y la representación política. En lo cultural, la construcción de la identidad nacional estuvo fuertemente asociada a un proyecto político integrador y alentador del proceso inmigratorio, así como a la decisión de configurar un sistema educativo gratuito, obligatorio y laico (Ley 1420, 1884) que posibilitara la identificación y configuración de la nueva área de lealtad nacional.

Ahora bien, podemos comparar aquel proceso de "construcción de la nación" con el actual de "construcción de la región". Si bien con diferencias, tiene la misma significación de desafío histórico desde un punto de vista político y teórico. En la medida que también supone coordinación en las distintas dimensiones (seguridad, moneda, relaciones internacionales, burocracia, etc.). En el caso del bloque más adelantado –la Unión Europea– vemos que se van llevando a cabo diversas iniciativas que promueven la constitución de un bloque supranacional: el Parlamento Europeo (representación), Maastritch (pautas comunes para reglamentar los límites al déficit fiscal, nivel de endeudamiento e inflación de los distintos gobiernos), el euro (la moneda común), un sistema de seguridad propia que reemplaza lentamente la estructura de la OTAN por otra específicamente europea. Un proceso que consiste en un doble movimiento: descentralizar a nivel de los Estados nacionales abriendo espacio para el despliegue de las autonomías locales, y recentralizar a nivel de la comunidad europea. Desregular la economía entre estas naciones y, a la vez, proteger al bloque respecto de la economía global.

La seguridad es otro de los aspectos clave en la integración, ya que ésta tiene que ver con una definición a adoptar acerca de los obsoletos ejércitos nacionales, sea en términos de una gendarmería contra el narcotráfico o de plantear un sistema de seguridad regional. En este sentido el tema nuclear fue clave en la profundización de la integración del MERCOSUR. Porque la forma más ampliada de defender la continuidad "legítima" de los programas nucleares en Argentina y en Brasil fue asegurar que estuviesen comprometidos para fines pacíficos. Donde se tornó crecientemente consensual entre los operadores de la cooperación nuclear el que estos mismos programas debían ser pasibles de verificación (Hirst, 1991).

Los debates sobre la seguridad regional involucran distintos temas entre los que se ubica el rol del Estado en esta cuestión, los contenidos de la seguridad, las funciones que deben cumplir las fuerzas armadas, las identificaciones de los desafíos a la seguridad regional. Como señalan Grandi y Bizzozero (1997), los principales asuntos en controversia que han surgido hasta el momento remiten al rol del Estado y a las funciones de las fuerzas armadas. En ese sentido, la posibilidad de que las fuerzas armadas de los países de la región puedan cumplir funciones represivas frente al tema del narcotráfico, ha sido explícitamente rechazada. Por otra parte, en lo que se refiere a la cooperación regional y la definición de los contenidos de la seguridad, las fuerzas armadas de la subregión han realizado simposios anuales que han generado una dinámica de aproximación.

En lo que se refiere a su actitud frente al MERCOSUR, en general hay coincidencia en que el apoyo al proceso debe ser acompañado en el plano militar con una cooperación creciente que abarque operaciones compartidas, proyectos en común, complementación e intercambio de personal. Sin embargo, las fuerzas armadas de los cuatro países parecen oponerse a la creación de instancias supranacionales en este campo, aun cuando consideran necesario seguir avanzando en la definición de objetivos comunes vinculados con la defensa y el logro de una efectiva seguridad compartida.

A partir de este paralelismo entre la construcción de la nación y el de la región, pueden observarse algunos desafíos que enfrenta el MERCOSUR en las dimensiones económica, sociocultural y político-institucional.

Coordinación de políticas macroeconómicas

A diferencia de los efectos de la globalización que determinan políticas adaptativas, los procesos de integración requieren en determinado momento de coordinación de políticas tanto macro como microeconómicas.[12] Dice Lavagna que los años 1999 y 2001 podrán ser dedicados al cuarto salto cualitativo del MERCOSUR. En ese período, los países miembros deberán reforzar el proceso de integración avanzando en disciplinas económicas y políticas para que el bloque no se diluya por el Area de Libre Comercio de las Américas (ALCA) y por la "Ronda do Milenio", de la Organización Mundial del Comercio. ¿Cuáles fueron los saltos anteriores? La firma del acuerdo de integración entre Argentina y Brasil (1986), el Tratado de Asunción

(1991) y el de Ouro Preto (1993); entonces, el próximo desafío o parte del mismo será coordinar políticas macroeconómicas.

El MERCOSUR tal como existe hoy es una unión aduanera con un arancel externo común. Lo conveniente es que se mueva hacia el modelo del mercado común con libre movilidad de factores (trabajo y capital) al estilo del modelo europeo.[13] Para ello se requiere asumir más activamente la existencia de un bloque que permita mejorar no sólo el crecimiento y el empleo, sino también disminuir los condicionamientos externos al conjunto de los países que lo componen. La constitución de un bloque regional más autónomo frente a los intentos de integración de las naciones más avanzadas está en esa dirección.

Y esto se relaciona con las opciones del multilateralismo o regionalismo abierto. Una posición de regionalismo abierto es que para "que exista el MERCOSUR debe existir el ALCA". En este camino, los Estados Unidos buscan una apertura arancelaria lo más profunda y rápida posible para irrumpir con sus productos en estos países. El MERCOSUR contrapone la idea de "gradualidad" en la baja de aranceles y "reciprocidad" en el desmontaje de las trabas no arancelarias. Porque si bien Norteamérica no aplica altos aranceles a sus importaciones, frena la entrada de bienes extranjeros a su territorio con una frondosa batería de otras medidas. Mientras Estados Unidos intenta ganar tiempo celebrando acuerdos sectoriales e individuales con cada país (bilateralismo), con el objetivo de poder invertir o comercializar en las lucrativas áreas de comunicaciones, informática y otros servicios sujetos a mayores regulaciones, el MERCOSUR se opone levantando el criterio de *single undertaking* (emprendimiento único), que impide instrumentar cualquier acuerdo particular hasta tanto no esté terminada la negociación conjunta. Sólo de ese modo los países del Sur tendrían posibilidades de imponer alguna condición en defensa de sus intereses. Algo similar ocurre para avanzar con el bloque europeo, que no quiere poner límites a sus restricciones a la entrada de productos agropecuarios desde el MERCOSUR.

De allí que se observen posicionamientos distintos en las cancillerías de los países principales que conforman el pacto, la de Buenos Aires reivindicando el ALCA, y la de Brasil afirmando que es problemático mientras esté detenido el *fast track*. En este sentido, Brasil aparece como mejor posicionado que la Argentina para negociar desde posiciones de mayor firmeza con Estados Unidos, no sólo por la mayor envergadura de su mercado sino porque cuenta con más elementos para poner sobre la mesa de negociación, ya que aún tiene privatizaciones pendientes y una gruesa malla protectora en torno de su industria, mientras que Argentina ya privatizó y desreguló casi todo. Tampoco está sujeto, hasta ahora, a una determinación económica tan estricta externa a la región (como un programa económico bajo la supervisión del FMI), lo que le permite mayores grados de libertad a su decisión nacional, sumado a que no ha perdido su vocación de destino manifiesto, o transformado aún a su clase empresaria en rentista. En síntesis, una línea tiende a diluir el área protegida, a bajar el arancel externo común y acelerar los tiempos de la unión continental, mientras que la otra busca preservar el área protegida por el AEC, a integrar otras dimensiones a la comercial-económica, y a postergar en el tiempo otras ampliaciones.

Cuadro 8
Opciones de integración

	Bloque comercial	Estado-región
Tipo	Esquema económico-comercial Valor comercial No movilidad de los factores	Esquema económico-político Valor político-social Movilidad de los factores
Rasgos	Espacio de libre comercio Vertical Hegemonía	Unión aduanera Horizontal Federación
Soberanía	Estado-nación cliente	Estado-región autónomo
Medidas	Aspectos técnicos aduaneros de integración y de realización Arancel externo común	Coordinación macroeconómica Moneda única Integración a nivel local Incorporación de la carta social Desarrollo institucional (MERCOSUR cultural y social)
Actores	Panamericanismo en la etapa de la globalización Sector público y empresarios	Representación y ciudadanía supranacional Sector público, empresarios y sociedad civil
Modelo	Modelo ALCA, libre cambio Consumidores	Unión Europea Unión aduanera-mercado común Ciudadanos

La moneda común

El MERCOSUR se está construyendo en tiempo récord, lo que en Europa demoró décadas para realizarse, en esta región demandó apenas algunos años. El desafío parece ser ahora profundizar el proceso de integración avanzando no sólo en la armonización de las políticas macroeconómicas sino en la configuración de una moneda común (UME).[14] Si bien los procesos no son similares, los beneficios de la divisa compartida no serían sólo de orden económico (disminución del costo de transacción, aumentos en la eficiencia, disminución de los riesgos asociados a la evolución de los tipos de cambio, especulación, etc.) sino también de carácter político, mayor independencia económica y posibilidades de desarrollo común.

El caso reciente de la moneda en la Unión Europea aparece como un objetivo que excede lo estrictamente comercial y técnico, porque los distintos gobiernos europeos tanto de derecha como de izquierda convergen en no enfrentar solos la globalización económica. Es para todos un tema no sólo económico sino político y hasta civilizatorio, en el sentido de preservar un modo de vida: el Estado de bienestar reformulado con cierta convergencia entre eficacia y equidad, una economía social de mercado, defensa del tiempo libre y de la naturaleza, frente a la amenaza tanto del capitalismo norteamericano de competitividad a ultranza, eficiencia, individualismo y desigualdad, como del capitalismo del sudeste asiático, de total compromiso con el trabajo y responsabilidad social de la empresa y la familia. Es el conflicto de los tres capitalismos, y en donde la variable cultural tiene suma importancia como señalan L. Thurow (1994) y M. Albert (1992).

Sobre este proceso destaca Fitoussi la importancia de la voluntad política, porque una de las formas de escapar a la tutela de los mercados es suprimir las oportunidades de especulación. La creación de la moneda única en Europa permite que el poder político retome el control sobre los mercados. Lo que ha hecho que Europa se viera obligada a llevar adelante una política económica muy restrictiva es que los distintos países debían controlar día a día y semana tras semana la paridad de la moneda del país con respecto al marco, etc. Esto daba ocasión a especulaciones extraordinarias en los mercados. Tener una moneda única suprime estas oportunidades y da una libertad muy grande a los países europeos.[15]

Pero para alcanzar el objetivo de una divisa común se requiere avanzar en coordinación en materia cambiaria y política tributaria. Ello se relaciona con los movimientos de capital, con la "economía virtual" como propulsora de la economía mundial en subordinación de la "economía real" (el flujo de bienes y servicios) porque ambas economías operan en forma cada vez más independiente. Como señala Pérez Sosto, los tipos de cambio entre las principales monedas tendrán que abordarse en la teoría económica y en las políticas empresariales como un factor de "ventaja comparativa" de gran importancia. La teoría económica enseña que los factores de ventajas comparativas de la economía real –costos comparativos de mano de obra y productividad laboral, de materias primas, de energía, de transporte y otros por el estilo– determinan los tipos de cambio. "Prácticamente todas las empresas basan sus políticas en este concepto. Sin embargo, cada día es más patente que los tipos de cambio son los que deciden cómo habrán de compararse los costos laborales de un país con otro. Así pues, esos tipos de cambio son un costo comparativo importante, que se encuentra totalmente al margen del control empresarial. Cualquier compañía que esté expuesta a la economía internacional tiene que comprender que se desenvuelve simultáneamente en dos esferas: en una es la de fabricante de bienes (o proveedor de servicios) y, en la otra, una empresa 'financiera', no pudiendo desentenderse de ninguna de esas funciones."[16]

El objetivo de crear una moneda única puede ser visto también en relación con las ventajas que se deducen del Plan de Convertibilidad, pero con las desventajas de atarse las manos en política cambiaria en un contexto caracterizado por la baja en el precio de las *commodities* y la apreciación constante del dólar. Al no poder devaluarse el tipo de cambio se devalúa el salario (importar es más barato que producir y la exportación se primariza más y más).[17] Por eso, pensar la convertibilidad como inamovible sin distinguir la estabilidad del instrumento para lograrla, puede dejar cerrado el problema de cómo modificar un instrumento que, si bien útil para salir de la hiperinflación, se convierte progresivamente en una pesada carga para mejorar la competitividad y generar trabajo (en un "chaleco de fuerza" dicen Krugman y Sachs).[18] La convertibilidad, llegado este punto, no es neutra socialmente, facilita las cosas a los incluidos, pero no a los que quieren ingresar al mercado de trabajo o a quienes pretenden exportar.

Si no se actúa a tiempo –dice Pierre Salama–, los capitales que sostienen la paridad financiando el déficit emigran, caen el salario y el nivel de empleo. La Argentina y el Brasil están construyendo un mercado común sin soberanía sobre sus monedas, y encima atadas a la moneda del país que más se opone al MERCOSUR y postula el ALCA. Sólo devaluar genera especulación. Una propuesta de salida a esa encrucijada consistiría en coordinar el tipo de cambio regionalmente, mejorar la productividad y controlar más a los capitales golondrina.[19]

La no neutralidad social de este último instrumento de paridad cambiaria anclada por ley, en términos de equidad reconoce tres opciones de salida de la convertibilidad: 1) por cooperación política mediante acuerdos suprapartidarios para pautar la misma a mediano plazo; 2) de forma supranacional, ligado a un proyecto de integración de moneda común, en términos de realizar una convergencia flexible (Lavagna, 1998). De lo contrario, la convertibilidad con apertura irrestricta va a aumentar el costo social y las desigualdades sin resolver los temas de competitividad y de déficit fiscal, sino por el lado de reducir los costos del trabajo. 3) La otra forma de salir es cuando las tensiones lleguen a un extremo y se realice, como habitualmente se ha hecho en la Argentina, de modo abrupto vía devaluación de mercado.[20]

En lo sociocultural

Frente a los desequilibrios sociales crecientes que presenta la región, que la muestran como el bloque más desigualitario de los que se están constituyendo, sería necesario avanzar mediante la coordinación de políticas sociales y económicas. Por ello parece imprescindible que, dentro de un criterio de subsidiariedad, sin reducir la magnitud interna –a nivel país– del problema, el MERCOSUR incorpore la cuestión distributiva y de acceso y oportunidades como un compromiso explícito y monitoreable. Para ello es urgente crear la obligación de que sus miembros presenten información permanente, formulen criterios y metas, y que las políticas regionales incorporen en sus análisis de impacto esta dimensión.

Si el MERCOSUR habrá de formar parte de políticas que se acerquen a los ciudadanos, la dimensión de justicia distributiva no puede estar ajena. Más aún, si los países-miembro siguieran senderos diferentes, pronto aparecerían impedimentos estructurales al comercio intrarregional, basados en indicadores sociales crecientemente divergentes. No sólo por situaciones de desigualdades comparativas existentes, sino por las que puedan sobrevenir según cómo se visualice el proceso de "zona de libre comercio" (ALCA) o del mercado común (MERCOSUR).

De allí que sea necesario establecer un compromiso por la producción y la competitividad, buscando una efectiva integración de estrategias y recursos para asegurar una reestructuración y modernización productiva a escala MERCOSUR, así como el desarrollo de nuevos sectores productivos, básicamente definibles como intensivos en ciencia, tecnología y recursos humanos de alta capacitación (Lavagna, 1997). Un compromiso por la participación, el trabajo y contra el desempleo, buscando que el MERCOSUR no sea ajeno a la gente, sino impulsando una mejor participación en los beneficios de la modernización y oportunidades de educación, formación profesional y movilidad social.

La dimensión cultural, a su vez, también tiene que ver crecientemente con lo comunicacional, en el sentido de generar redes de intercambio e identificaciones positivas (por ejemplo, iniciativa de pasaporte común, la libre movilidad de profesionales, etc.), ya que lo comunicacional y emblemático del proceso integrador no puede ser descuidado. Y en esta tarea tienen un rol importante no sólo las universidades sino también creadores, artistas, comunicadores, educadores y el tercer sector. Porque si en la construcción de la identidad nacional fue clave el sistema educativo público, ahora, en la construcción de la región, la dimensión estratégica la tiene la comunicación. Por esto, esta tendencia a la globalización y difusión de imágenes e información en un sentido único, mediante fibra óptica, vía satelital, u otro medio, de acuerdo a Solanas y Vázquez (1998), debe ser conducida con políticas estatales claras que vayan mucho más allá de una simple consagración gutemberguiana a las bellas artes, de lo contrario el futuro de nuestras diversas identidades culturales se vería fuertemente amenazado. "Y en este aspecto, las organizaciones sociales y las asociaciones y entidades más afectadas deben ser los primeros actores en empujar al Estado en esta dirección. En otros términos, si los diferentes gobiernos latinoamericanos, a través de sus respectivos Estados, no actúan rápidamente tomando ágiles y eficaces medidas para salvaguardar nuestro espacio audiovisual y orientarlo al servicio de un verdadero proyecto de integración cultural, ese espacio en poco tiempo ya no nos pertenecerá. Y lo que alguna vez fue el gran sueño y anhelo de nuestros próceres: la Patria Grande, a falta de proyecto y voluntad política de llevarlo a cabo, entre otros factores, estará cada vez más cerca de convertirse en un conjunto de fragmentadas y desintegradas 'patrias chicas' dominadas por *holdings* comunicacionales."

En lo político-institucional

Al mismo tiempo que se reforma el Estado se construye la región y esto tiene que ver no sólo con problemas de mejorar la competitividad, el balance comercial y aumentar los intercambios entre las partes, sino también con encarar un proceso de recentralización que hace también a un problema de poder y de soberanía replanteado ahora a escala regional. De allí que sea pertinente incluir el diseño institucional en el plano de las agencias de integración (el Ejecutivo), como en sus futuras instituciones de representación (el Legislativo) y de resolución de controversias (el Judicial).

En este contexto, la estructura ministerial y de secretarías actual tiene dificultades para responder al gran dinamismo que este proceso de regionalización plantea. La Cancillería debe operar dos procesos, el de las relaciones internacionales y el de la construcción regional, zanjando en este último las múltiples controversias aduaneras, legales, educativas, consulares que se generan día a día. Se evidencia la necesidad de configurar una tecnoburocracia regional más amplia con capacidad decisional y recursos; de constituir un Tribunal de Justicia Supranacional, cuyas decisiones sean obligatorias y de aplicación automática para los gobiernos de los Estados miembros.

Avanzar en lo político representativo también es clave, porque hace a la constitución de una ciudadanía comunitaria o supranacional y a un papel más activo del sistema político en esta dimensión. Porque a diferencia de lo ocurrido en la CEE, aquí los parlamentarios nacionales y sus partidos desempeñaron un papel totalmente pasivo en el período de prenegociaciones y negociaciones y esto hace al tema ciudadanía. El único país que experimentó una politización previa a su participación en el proceso MERCOSUR fue Uruguay. Tal vez las principales causas de esta pasividad sean la ausencia de sólidas redes intrapartidarias regionales y la absorción de la clase política por agendas estrictamente domésticas (Hirst, 1991). No obstante, este hecho no deberá impedir un camino de politización a partir de los efectos concretos del proceso, cuando se torne imprescindible la negociación de una legislación comunitaria ante la necesidad de desarrollar políticas públicas originales y de envergadura.

Lo cierto es que el fenómeno de la globalización necesita de instituciones supranacionales y de armonización fiscal y macroeconómica, y exige ampliar el libre cambio de bienes y servicios a las personas. En este sentido la agenda del MERCOSUR está anémica, ya que ni siquiera se debate la relevancia a nivel regional de conceptos como la "Europa de los ciudadanos", un modelo imprescindible, por ejemplo, para discutir el tema pendiente de los subsidios estaduales brasileños y el impulso a las economías regionales.

La integración "por debajo"

Se trata de vincular lo local con lo regional, porque muchas de las tareas de fortalecimiento de lo local pueden provenir de programas regionales, así como de una mayor participación de las ciudades como actores influyentes en el proceso de integración. Esto puede denominarse integración "por debajo" porque, de hecho, la integración se ha realizado hasta ahora fundamentalmente "por arriba", en el sentido de que es impulsada por actores como las corporaciones multinacionales para beneficiarse con la conquista de nuevos territorios comerciales, y por funcionarios y técnicos de las cancillerías. Pero hay otra que impulsan comunas fronterizas y ONGs, así como PyMEs, y ciudades que empiezan a encontrar puntos de articulación con un contenido participativo y con otros valores de este mismo proceso que no parecen explorarse en la primera dimensión.

Pero este movimiento ascendente necesita del apoyo y de la coordinación desde arriba, porque, como señala T. Genro, "si la producción local, que está basada en las medianas y pequeñas empresas, no es dotada de un fuerte programa tecnológico, un programa verdaderamente revolucionario, no creará las tensiones económicas que pro-

gresivamente fortalezcan a los agentes económicos locales, y el MER-
COSUR sólo podrá ser moldeado por los modelos de integración ya
instalados. Eso significa mimetizar otros modelos, que están basados
solamente –digo 'solamente' porque son necesarios en cualquier hipótesis– en los proyectos de las corporaciones trasnacionales".[21]
Es necesario integrar "de abajo" a las sociedades, a través de la
organización de diferentes formas de consenso que envuelvan ciudades y regiones fronterizas, que puedan tener efectivos niveles de decisión, no solamente de consulta, en defensa de intereses que sean
específicos de la economía local y de la afirmación de sus personalidades culturales. Pero un movimiento de integración desde abajo
hacia arriba no debe ser visto como competidor, sino como comple-
mentario y compatible con los trabajos que vienen siendo desarrollados por los Estados nacionales. El movimiento de articular políticamente los intereses locales y subregionales no debe restringirse
solamente a los territorios contiguos, de frontera, sino abarcar las más
variadas composiciones. Un buen ejemplo de esto es la Red de Mer-
cociudades, que reúne a ciudades con más de 500.000 habitantes del
MERCOSUR para el intercambio de experiencias y la cooperación en
diferentes campos de intereses comunes. Articulaciones de este tipo
pueden contemplar áreas tales como la cultura, en sus varias formas
de manifestación, las políticas públicas, el intercambio comercial de
los medios y pequeños productores, el medio ambiente y el desarrollo de nuevas tecnologías.

En síntesis, dependerá de la voluntad política que se tenga a fin
de siglo avanzar o no en estas dimensiones de integración comunitaria (económica, político-institucional y sociocultural), para saber si
la región se dirigirá en dirección al paradigma de Estado-región y de
comunidad supranacional, o si se diluirá en una dimensión comercial
continental. Si estará subsumida en el acuerdo panamericanista del
ALCA que apunta a la liberación comercial en toda América a partir
del 2005, y la Ronda del Milenio, o si se orientará a tener una relación más amplia y flexible de carácter trilateral, tanto con Europa y
los Estados Unidos como con el sudeste asiático, fortaleciendo de ese
modo un mundo multipolar. De ello depende también contar con pautas para la configuración de un modelo de desarrollo capitalista latinoamericano, distinto tanto del renano y del comunitarista asiático
como del individualista competitivo americano.

Se trata de decidir, por último, si vamos hacia una región de rasgos más autónomos, integrada y solidaria, o si hacia otra de carácter heterónomo, copia del capitalismo salvaje y alejada de la gente. La segunda opción puede darse si los ciudadanos no alcanzan a percibir al MERCOSUR como un instrumento útil que, integrado a las propias políticas nacionales, puede mejorar sus posibilidades en la búsqueda de un crecimiento participado. Y esto significa que el MERCOSUR debe ser producto de un pacto político entre las naciones que la componen, con una creciente participación de sus respectivas sociedades civiles, para que la fusión de la identidad nacional con el proyecto de un "modo de vida" sea determinante para elegir la forma de integración propia en la economía mundial.

NOTAS

1. Dice Claus Offe: "La clásica respuesta a esta amenaza de pérdida de capacidad de gobierno de los Estados-nación es la integración supranacional y la formación de regímenes trasnacionales: EU, ASEAN, NAFTA, MERCOSUR, así como también de varias alianzas militares trasnacionales y regímenes de regulación internacional. Igualmente importante, de cualquier forma, parece ser la respuesta opuesta, la debilidad percibida de la capacidad de los Estados del control del destino y la retirada a unidades pequeñas y subnacionales" (*op. cit.,* 1998). Este autor insinúa que la globalización incentiva un comportamiento del tipo "bote salvavidas", alentando la separación de partes subnacionales relativamente ricas que demandan defender y explotar sus ventajas competitivas regionales más que distribuirlas en una más amplia y más vulnerable unidad estatal, prefiriendo así la separación o construcción de Estados separados, o incorporando formas de federalismo y de mayor autonomía fiscal.

2. "Al desaparecer la bipolaridad que había estructurado las relaciones internacionales, no sobrevino un mundo 'unipolar'; justamente una de las primeras consecuencias fue la desarticulación entre las problemáticas económica y militar (o de seguridad) en el mundo. Los Estados Unidos quedaron como la única superpotencia militar, pero la globalización catapultó tres superpotencias económicas: de nuevo Estados Unidos, la Unión Europea y Japón." (López, 1998, pág. 31).

3. En la versión conservadora de este proceso, que apunta a buscar la hegemonía estadounidense en el nuevo marco y habla de un choque de civilizaciones y del conflicto de Occidente con el mundo islámico, está el trabajo de Samuel Hun-

tington, *El choque de las civilizaciones* (Sudamericana, Buenos Aires, 1996). Desde otra opción estratégica, sobre la constitución de un orden multipolar y la influencia del MERCOSUR en el mismo, ver Jaguaribe, Helio, "MERCOSUR and Alternative World Orders", *Focus*, enero-junio de 1998, pág. 7.

4. Hirst, M., "Reflexiones para un análisis político del MERCOSUR", FLACSO, 1991.

5. En 1889, el presidente Cleveland convocó la Primera Conferencia Panamericana, en Washington, con el objetivo de constituir una unión aduanera continental. La segunda oportunidad fue en la Conferencia Interamericana de Chapultepec (México) en 1945, también en dirección a la creación de un mercado único en el continente basado en el libre comercio.

6. En un proceso de integración pueden reconocerse diversas etapas: libre cambio, unión aduanera (arancel externo común), mercado común (que implica coordinación de políticas macroeconómicas).

7. Mientras que la protección arancelaria en las décadas del 60 al 80 era del orden del 200 al 250% en Latinoamérica, rebajándose el 30% o 40% durante los pseudo procesos de integración en la ALALC-ALADI, hoy los niveles de protección son del orden del 10% al 20%.

8. La estructura institucional también contempla reuniones ministeriales y especializadas (turismo, ciencia y tecnología), comités técnicos, grupos *ad hoc* MERCOSUR-OMC, ALADI, servicios y sector azucarero, y diez subgrupos de trabajo: comunicaciones, minería, reglamentos técnicos, asuntos financieros, transporte e infraestructura, medio ambiente, industria, agricultura, energía y asuntos laborales, empleo y previsión social.

9. Isuani, A., "Situación social y escenarios futuros en el MERCOSUR", *Políticas públicas y desarrollo local,* FLACSO, Centro de Estudios interdisciplinarios-Instituto de Desarrollo Regional, Rosario, 1998.

10. Ver el debate auspiciado por el CEFIR en el marco del Foro Consultivo Económico-Social del MERCOSUR, Río de Janeiro, 1996. Grandi, J. y Bizzozero, L., "Hacia una sociedad civil del MERCOSUR. Viejos y nuevos actores en el tejido subregional", CEFIR, *Participación de la Sociedad Civil en los Procesos de Integración,* Montevideo, 1998.

11. Piñón, Francisco José, "El MERCOSUR y la Educación", *Juventud y Solidaridad. Nuevas utopías para una sociedad en cambio*, Utopos, Madrid, 1997, pág. 127.

12. El descongestionamiento de la agenda de discusiones al haberse definido el Arancel Externo Común (AEC) –dice Lavagna–, permite y exige que se empiece a pensar en cuáles son los pasos que el MERCOSUR debe dar para ir más allá del AEC y cumplir con las etapas restantes destinadas a la formación de un mercado común. Más aún, cuando la aparición de otras propuestas tales como el Area de Libre Comercio de las Américas (ALCA) crea el riesgo de una dilusión del MERCOSUR. Lavagna, R., y Giambiagi, F., "MERCOSUR: hacia la

creación de una moneda común", *Archivos del Presente*, N° 12, Buenos Aires, 1998, pág. 46.

13. De un acuerdo similar al de Maastritch, donde se establecen criterios de convergencia para determinadas variables macroeconómicas con vista a la adopción, en 1999, de una moneda única en la Unión Europea (estabilidad de precios, de tipo de cambio, déficit del sector público y nivel de endeudamiento).

14. Sobre una estrategia de mediano plazo, denominada de "Convergencia coordinada con institucionalización blanda", ver Lavagna, R., *op. cit.*, pág. 51.

15. Víctor Tokman, subdirector general de la Organización Internacional del Trabajo (OIT), señala que, a partir de los 90, el costo laboral en muchos países de Latinoamérica pasó a depender no tanto de los salarios como del fenómeno cambiario: de si hay o no retraso en el valor del dólar. Como en los mercados internacionales los productos se cotizan en dólares, si un país tiene su moneda atrasada, el costo laboral puede estar aumentando aunque el trabajador cada vez pueda comprar menos bienes y disminuya su seguridad social. Por ejemplo, Chile tiene salarios y costos laborales más bajos en dólares, pero el poder de compra del trabajador chileno es mayor al del obrero argentino, porque aunque gana menos en dólares, puede comprar más bienes, porque los precios de los alimentos, servicio y transporte son, en dólares, más bajos aún. *MERCOSUR: Apuntes del presente para una agenda de futuro* (mimeo), Dirección Nacional de Cooperación Internacional, Ministerio de Cultura y Educación de la Nación, Buenos Aires, 1997.

16. Pérez Sosto, G., *op. cit.*, págs. 22-23. Aglietta, M.; Brender, A. y Coudert, V., *Globalisation financière: l'aventure obligée*, Económica, París, 1990. Giambiagi, Fabio, "¿Una moneda única para el MERCOSUR?", *Archivos del Presente*, N° 11, diciembre-enero-febrero de 1997-98, Buenos Aires.

17. Habría cuatro caminos posibles de salida: 1) modificación de la política cambiaria; 2) ajuste automático de los desajustes externos vía recesión; 3) ajuste hacia abajo consistente en forzar la flexibilidad hacia abajo de los salarios y de todos los regímenes de cobertura social, o 4) ajuste selectivo que permita ganar competitividad sin seguir deteriorando la distribución del ingreso y las oportunidades de movilidad social. Lavagna, *op. cit.*, pág. 59.

18. También P. Thurow advirtió recientemente, que "...como la preparación que todo país tiene ante la contingencia de una guerra, la Argentina debe tener una estrategia de salida de la convertibilidad lista para ser aplicada" (Jornadas de ABRA, 23/09/98). Se trata de acuerdos políticos, de un manejo de expectativas, y no como emergencia desordenada.

19. La mayor limitación que una experiencia de integración puede tener –y esto es común en América latina–, es la de ser un proceso entre Estados, sin mayor contacto con las sociedades que los conforman más allá de algunos núcleos relevantes económicamente pero reducidos en términos de representación y representatividad de la sociedad en su conjunto; proyectos en suma carentes de una dimensión sociocultural, "Dimensión social y participación en los procesos

de integración: La Unión Europea, la Comunidad Andina y el MERCOSUR" (entrevista a Bruno Podestá), *Análisis Laboral*, N° 251, Lima, mayo de 1998.

20. Muchos son los elementos que se pueden rescatar de la experiencia europea para ser utilizados en América latina. En particular, el paso del enfoque europeo de política industrial de un sistema *top-down* (desde la cúspide) a uno *bottom-up* (desde abajo) pone en evidencia la importancia central que se le asigna al territorio y a las relaciones que se desarrollan en su interior entre los distintos agentes e instituciones. Al respecto ver Bianchi, Patrizio, *Construir el mercado. Lecciones de la Unión Europea: el desarrollo de las instituciones y de las políticas de competitividad*, Universidad Nacional de Quilmes, 1997.

21. Genro, Tarso, *op. cit.*, 1997.

PARTE II

LA NUEVA CONFLICTIVIDAD EMERGENTE

El Estado no sólo redefine sus niveles y modalidades de gestión frente al impacto de la crisis del Estado de bienestar y de la globalización, sino que, al mismo tiempo, debe hacer frente a una conflictividad social y política distinta de la que caracterizara a la sociedad industrial y al capitalismo organizado (principalmente de clases, de actores antisistémicos, en el marco de la guerra fría). Esta nueva conflictividad se expresa de diferentes maneras. Una de ellas tiene que ver con la crisis de la política y de representación. Porque si bien la democracia se consolida y las reglas de juego funcionan, la apatía, la falta de participación y el desentendimiento de los ciudadanos resultan crecientes.

Otra, está relacionada con la fractura que se produce entre economía y sociedad sobre la emergencia de la nueva cuestión social, la exclusión, el desempleo y la fragmentación del tejido social. Y la tercera, en el nivel cultural, con la erosión de las representaciones e imaginario que sustentaban la modernidad e industrialización que llevan al desdibujamiento de la identidad de la cultura nacional.

Esta triple conflictividad también puede ser planteada en los siguientes términos: ¿cómo asegura el Estado su legitimidad en el marco de la crisis de representación?, ¿cómo asegura el bienestar o un mínimo de integración social frente a los problemas de fragmentación y exclusión? y ¿cómo asegura la identidad cultural y el sentido, en el marco de una cultura globalizada y trasnacionalizada?

1

CRISIS DE REPRESENTACIÓN

Así como el número de democracias ha aumentado, su calidad parece decrecida, ganando lugar los bien fundados lamentos de nuevas democracias que han degenerado dentro de meras democracias "electoralistas" o "delegativas". Si no totalmente defectivas democracias con dominios de reserva para el privilegio de élites sin accountability. En suma, podemos decir que el régimen democrático es un prerrequisito indispensable, pero evidentemente no un seguro automático de cualidades que fueron asociadas por los protagonistas de las transiciones a la democracia. Una explicación de esta mixtura y en alguna forma desencontrada experiencia de las transiciones democráticas tiene que ver con el debilitamiento del Estado-nación y sus capacidades gubernamentales.

CLAUS OFFE, 1998

Al imponerse la concepción neoliberal de la globalización, según la cual los derechos son desiguales, las novedades modernas aparecen para la mayoría sólo como objetos de consumo, y para muchos apenas como espectáculo. El derecho de ser ciudadano, o sea, de decidir cómo se producen, distribuyen y se usan esos bienes, queda restringido otra vez a las élites.

GARCÍA CANCLINI, 1994

El paisaje de fin de siglo deja entrever cambios sustanciales, al ser comparado con el de anteriores décadas, en lo que hace a las transformaciones operadas en la relación Estado-sociedad, porque ha cambiado el régimen democrático habitual en el modelo de Estado anterior así como su relación con los ciudadanos. En términos del sistema político, porque se trata de la consolidación de un régimen representativo estable, del pasaje de partidos predominantes al formato bipartidista, del surgimiento de partidos *catch all* y de nuevos movimientos sociales, de la decisiva presencia de los *mass media* en la mediación Estado-sociedad así como de tendencias delegativas y de baja participación en los ciudadanos.[1]

Ahora bien, este fenómeno de desafección de la política, ¿es algo coyuntural, vinculado al shock liberal o ha venido para quedarse? Gane quien gane en el '99, ¿la política volverá a "reencantar"? ¿La desilusión se explica por la desmovilización y el desencanto de la anterior gestión radical así como la delegación promovida por el menemismo, o es un rasgo característico de las sociedades posindustriales? ¿Es una falta de adecuación institucional a las nuevas demandas ciudadanas por las democracias "delegativas" o un rasgo estructural de la cultura posmoderna? Y por último, ¿se puede hacer algo para modificar este cuadro?

Los teóricos se encuentran divididos entre dos visiones polares sobre las causas de la crisis de representación: mientras que unos adjudican la responsabilidad principal de que esta democracia no sea verdaderamente representativa, sino "delegativa", a las tradiciones delegativas y caudillistas y determinados estilos y liderazgos latinoamericanos (O'Donnell, 1993), otros afirman que esta crisis y desafección respecto de lo político es un fenómeno más amplio y de carácter universal (Manin, 1992). ¿Habría una posibilidad intermedia?

El presente capítulo tiene como objetivo responder a estos interrogantes y, para ello, considera que la crisis puede ser leída tanto desde los déficits, desde los errores de las élites políticas del proceso de transición-consolidación y desde los problemas que explican el rechazo de instituciones y representantes de los ciudadanos, como desde la hipótesis de que estamos en una transición hacia un nuevo formato representacional, un proceso de readaptación histórica de los modelos institucionales vigentes en la etapa industrial ante las nuevas exigencias deducidas del proceso de cambio estructural. Para probar esto último, describiremos, en un primer momento, los factores considerados habitualmente como explicativos de la crisis de representación y, en un segundo momento, los rasgos del formato representativo en gestación. Por último, presentaremos algunas propuestas de reforma política, considerando la posible resolución de la crisis de representación, enmarcada en una situación de oportunidades pero, a la vez, no exenta de amenazas.

A. Los factores de la crisis

A lo largo de los últimos 15 años, se ha logrado afirmar la pauta de continuidad institucional y democrática. No es un logro menor en un país acostumbrado a la inestabilidad política del ciclo cívico-militar, con el agravante de que aquellas interrupciones autoritarias, como la del Proceso de Reorganización Nacional, se caracterizaron no sólo por la eliminación de los derechos políticos sino también por flagrantes violaciones a los derechos humanos. En este sentido, ha sido importante la superación de cierta propensión a la polarización política y a la falta de compromiso que caracterizó al sistema político en las etapas constitucionales previas.

Por ello, si entendemos por consolidación la capacidad de mantenimiento del régimen democrático mediante acuerdos políticos e institucionales significativos del conjunto de actores relevantes, podemos decir que los factores que tradicionalmente generaban el ciclo cívico-militar han concluido con el proceso de transición a la democracia en los 80 y de reconversión económica en los 90. Estos factores tenían que ver con una conjunción histórica de:

– *crisis de legitimidad* (falta de acuerdos en el cuerpo político sobre las características del régimen democrático, referencias polarizadas a la Constitución del '53 o a la del '49);

– *cultura política escindida* (existencia de antinomias y polarización política intensa);

– *actores antisistémicos*, en la terminología de G. Sartori (fuerzas armadas con propensión a tomar el poder, guerrilla, actores empresariales y sindicales con poco cuidado de las reglas);

– *alta movilización y bajo nivel de institucionalización*, pretorianismo e ingobernabilidad por "exceso de demandas";[2]

– *contexto internacional desfavorable* (guerra fría, intervención de la potencia hegemónica en la región e internalización en los ejércitos nacionales de la doctrina de seguridad nacional);
– *marco institucional rígido* (falta de referente constitucional común e impedimentos para la reelección).

Al mismo tiempo que estos factores desestabilizadores van quedando atrás, se constituye un sistema político con rutinas previsibles, de carácter competitivo y de libre opinión, que ha pasado airoso de la alternancia política, y ha superado dos crisis económicas importantes ("tequila" y "arroz"). Se genera una profunda reforma económica y constitucional, donde el elemento eleccionario de la democracia se consolida y casi se confunde con ésta. Dentro de la reforma constitucional producida en los 90 hay que incorporar la introducción de mecanismos de democracia semidirecta (referéndum, plebiscito, iniciativa popular); de control y auditoría, audiencias públicas (SIGEN, AGN); la inclusión de derechos posmateriales o de tercera generación (derechos del consumidor o usuario, protección de medio ambiente, derechos de indígenas, etcétera).

Pero acompañando todo este proceso reformista, se percibe cierto malestar en la sociedad respecto del funcionamiento del sistema político. El proceso de consolidación va de la mano de un apartamiento de la gente de la política, del aumento de la apatía y la privatización de los ciudadanos que prefieren los ámbitos sociales o íntimos. En síntesis, un distanciamiento entre sistema político y sociedad, la desafección de la política y una crisis de expectativas respecto de un mundo mejor asociado a la misma.[3]

Es cierto que hay un natural recorte de expectativas respecto de una democracia que, al estar consolidada, ha empezado a actuar como un dato de la realidad pero también se observa desde fines de los 80 una menor participación en los partidos y sindicatos, un debilitamiento de la vida interna de las grandes organizaciones así como una orientación, en las nuevas generaciones, a participar en encuadres organizacionales no tradicionales. La crisis de la política lleva al cinismo y a la apatía y hasta a ignorar su existencia. Esta situación de pérdida de confiabilidad en los partidos, en el Ejecutivo, en el Parlamento y en el Poder Judicial, pero no en la democracia como sistema, puede ser definida como crisis de representación.[4]

Los partidos y las organizaciones del trabajo y de masas son los que ven más socavado su liderazgo en la sociedad, lo cual se traduce en un profundo desencanto de las bases. La democracia actual se caracteriza por transacciones entre élites que se autonomizan de sus electores y esa realidad genera escasas expectativas sobre lo que la política puede dar. Como señala Cheresky: "La escena política ha perdido dramaticidad al esfumarse el cuestionamiento del capitalismo y la democracia, y en algún sentido ha perdido capacidad representativa. Se produce una recomposición de la vida política sobre bases más personalistas, y más cifradas en una ciudadanía independiente e informada, pero con poca iniciativa y pendiente de las representaciones que le ofrece el espacio público en el que conviven partidos, medios de comunicación y movimientos sociales puntuales".[5]

Por ello, entre las causas habitualmente explicativas de esta crisis, podemos distinguir las siguientes:

– *Los sucesivos incumplimientos programáticos*. La pérdida del valor de los mandatos electorales, la distancia creciente entre promesas electorales y decisiones políticas configuran elementos que favorecen el desencanto con la política. En todo caso, el incumplimiento programático de partidos de tradición popular y social que, en la práctica, terminaron implementando políticas liberales, y las políticas de estabilización aplicadas por partidos con tradición reformista llevaron al distanciamiento concreto entre la acción de gobierno y las aspiraciones de los electorados que los colocaron en el poder.[6] El "desencanto" con la democracia en el gobierno del radicalismo a mediados de los 80 y luego con el menemismo y los procesos de privatización a comienzos de los 90, fue seguido por la "delegación" (O'Donnell, 1993).

El incumplimiento de las promesas y la brusca liberalización económica dieron lugar a una privatización de los individuos, moviéndose de los asuntos públicos a los privados. Si bien la retracción se inició con el terrorismo de Estado, la guerra de Malvinas y las promesas incumplidas del primer gobierno democrático, la privatización posterior fortaleció actitudes racionales y creativas en la esfera individual, pero poco responsables en dirección a la disposición de bienes públicos.[7]

El modelo político del Estado de bienestar ya no se adapta, o lo hace sólo con dificultad, a las nuevas demandas de una participación más independiente y de carácter "social", menos ideológica y vinculada a los medios, a una esfera pública no estatal. A ello podría agregarse el excesivo internismo de los partidos, en los que las lealtades de los representantes están más orientadas hacia arriba que hacia sus representados, la oligarquización del manejo partidario, los bloqueos a la renovación de sus dirigencias, las manipulaciones clientelistas y las tendencias al control y cooptación de las organizaciones sociales. En este sentido podría decirse que Estado, élites públicas y grupos empresarios concentrados y la mayoría de los partidos operan en pro de la declinación del papel de los sectores medios y populares en la política y de su marginalización y despolitización (Kaplan, 1995).

Al cambiar el proceso decisional en el marco de la globalización también se modifican los presupuestos de la teoría democrática clásica, sobre todo acerca de quiénes son los actores de las decisiones y dónde se toman las mismas. En el nuevo orden de cosas no hay política pública significativa donde no intervengan actores tales como organismos internacionales, consultoras de riesgo, bancos de inversión, organizaciones no gubernamentales, fundaciones, Banco Mundial, FMI y distintas formas de financiación (créditos de organismos multilaterales, negociación y monitoreo trasnacional, etc.). "La política económica se toma al margen de la institucionalidad democrática, dado que mucho más importantes son las exigencias que establecen los organismos financieros internacionales, que los resultados de los debates parlamentarios o la opinión de la población. En los años recientes, se ha incrementado la ingerencia directa del FMI y del BM, habiéndose pasado de la negociación de políticas de orden general, a la supervisión detallada de cada una de las políticas públicas. Estos desplazamientos se reflejan en el acotamiento progresivo de los debates políticos y en los procesos electorales en los cuales es cada vez más reducido el espectro de opciones en juego."[8]

– *El fenómeno de la corrupción*. Este es un eje central para entender la nueva relación entre política y sociedad, sobre todo por la continuidad, extensión e impunidad que lo rodea, y que ayuda a conformar una visión muy negativa de la política, cuestionadora no sólo del partido gobernante sino del conjunto de la clase política.

Es un tema de creciente importancia en la agenda, por su visibilidad vía medios (aduana paralela, escándalo de la venta de armas, PAMI, IBM-Banco Nación, coimas televisadas "en vivo y en directo") y por la sospecha de la existencia de "mafias", de una ligazón jueces-políticos-empresarios que termina asociando la política a la impunidad (caso Cabezas, AMIA). Lo cierto es que la fuerte incidencia del modelo consumista, junto con la crisis de la ética del deber y la desocupación, aumentaron los incentivos para "salvarse". La política apareció como uno de los pocos factores de movilidad social ascendente para algunos sectores, en un marco de fragmentación y declinación social. A ello se sumaron procesos de privatización poco controlados y los requerimientos crecientes de financiamiento de la política ("hacer caja") para pagar asesores, comunicación y publicidad.

La corrupción también se vincula al desprestigio más reciente que arrostra el Poder Judicial, tanto por la sensación de impunidad de ciertos casos famosos como por la suerte de connivencia que parecería existir entre algunos políticos, jueces y policías. Este tema es diferenciable de la coima o del peculado, y ha anclado muy fuerte en la opinión pública, asociándose a temas como la demanda de mayor control, transparencia y seguridad por parte de los ciudadanos.

Si bien la corrupción es un dato generalizado en la región a partir de la caída de Collor de Melo en Brasil, de Pérez en Venezuela, y aún más allá de la misma, con escándalos en Italia, España, Japón, etc.,[9] lo cierto es que la sucesión cotidiana de denuncias sobre "coimas", "peajes" y "cajas" termina conformando una creencia cada vez más extendida acerca de la corrupción del conjunto de la clase política: la política se asocia al poder y éste a la corrupción. Esto terminó por producir un cambio de ciento ochenta grados en la concepción del poder en la sociedad, un pasaje de su valoración positiva en los 60 y 70, como herramienta de cambio y emancipación, a una perspectiva pesimista, como fenómeno de opacidad, transacción y corrupción. El poder aparece básicamente como político y como algo negativo, deja de ser concebido como instrumento de cambio o negociación para transformarse en objeto de denuncia y apartamiento. Lo cual también es favorecido por cierta visión antipolítica del liberalismo que predomina en el proceso de globalización.

Este fenómeno genera nuevas demandas y, en consecuencia, surgen liderazgos no partidarios ni gremiales, provenientes del campo del deporte o del espectáculo, del campo social o del tercer sector. Emergen nuevos clivajes, ONGs y partidos políticos en torno a este tema –por ejemplo el surgimiento del FREPASO–, transformando el

tradicional sistema de partidos e incorporando a la agenda las demandas de lucha contra la corrupción y, novedosamente para la tradición
política del país, por un mayor control de la política.[10]

– La situación social declinante de vastos sectores. En los últimos 15 años, la conformación de nuevos pobres y la ampliación de
la pobreza es un punto central de la crisis de representación. Porque
esta situación contrasta con los anteriores procesos de democratización que fueron de inclusión política y socioeconómica, de sectores
medios primero y de trabajadores luego, pero ambos de movilidad
social ascendente. Es la primera vez que el proceso democrático queda asociado a experiencias de distribución negativa del ingreso, de
exclusión y sin demasiadas expectativas de reingreso.[11]

La crisis de representación originada en el incumplimiento en dar
respuestas a demandas de la población, tiene que ver con procesos
democráticos unidos a los de reconversión económica que generan
concentración del ingreso y una difundida privación relativa. Esta es
provocada por la falta de acceso a un mundo de bienes postulados
por el modelo consumista, junto al estilo de ostentación y de ocio
conspicuo mostrado por los sectores altos. Lo cierto es que el efecto
global de las políticas económicas de ajuste llevadas a cabo por los
gobiernos democráticos de la región ha sido regresivo y han aumentado las desigualdades en un continente que ya tenía la distribución
del ingreso y de las riquezas más desigual del planeta.[12]

Este fenómeno afecta a las clases medias y bajas, e incluso a empresarios medios y pequeños que están siendo empujados a la periferia del mercado, a la informalización.[13] Por ello, los problemas de
exclusión y deterioro de las condiciones sociales, junto a la simultánea elevación del nivel de vida de la clase política, ayudaron a gene-
ralizar este cuadro de desprestigio. Esta situación facilitó la culpabi-
lización de los políticos sobre todo un mundo que cambia y que
genera una gran incertidumbre sobre el futuro. Y, si bien los políticos tienen parte de responsabilidad por su falta de ejemplaridad, la
política tiende a aparecer como el chivo expiatorio de todos los males.[14] De esta manera, se desresponsabilizan otros actores no menos
influyentes en la decisión pública actual, como empresarios, tecno-
cracias, gerentes, organismos internacionales y comunicadores que
gozan de mayor credibilidad.

– *La mayor profesionalización y especialización técnica.* Son producto del proceso de modernización, de la creciente diferenciación social y funcional. Las demandas de la sociedad son cada vez más diversas y hay necesidad de legislar sobre temas distintos y con múltiples actores. El subsector proveniente de los partidos políticos debe adaptarse en su estructura motivacional, incorporando orientaciones a la resolución de problemas políticos y técnicos de la sociedad compleja, a la responsabilidad en el tratamiento de los asuntos públicos, y a la eficiencia y eficacia en la actuación.

En este sentido, el proceso de globalización aumenta, al mismo tiempo, la necesidad y dificultad de dominar la complejidad. Como dice M. Crozier: "Las peticiones hechas generalmente al Estado central son a la vez naturales, razonables e imposibles de satisfacer. Los países en vías de desarrollo son particularmente vulnerables a esta contradicción, en la medida en que sus aspiraciones están profundamente marcadas por el modelo occidental, ya universal".[15] La política se distancia y, para operar, se tecnifica. En la sociedad compleja, el político debe ser *full-time* y profesional.[16] Y si bien hay aspectos positivos de la profesionalización en términos de mejoramiento de la gestión, lo cierto es que la política comienza a operar como "carrera" competitiva y para pocos, lo que se contrapone a la visión vocacional y masiva anterior y a las formas de hacer política propias del modelo "militante".

La profesionalización y especialización son fenómenos que se extienden a casi todas las actividades y están asociados al avance del proceso de diferenciación social y funcional, así como a la constitución de subsistemas cuasi autónomos y autorreferenciados. Pero el predominio de la racionalidad instrumental distancia y promueve el desencanto. El apartamiento de la política y de la participación también responde al hecho de que las cuestiones económicas, cada vez en mayor medida, tienen una dosis de información técnica y complejidad que hacen difícil su comprensión y llevan al ciudadano y al militante a abdicar frente al experto.[17]

La actual reorganización cuestiona no sólo la centralidad del Estado –dice Lechner– sino también el papel mediador de los partidos. Excluidos del proceso efectivo de decisión, los partidos pierden su capacidad creadora de identidades colectivas; se diluye "el sujeto" del orden democrático, el "pueblo o la "nación": "La comunidad de ciudadanos o la unidad nacional no es algo establecido de antemano sino el resultado de la interacción política. Sin embargo, el sistema de partidos poco aporta a elaborar pautas interpretativas que permitan estructurar las diferencias de interés y opiniones en opciones políticas y voluntades colectivas. Muchas veces suelen operar como simple mecanismo electoral y clientelar en función de la distribución de cargos públicos. Ello incrementa la distancia entre las decisiones políticas y sus efectos en la vida cotidiana, inhibiendo la participación ciudadana.

Y si bien los últimos cambios en el sistema de partidos muestran elementos que atenúan la crisis de representatividad, aún sigue siendo muy baja la credibilidad de los políticos, como si existiera una suerte de ecuación que revelara que, en la medida que éstos se acercan al poder, se alejan de la gente; en la medida que buscan ofrecer garantías a factores de poder internos e inversores externos, dejan de dar garantías a los sectores que dicen representar.

– *La crisis de los grandes relatos.* La escasa credibilidad de que gozan hoy las utopías de la modernidad (el desarrollo nacional, el socialismo, la emancipación plena) significa el quiebre del imaginario revolucionario, de la conciencia de clase y de la idea de lo "nacional-popular". De una concepción de la política como emancipación, de la idea redentorista vinculada al concepto de sujeto histórico, se pasa a la política como gestión, como elección de quién cumple con más eficacia con los servicios que se demandan y no como militancia, programa abarcador o gesta emancipatoria. En cierta forma, se trata de una visión más secularizada de la política, por influencia de una cultura posmoderna descargada del imaginario revolucionario que prevaleciera desde los 60.[18]

Con la crisis del Estado benefactor, entra en declinación una forma de hacer política que se basaba en fuertes componentes normativos asociados a las utopías sociales, a cierta credibilidad sobre las garantías de éxito colectivo y en la promesa de una nueva sociedad. Una forma de hacer política que determinaba una particular forma de comprensión de la relación público-privado desde la totalidad y desde un centro, la nación y la clase, con predominio del principio de participación directa, representación como mandato, en términos de democracia plebiscitaria, indiferenciación entre representantes y representados y con vínculo estrecho entre representación e intereses sociales.

El ajuste y la globalización promueven no sólo una ruptura entre economía y sociedad, declinación social en el marco democrático, sino un quiebre ideológico con la era industrial y con los posicionamientos tradicionales izquierda-derecha o pueblo-oligarquía propios de la democracia de masas, generando la crisis de los clivajes políticos, el debilitamiento del conflicto de clases, el surgimiento de nuevas demandas y la emergencia de la problemática incluidos-excluidos. La crisis de las ideologías mina el poder basado en las organizaciones populares y en la movilización, reforzando el poder asociado a la técnica, al conocimiento, a la información y a los recursos económicos. También el posmodernismo y el neoliberalismo introducen una crisis cultural que genera una orientación creciente al individualismo, preocupación por la esfera de la propia *performance* y de lo privado, reclusión, desestructuración de las tramas sociales y debilitamiento de orientaciones a la participación.

Si en la matriz clásica el elemento central que fusionaba los componentes era la política, dice M. Garretón, con debilidad del sistema institucional y de representación, en la situación actual la política parece perder esa centralidad de la vida social: "Los modelos voluntaristas entran en retroceso y el análisis de opinión pública reemplaza el análisis de actores. El carácter globalizante, ideológico, estatalista, confrontacional y movilizador parece dejar paso a las características opuestas, lo que impediría la expresión en la política oficial de los verdaderos conflictos oficiales. Se ahondaría la distancia entre política y sociedad, dejando a la primera encerrada en un juego cupular proclive a la corrupción y a la segunda a merced de las fuerzas naturales del mercado o de las fuerzas simbólicas de los particularismos".[19]

– La influencia de los medios de comunicación. Por último, con una mayor credibilidad que los partidos, los medios de comunicación empiezan a ocupar el lugar de nexos entre el Estado y la sociedad, de mediadores de esta relación. La emergencia de una opinión pública más independiente, construida por los medios, tiene diferentes efectos en una situación no desprovista de ambigüedad. Dentro de un contexto de complejidad progresiva –dice M. Hopenhaim–, lo que más refleja la situación latinoamericana es la extraña combinación de mayor democracia política, mayor inequidad en el acceso a bienes simbólicos y materiales, y mayor compenetración massmediáti-

ca. Las paradojas que surgen de esta transparencia comunicacional en todos los estratos coinciden con una crisis del espacio público: "la mayor democratización, con la dificultad para procesar en el Estado las demandas crecientes de distintos actores sociales, el alarmante deterioro del sistema de educación formal de masas con el incontrolable acceso a la información vía los medios; la explosión de significantes que trae la nueva sensibilidad consumista trasnacional coincide con una tremenda pobreza de sentido en cuanto a proyectos compartidos de sociedad".[20]

De esta manera, los medios desplazan a otras instituciones en la elaboración política. La TV y la radio son los foros donde, para los ciudadanos, hay deliberación o alguna comprensión de lo que pasa, mientras que el parlamento aparece como un espacio de posicionamiento estratégico de los partidos con opciones ya decididas de antemano. Dice M. Wainfeld que, en un sistema democrático imperfecto, los medios asumen funciones que no les son propias: "las de ser el espacio privilegiado para denunciar, la arena pública donde se debate, la de generar la agenda de discusión cotidiana. Los medios simplifican los temas, a veces en forma extrema, y a la vez los politizan: determinan responsables, culpables, inocentes, les ponen nombres a las cosas. Al politizarse, las causas se democratizan, lo que garantiza un infrecuente control social. En una democracia anémica de participación, la gente se involucra, se pone de un lado. Tal vez lo haga de un modo simplista o hasta maniqueo, pero la intervención ciudadana es más deseable que la abulia o el desinterés".[21]

En términos positivos, los medios despolarizan, hacen la política más plural y tolerante, dificultan la mantención de los secretos de Estado, agregan transparencia al sistema y ofrecen pluralización de voces e ideas. También nos hacen vivir en un mundo de cercanas, instantáneas y constantes noticias, proporcionan a los nuevos movimientos sociales oportunidades de expresarse y posicionar sus temas en la agenda (por ejemplo, el movimiento social generado en derredor de María Soledad), favoreciendo la emergencia de un espacio público no estatal o no político, evitando el clientelismo y el punterismo de los partidos. Los ciudadanos buscan en los medios lo que no logran en las burocracias estatales, partidarias y sindicales: reparaciones, justicia o simple atención.[22]

En términos negativos, la fuerte concentración de los multimedia y su articulación con intereses económicos otorga a pocos grupos gran capacidad de construcción de la agenda y de posicionamientos deliberados de la opinión pública. Los medios pueden construir un orden de prioridades e instaurar problemáticas que no siempre responden a los intereses reales de la sociedad, sino que a veces se presentan como defensores de sus propios intereses.[23] Más que el espejo donde se "refleja", plena y sin distorsiones, la sociedad civil, los medios concentrados también aparecen como grupos multimedia que articulan intereses empresariales, conforman negocios múltiples y oligopolizan la comunicación, también aparecen como un nuevo factor de poder.

B. EL NUEVO FORMATO REPRESENTATIVO

Ahora bien, esta crisis de representación también puede ser vista como parte de un complejo proceso de cambio que, más allá de fallas y desviaciones de las élites políticas que explican el desapego y la apatía, estaría mostrando el pasaje a otro modelo no sólo de Estado sino también de régimen democrático y del formato representativo. De la misma manera que se modifica el Estado de bienestar en dirección al postsocial o neoliberal, se comienza a configurar un modelo de representación distinto tanto al del Estado liberal (partidos de notables, democracia restringida, representación elitista, bajo grado de organización popular), como al del Estado social (partidos de masas, democracia ampliada, plebiscitaria, y representación como mandato). Este cambio del formato representativo se basa en tres ejes: el pasaje de una democracia de partidos a una "democracia de lo público", la emergencia de una nueva ciudadanía, posmoderna o "del consumidor", y el surgimiento de nuevas formas de representación y de participación social.

– *La democracia de lo público* –de acuerdo a B. Manin (1992)– significa que la representación se instala en un esquema amplio y fuertemente mediático en el cual los partidos son un componente importante, que junto a comunicadores y a otros representantes institucionales, configuran un espacio público no estatal o no político.[24] La comunicación política deja de realizarse vía documentos partidarios y da lugar al vehículo universal de la comunicación que son los medios, en particular la televisión. El mensaje político tiene un emisor más personal y encarnado que se presenta por la vía massmediática y que es diferente al contacto personal que se tenía en la democracia parlamentaria clásica. Frente a la complejidad y al dinamismo del cambio, el ciudadano antes que detenerse en una plataforma o programa determinado considera el poder de prerrogativa, es decir la presunción de cómo va a actuar el candidato en determinadas situaciones. Con las encuestas y sondeos, la representación entra en una suerte de representación permanente en la que se auscultan los pareceres de la gente en los más diversos temas, y donde la credibilidad del mensaje político no se cifra en una entidad política o en una subcultura sino, cada vez más, en el estilo y la imagen.[25]

Los partidos se transforman, de estructuras, de movilización, de organización territorial y constitución de identidades, en algo así como las plataformas para la emergencia de líderes. Han ido perdiendo independencia, sobre todo en la promoción de candidatos en función de los indicadores de preferencia ciudadana, del sistema de partidos y el carácter de la competencia en partidos con clivajes sociales así como marcos ideológicos muy fuertes que también se han ido transformando hacia partidos "atrapa todo".[26] Esta transformación destaca la situación de actores electorales cada vez más dependientes de la deliberación que los precede, y ha favorecido cambios en los mecanismos electorales tendientes a dar mayor cabida a decisiones ciudadanas como, por ejemplo, internas abiertas y candidaturas por circunscripción (Cheresky, 1997).

Crece la presunción de que, frente a las nuevas circunstancias, los aparatos partidarios han perdido parte de su anterior validez. En parte, por las características de los partidos políticos cada vez más massmediáticos, pero también porque la política, al comercializarse su operatoria, al tener que hacerse todo en nombre de alguna contraprestación económica y en la medida que los punteros tampoco garantizan ya la participación de la gente, termina por mostrar los límites de esas estructuras, no sólo para lograr resultados electorales sino también para gestionar políticas públicas eficaces sin un verdadero compromiso de los grupos sociales involucrados.

– *La emergencia de la sociedad civil y del tercer sector* significa que la participación tiende a ser más "social" o apartidaria y construida sobre redefinidas solidaridades y temas más puntuales. Esto ya no se emparenta con la movilización social unificada del pasado que venía desde una perspectiva política estatista homogeneizadora y centralizada, sino que puede ser definida para amplios sectores, en términos de conciencia de nuevos derechos para unos, de retroceso de derechos adquiridos para otros, y de protesta por la exclusión. Se revela una orientación al control, a la evaluación, a una participación de movimientos monotemáticos más orientada a temas de calidad de vida e inclusión. Otro rasgo diferenciador respecto de las figuras tradicionales del período industrial –participación sindical de clase y masculina principalmente–, es que ahora son mujeres las protagonistas de muchas de las organizaciones sociales (vecinales, movimientos sociales, ONGs, comunitarias y parroquiales).

Es decir, mientras un primer circuito de la política representativa se consolida, ahora se constituye un segundo circuito, conformado por ONGs, movimientos sociales, organizaciones voluntarias, vecinales, que representan a vastos sectores que no se sienten contenidos ni tampoco expresados por partidos y sindicatos, que apuntan a cuestiones puntuales y no a la conquista del poder. Y este segundo circuito de la política plantea una acción colectiva "social" que se encuentra en tensión y, a la vez, en complementación con el primero.

En esta nueva cultura, la política se vive en forma más individual y subjetiva, más asociada a un espacio público no estatal o no político. Una combinación –dice Garretón– "de búsqueda de pertenencia y acción colectiva con alto nivel de individualismo; anhelo de cambio social pero también de orden, y rechazo a las formas conflictivas antagónicas; desconfianza ante modelos utópicos cerrados; armonización ética del deber; utopías parciales y cuestionamiento de las formas tradicionales de representación y del militantismo partidario; tendencia a participar en la resolución de los problemas propios y del entorno con una visión más universal, sin agotar la expresión personal y colectiva; deseo de articulación pero también de autonomía, de institucionalidad que proteja lo privado. En resumen, es el fin de la política heroica".[27]

– *El surgimiento de una nueva ciudadanía* posmoderna o del consumidor, distinta de la ciudadanía social correspondiente al Estado de bienestar y a los derechos sociales (con fuerte sentido de protagonismo, participación colectiva, centralidad de la política nacional) puede caracterizarse a través de los siguientes rasgos:

• El posmoderno por la crisis de los grandes relatos, la falta de la dimensión utópica y del imaginario revolucionario, y la pérdida de centralidad de la política (algo así como "democracia sí, pero política no").[28]

• El ciudadano como consumidor, usuario, cliente, contribuyente, crecientemente interesado en sus posibilidades en el mercado, con bajas expectativas sobre el Estado y que aspira al disfrute de los bienes y servicios de la sociedad de consumo, siendo el acceso a esos bienes su identificación ciudadana.[32] El "consumidor" empieza a ocupar el lugar del trabajador, aumenta la competencia en lo económico laboral, los individuos se preocupan por el mejoramiento de su calidad de vida, por el "estar bien", por lo lúdico, lo corporal, etc. Pero este individualismo posmoderno se paga con aislamiento, pérdida de identidad y de certidumbres ideológicas. Desaparecen los derechos sociales adquiridos en el pasado y se reacciona ante esto con pasividad y conformismo.[29]

• El posnacional. La idea de nación legitimadora del Estado que se basaba en la homogeneidad económica, la tradición histórica y los proyectos políticos y, junto con ella, la comunidad política que la constituía, se desdibujan. Se reduce el peso asignado a sus momentos fundantes, a los rituales y a los hechos solemnizados; la educación se debilita en su función socializadora y constructora de "ciudadanos", pasando esta función más a los medios y mercados. Todo esto, junto con los procesos de descentralización, lleva a un creciente interés por temas locales y cercanos referidos al desarrollo de la propia ciudad, como así también a los supranacionales.[30]

El proceso globalizador puede resumirse como el pasaje de las identidades modernas a las posmodernas, más pautadas por el mercado. Las primeras, territoriales y monolingüísticas, las segundas extraterritoriales y multilingüísticas, operando mediante la producción industrial de la comunicación y cultura y el consumo diferido y segmentado de los bienes. Pierde fuerza la idea jurídico-política de la nación, lugar de intersección de múltiples tradiciones y de intereses. Surge una nueva ciudadanía independiente, desprovista de identidades políticas permanentes, que se relaciona de otra forma con la vida política: que está más informada, que decide sus preferencias más libremente pero que es, a la vez, más confusa y escéptica.

En este contexto, el liberalismo acentúa la aparición de un ciudadano más libre e independiente, y capaz de participar directamente a
través de las nuevas posibilidades que ofrecen la informática y los
medios de comunicación. Exalta una suerte de ágora electrónica que
se estaría constituyendo, y que aseguraría una democracia directa por
medio de la comunicación interactiva (Grondona, 1994). Sin embargo, la realidad nos muestra una ciudadanía más dependiente, ya no
del Estado sino del mercado, porque gran parte de la población está
consagrada a la ya heroica tarea de sobrevivir, lo cual le deja poca
energía y tiempo para participar. Y, por otro lado, la emergencia de
una suerte de ciudadanía "asistida" (Bustelo, 1998) por planes focalizados, asistenciales y de contención que reproducen la dependencia y pasividad de los individuos.[31]

Sintetizando, más allá de la explicación por "la traición de los políticos", o porque "los políticos son todos corruptos", la crisis de representación y de su cambio de formato también puede explicarse
como producto del cambio de las relaciones de poder Estado-merca-
dos producida en los últimos quince años.

La globalización, junto con el endeudamiento y los programas de
ajuste estructural, reduce los márgenes de autonomía del Estado-nación y la capacidad de la política para regular una economía desnacionalizada, lo que significa una modificación drástica de las relaciones de fuerza entre economía y política y entre sectores mayoritarios
y nuevas élites.[32] Este proceso se agudiza en países en desarrollo por
la forma en que este cambio se produce: más como ruptura y negación con el Estado de Bienestar que como superación; más apoyado
en el decisionismo de los distintos gobiernos que en la concertación,
y más configurado por el predominio de la tecnocracia, de grupos
económicos y organismos internacionales, que por el consenso y la
participación interna.

En este sentido, el desprestigio de la clase política se hace funcional al *establishment*, y esto, que facilitó históricamente en Argentina
a los grupos económicos atentar contra la democracia en el modelo
anterior invocando "el vacío de poder", ahora les facilita posicionarse desde una situación que les permite ejercer una presión continua
hacia los decisores gubernamentales o hacia políticas de cualquier partido que pueda contradecir sus intereses, y en donde medidas o legislación progresiva o de justicia social pueden ser calificadas fácilmente como obedeciendo a oscuros móviles electorales o de retroceso.

Cuadro 1
Cambio del modelo representativo

Modelo	Modelo democrático-popular ("movimientista") alternado con períodos autoritarios	Modelo democrático liberal Democracia "de lo público"
Ciudadanía	Ciudadanía social	Ciudadanía posmoderna y del consumidor
Tipo de representación	Electoral más apoyo plebiscitario	Electoral más opinión pública y participación social (tercer sector)
Modelo de praxis política	Modelo "militante" Participación intensa y directa, identidad nacional, fuerte relación representantes-representados	Modelo "profesional" Influencia de la "delegación", reformulación de la oferta política, elección sobre imágenes
Sistema de partidos	Partido predominante Movilización política Ciclo autoritario-desmovilización Partidos burocráticos de masas	Competencia Bipartidismo-pluralismo agarra todo *(catch all)*, apatía y demandas de control y transparencia
Valores	Estado, transformación global, igualdad, unidad, proyecto nacional, activismo, protagonismo popular, lo colectivo, organización de masas	Activismo social, conquistas puntuales, gradualismo, espacio público no estatal diferenciación, derechos individuales y postsociales, solidaridad
Actores relevantes	Sindicatos (movimiento obrero), partidos, Fuerzas Armadas, Iglesia, sectores populares organizados	Partidos (PJ, UCR, FREPASO), medios, ONGs, tercer sector, movimientos sociales

C. REFORMA POLÍTICA: OPORTUNIDADES Y RIESGOS

Ahora bien, ¿se puede hacer algo para cambiar este cuadro?, o ¿cómo hacer para reconciliar política con sociedad? Porque más allá de la frustración y el desencanto que deja la crisis de representación, queda la posibilidad de que el modelo político que se constituya en los umbrales del tercer milenio "represente" más o menos a los ciudadanos, que reduzca o no los márgenes de discrecionalidad, impunidad e inequidad que afectan al mismo. En la corrección de estas tendencias y en el aprovechamiento de las oportunidades descansará lo "representativo" que pueda ser el nuevo modelo y la credibilidad que la política pueda alcanzar en el futuro, sin que eso signifique que vuelva a tener la centralidad que tuviera en el modelo anterior. Y esta posibilidad se juega en cuatro niveles:

– *El político-institucional*, ya que se trata de avanzar en una nueva institucionalidad de control que parece ser un requisito demandado por esta ciudadanía posmoderna y del consumidor. Que remite, en primer lugar, al déficit de regulación de los servicios públicos privatizados y a la dependencia del ciudadano, anteriormente del Estado, y ahora del mercado. Se hace imprescindible establecer un mayor control de los entes y superintendencias de regulación por parte del interés público, porque las empresas que más facturan en la Argentina no tienen demasiado respeto por los usuarios, lo cual contribuye a configurar "malhumor social" en la medida que los servicios salen más caros, se sabe que seguirán aumentando y no existe ninguna forma de control o protesta.

En segundo lugar, este nivel remite a la necesidad de avanzar en particular en el control del financiamiento de la política para hacerla más transparente y disminuir el grado de discrecionalidad e influencia del poder económico y comunicacional sobre el poder democrático, tanto en la selección de listas como en la toma de decisiones.[33] Es el problema de transparentar cómo se financia la política, sobre todo cuando ésta se vuelve más cara y compleja, y cómo limitar el financiamiento y los tiempos de las campañas y configurar códigos de ética compartidos. Avanzar en este punto también supondría reducir fueros especiales de los representantes y establecer procedimientos claros para elecciones internas, crear condiciones para el efectivo ejercicio del control social de la gestión parlamentaria, la difusión de sistemas de control del gasto público, la generación de una cultura de auditoría y de "dar cuenta" (*accountability*) en la administración pública.[34]

Tercero, la falta de justicia se vuelve crucial en la crisis de representación. Y si bien la conformación de las nuevas instituciones para la selección de jueces, como el Consejo de la Magistratura, y la puesta en funcionamiento del Ministerio Público, están ya incorporadas en la nueva Constitución del '94 y constituyen importantes avances en el plano institucional, todavía es necesario reglamentarlas, lo que permitiría aumentar el control y la *accountability* horizontal de la gestión pública. El tema no sólo es llegar a un acuerdo que posibilite la implementación de estas instituciones, sino que también es importante el diseño de las mismas y del criterio con el que se las va a integrar.[35]

Pero la escasa credibilidad en la justicia no sólo está asociada a su lentitud, impunidad o deferencia respecto de los poderosos, sino también al desprestigio de determinadas instituciones, como por ejemplo la Corte Suprema, que debería ser símbolo de justicia y garantía de los derechos ciudadanos y, en cambio, aparece como apéndice del Poder Ejecutivo y de los intereses partidarios, lo cual parece requerir un consenso sobre su constitución y rol a desempeñar en el futuro.

Y si bien los medios se han mostrado como un efectivo mecanismo de control o *accountability* vertical durante estos años, también es cierto que dada su importancia en la construcción de la agenda, en la definición de lo que es relevante y lo que no, más aún, en lo que es noticia y lo que no, es necesario evitar el monopolio y la concentración multimedial, así como ofrecer garantías de acceso a todos los partidos y candidatos a la propaganda en todos los medios, etcétera.[36]

Cuarto, es necesario apuntar a una reforma política que no sólo promueva una mayor democratización de los partidos *sino también una mayor personalización y preferencia en el voto*. Promover cambios en el sistema electoral junto a un mayor control de los representantes por parte de los ciudadanos que puedan incorporar mecanismos que mejoren la selección de las élites.[37] Es que las demandas de democratización parecen reclamar más participación, no en el sentido usual del término, sino como mayor electividad ciudadana en detrimento de los aparatos partidarios.[38] En todo caso, la gente sabe lo que no quiere más: la crítica a las listas sábanas se apoya en el poco conocimiento de sus candidatos y en la baja capacidad de sanción a malas *performances* de los mismos, en la escasa atención a criterios de territorialidad que este sistema electoral tiene. Esto se asocia a proyectos de sustitución de la lista completa por elecciones más personalizadas (tachas, preferencias, internas abiertas); al desdoblamiento de las elecciones locales de las provinciales y nacionales; a sistemas electorales mixtos, proporcional a un nivel y por circunscripción en otro; a la incorporación de mecanismos de participación semidirecta y a la generalización de audiencias públicas sobre los temas que más interesan a la comunidad.

Quinto, en este proceso de crisis del Estado-nación, de ajustes y políticas de descentralización se han generado más competencias a los gobiernos locales y éstos adquieren relevancia como generadores de condiciones de desarrollo local, a partir de la promoción de ventajas competitivas y comparativas para el mercado global. Es notorio –dice Lechner– el cambio de las escalas: la política ya no opera exclusivamente a escala nacional, cada día adquieren mayor peso los problemas a escala global-regional y local.[39] La política vuelve a ser relevante bajo aspectos de negociación entre actores y de acuerdos entre regiones.

Y si bien la política se hace más local, es a la vez también más supranacional. Desde *lobbies* empresarios de un país actuando en otros, de convenios municipales que saltan las fronteras y fusiones empresarias, hasta la creciente tendencia a la armonización de políticas macroeconómicas en el caso del MERCOSUR y la búsqueda de promover a mediano plazo una representatividad y ciudadanía política también a nivel regional.

– *El económico-social*. La crisis de representación no es sólo problema de instituciones o de falta de adecuación de las mismas al proceso de modernización. La crisis no deriva exclusivamente de la falta de control al poder político, sino también de la falta de equidad o justicia social, de la debilidad de la política frente a los nuevos factores de poder. Por lo tanto, la cuestión reside también en cómo hacer para modificar la actual relación de fuerzas entre economía y política que condiciona la permanencia en el actual rumbo económico. La representatividad se relaciona con la capacidad o no de dar respuesta a las demandas y éstas aparecen penetradas de aspectos socioeconómicos por la drástica y regresiva distribución del ingreso, la concentración de la riqueza y la ampliación del desempleo.[40]

De allí la importancia de actuar conjuntamente sobre la reforma política y las tributarias progresivas y en políticas activas en favor del empleo, de acentuar el rol solidario y estratégico del Estado para configurar una orientación a la equidad y a la tutela de bienes colectivos. Se trata de recuperar poder político para explorar mecanis-

mos redistributivos que, si bien distintos a los del Estado keynesiano, se puedan instrumentar a través de vías impositivas (en favor de
políticas de cohesión social y apoyo a la educación, etc.), e impulsar
acuerdos sindical-patronales que favorezcan la estabilidad del empleo y la redistribución del tiempo de trabajo. O, en todo caso, reconocer una fuerte contradicción existente entre el modelo de concentración en marcha y la democratización "real" de la sociedad.[41]

De lo contrario, muchas de las iniciativas participativas en un
marco de aumento del dualismo social, no harán otra cosa que fomentar la dependencia de los pobres estructurales a políticas sociales focalizadas, y aumentar las demandas por mayor seguridad del
conjunto de la población. Y si bien el discurso ortodoxo insiste en
que no se puede tocar nada de la economía –luego, lo único que podría tocarse son los intereses de la gente–, el riesgo presente es inter-
nalizar una interpretación que señala la corrupción estructural como
la fuente única y principal de nuestros males, proporcionando una visión despolitizada que deja al margen cuestiones relativas al poder y
a la distribución del ingreso entre sectores y regiones. En este sentido, la búsqueda de transparencia no debería estar disociada de una
orientación hacia la estabilidad social, porque si bien la transparencia es una significativa cuestión a resolver, el riesgo es transformar-
la en el único elemento diferenciador entre los partidos políticos.

– *La institucionalidad del tercer sector.* Se trata de crear instituciones no sólo desde la perspectiva del control de la política tal
como se pretende en la visión neoinstitucionalista (como encapsulamiento del poder político y prever la presencia de liderazgos dele-
gativos), sino que también permitan potenciar poder social democrático. En la primera perspectiva, la política pierde no solamente sus
aspectos riesgosos sino también su capacidad de expresar y vehicu-
lizar los conflictos de la sociedad y de reorientar intereses particulares en función del bien común. El desafío no está en lograr la disper-
sión del poder entre grandes aparatos e instituciones, a fin de eliminar
su excesiva concentración, sino en crear y convalidar formas de carácter asociativo que permitan dotar de recursos y poder legal la participación y deliberación de la sociedad civil a través de sus diversas
manifestaciones.

Y esto tiene que ver con potenciar en recursos y capacidades jurídicas, canales y formas en que esta ciudadanía está dispuesta a com-

prometerse en espacios públicos no partidarios, con autonomía de las instituciones de que forma parte o representa, tanto a niveles locales –los mecanismos y espacios, que ya se están constituyendo, de desarrollo local y de planificación estratégica–, como en la integración de los entes de regulación, y participación en los más diversos consejos consultivos y foros que hacen a la resolución consensuada de problemáticas nacionales.[42]

Dice Garretón que, para que el sistema partidario sea efectivamente una expresión de la demanda y conflictualidad política, es indispensable la generación de espacios institucionales donde partidos y otras expresiones de la vida social se encuentren. Si este encuentro no se produce no habrá agenda pública nacional, sino que, por un lado, imperará el discurso mediático y, por otro, el del interés corporativo, quedando el lenguaje y la propuesta política enteramente enajenados. Todavía no se han creado en nuestros países este tipo de instancias para evitar que el sistema partidario sea o totalizador o irrelevante frente a los temas y problemas que afectan a la gente. Ello es particularmente válido en relación a la esfera local, regional, pero también nacional (Garretón, 1997).

– *El liderazgo y los estilos de gestión.* Por último, puede destacarse la importancia de un aspecto habitualmente poco considerado en relación con la crisis de representación o sólo incorporado en términos negativos: el liderazgo. Las críticas al presidencialismo son conocidas: democracia plebiscitaria, cesarismo y, ahora, delegación. Si bien es cierto que la conducción centralizada en el marco de aguda crisis y ajustes permitió superar la hiperinflación y lograr estabilidad, también llevó a la concentración decisional y a que el presidencialismo generara un desequilibrio excesivo rayano en la subordinación de los distintos poderes públicos al Ejecutivo.

Sin embargo, el sistema presidencial a lo largo de su historia ha tenido una decisiva importancia tanto para energizar la participación como para desmovilizarla, para hacer más representativo al sistema o no. Particularmente, ello ha sido importante en la tradición presidencialista latinoamericana que no sólo posee una representación institucional sino también simbólica asociada al papel tan significativo que juega el presidente como representación del Estado y del pacto social que encarna su gobierno. De allí que el liderazgo presidencial pueda ser considerado no sólo como una debilidad institucional (que da lugar a las "democracias delegativas"), sino también como una eventual fortaleza u oportunidad en orden a la superación de esta crisis de representación. Por dos razones.

Porque hay requerimientos de un nuevo tipo de liderazgo para esta tercera fase del proceso de transición-consolidación: que sea más austero, racional, menos transgresor y decisionista que en los 90, así como menos partidista que en los 80. Ajustado a la realidad de que ya no hay un sistema de mayorías aplastantes, sino de controles invertidos de las cámaras, lo que representa el fin de la hegemonía (de mayoría de senadores de un partido y de diputados de otro). Por ello es necesario no sólo una mayor regulación de los decretos de necesidad y urgencia, sino de explorar un estilo más consociativo (de diálogo) y menos polarizante de democracia para lograr medidas con algún margen de progresividad social.

Por otro lado, también el liderazgo con voluntad política puede ser visto como potencial respuesta –en la lógica weberiana– en la lucha contra la "jaula de hierro" de la burocracia, contra el imperio de una racionalidad instrumental que ahoga la capacidad de la política y de innovación. Pero ahora sería una jaula de hierro construida por una racionalidad sistémica tecnocrática y por esta visión ideológica de la globalización, comandada por élites que apuntan a que no se pueda tocar nada de los mercados y que pone la política al servicio del utilitarismo económico.

Se trataría de un liderazgo, en suma, que pueda aunar ejemplaridad ética con decisión política. No un liderazgo carismático del tipo de posguerra, sino a tono con la democracia de lo público. A distancia tanto del lenguaje politicológico abstracto y desenganchado de la gente propio de los 80, como del crudo de lógica de poder y economicista y transgresor de los 90. Que tome distancia de la globalización como ideología, y politice la vida cotidiana con un discurso social antes que partidario, que no haga sentir a la gente a la intemperie y destaque el rol solidario estatal y una voluntad política de integración social.

Y ello es importante porque superar la crisis de representación en el posneoliberalismo no consiste únicamente en "completar la reforma" o consolidar el modelo –como sugiere el *establishment*–, o adherir automáticamente a las bondades de lo realizado, sino en cambiar la naturaleza de la reforma realizada, de superarla más que de completarla. Porque la reforma, si bien supuso estabilización y reglas de juego, también provocó un profundo cambio en las relaciones de poder entre los argentinos, aumentando las desigualdades y posibilidades entre distintos grupos sociales, individuos y ciudadanía, y por ello es necesario manifestar no sólo una crítica respecto de la misma sino también de cierta voluntad de cambio.

Por ello, si la transición hacia una nueva etapa del Estado posprivatizaciones y de transición política va a estar signada por situaciones complejas y de tensiones, así como de intereses que no van a dejar fácilmente la situación de privilegio que han ocupado durante estos años, también se trata de un período que ofrece oportunidades. Por un lado, esto nos enfrenta al riesgo de que este tercer momento del proceso de transición-consolidación pueda ser interpretado en clave de versión prolija del menemismo, y estratégicamente apuntado a la consolidación del modelo económico, pero también a considerarlo como oportunidad para producir cambios vinculados a la distribución del poder y a la capacidad de la política para redefinir rumbos.

Notas

1. En efecto, se dan conjuntamente en la sociedad una creciente apatía, subestimación de la política frente a la economía y una resignada convicción de que los ciclos económicos son ajenos a la intencionalidad política (Pinto, J., 1995).

2. G. O'Donnell, en *Modernización y autoritarismo* (1982), señalaba que los regímenes burocrático-autoritarios eran producto de la conjunción de la activación de las masas, de una crisis recurrente de la balanza de pagos y del sentido de amenaza en las clases altas.

3. Para América latina ver Gaitán Pavía, Pilar, "Algunas consideraciones sobre el debate sobre la Democracia", *Análisis Político*, N° 20, septiembre-diciembre de 1993, pág. 47, y para el mismo fenómeno en sociedades desarrolladas, Mulgan, Geoff, *Politics in an Antipolitical Age*, Polity Press, Cambridge, 1994.

4. Sobre este tema, ver Touraine, Alain, "Comunicación política y crisis de la representatividad", en Ferry, Jean-Marc; Wolton, Dominique y otros, *El nuevo espacio público*, Gedisa, Barcelona, 1992, y García Delgado, Daniel, "Consolidation of Democracy, Crisis of Representation and Poverty in Argentina", Flacso, *Serie de Documentos e Informes de Investigación*, N° 172, octubre de 1994. También, Porras Nadales, A., *Teorías sobre la crisis de representación*, Centro de Estudios Institucionales, Barcelona, 1996.

5. Cheresky, Isidoro, *El futuro de las nuevas democracias,* XVIII Asamblea General de CLACSO, Buenos Aires, 24-28 de noviembre de 1997.

6. Cheresky, Isidoro, "Argentina. La innovación política", *Nueva Sociedad,* N° 132, julio-agosto de 1994.

7. Lechner, Norbert, "Los nuevos perfiles de la política. Un bosquejo", *Nueva Sociedad,* N° 130, marzo-abril de 1994, *op. cit.,* pág. 43.

8. Lander, Edgardo, *Democracia, participación y ciudadanía,* XVIII Asamblea General de CLACSO, Buenos Aires, 24-28 de noviembre de 1997, pág. 7.

9. Ver Rose-Ackerman, Susan, "Democracy and 'grand'corruption", y Meny, Yves, "Fin de siècle corruption: change, crisis and shifting values", en *Corruption in Western Democracies, Internacional Social Science Journal,* N° 149, septiembre de 1996.

10. En general, se puede decir que no hay un gran texto politicológico sobre este fenómeno tan significativo y explosivo de nuestra época. Los que existen son trabajos realizados por abogados o técnicos, en los términos del tipo "remedios contra la corrupción", a lo Klitgaard (1992) o Moreno Ocampo (1995). También ver Grondona, Mariano, *La corrupción,* Sudamericana, Buenos Aires, 1994.

11. Minujin, A. y Kessler, G., *La nueva pobreza en la Argentina,* Buenos Aires, Temas de Hoy, 1995.

12. Berry, Albert, "The Income Distribution Threat in Latin America", *Latin American Research Review,* Vol. 32, N° 2, 1997.

13. Torres Rivas, Edmundo, "América latina. Gobernabilidad y sociedades en crisis", *Nueva Sociedad,* N° 128, Caracas, 1997, pág. 45.

14. Lafontaine, Oskar, "El desencanto político", *Leviatán,* N° 50, Madrid, invierno de 1992.

15. Crozier, Michel, "El crecimiento del aparato administrativo en el mundo de la complejidad. Obligaciones y oportunidades. Del Estado arrogante al Estado modesto", en *El redimensionamiento y modernización de la administración pública en América latina,* INAP, México, 1989.

16. Zolo, Danilo, *Democracia y complejidad,* Nueva Visión, Buenos Aires, 1994.

17. Lechner, Norbert, *op. cit.,* págs. 44-45.

18. Lechner, Norbert, "La democratización en el contexto de una cultura postmoderna", *Los patios interiores de la democracia. Subjetividad y política,* Fondo de Cultura Económica, México, 1990 (1988), págs. 109-110.

19. Garretón, M, *op. cit.,* pág. 46.

20. Hopenhayn, M., *Ni apocalípticos ni integrados. Aventuras de la modernidad en América latina,* Fondo de Cultura Económica, Santiago de Chile, 1994.

21. Wainfeld, Mario, "Un año particular", *Nueva Tierra,* N° 35/36, diciembre de 1997, pág. 3.

22. García Canclini, Néstor, *Consumidores y ciudadanos. Conflictos multiculturales de la globalización*, Grijalbo, México, 1995, pág. 23.

23. Jean-Paul Fitoussi y Pierre Rosanvallon dicen que los medios tienden a convertirse, por un lado, en una suerte de alternativa frente a los déficits de la clase política, y por el otro a desarrollar utopías positivas tales como creer que van a poder resolver las cuestiones que la democracia no puede reglar en el terreno de las instituciones políticas. Para estos autores hay, en efecto, una especie de utopía peligrosa en el hecho de que los medios, sobre todo los audiovisuales, lleguen a considerarse como los verdaderos representantes del pueblo. "Ante el desencanto de las masas, de ciudadanos como espectadores opacos, los medios exageran su capacidad para superar los límites técnicos de la democracia. Proponen el pasaje de una democracia representada por actores que naufragan en el mar mediático, por una virtual democracia directa teleasistida. El problema es hoy tanto el de las relaciones entre medios y justicia, como entre medios y sistema político: aquéllos tienden efectivamente a confundir el poder de investigación con la potestad de juzgar. En el límite, llegan incluso a soñar con producir decisiones políticas o judiciales." Fitoussi, Jean-Paul y Rosanvallon, P., *La nueva era de las desigualdades*, Manantial, Buenos Aires, 1997, pág. 208.

24. Sobre la esfera pública no estatal, Cunill Grau, Nuria, *Repensando lo político a través de la sociedad. Nuevas formas de gestión pública y representación social,* CLAD-Nueva Sociedad, Caracas, 1997.

25. Abal Medina, Juan M., "Reflexiones sobre la modernidad, la representación, los partidos políticos y la democracia", *Posdata*, N° 2, noviembre de 1995.

26. Al respecto ver Abal Medina, Juan M., "Reflexiones sobre a transformação do sistema de partidos na Argentina", en Baquero, M., *A construção da Democracia na America Latina*, Universidade Federal Rio Grande do Sur (UFRGS) 1998.

27. Garretón, Manuel Antonio, "La transición chilena: un corte de caja", *Nexos*, N° 159, México, marzo de 1991, pág. 46.

28. "La actual condición posmoderna –dice Follari– con su sensibilidad ligada a lo inmediato, el rechazo de la abstracción, el narcisismo que impide los grandes proyectos y abandona los relatos legitimadores globales. Este tiempo en que la política clásica no interesa, en que cada uno vuelve a la privacidad, en que lo público aparece como especie de estorbo, puede precisamente ser base para evitar las formas disociadas de la política, la especificidad enfermiza de lo político, como campo independizado de la voluntad social que le da origen." Congreso del CLAD, *op. cit.*, pág. 421.

29. Esta ciudadanía no requiere la interferencia del Estado, pero valora la consolidación democrática y se interesa menos por la participación que por gestiones eficaces. Hoy se percibe que muchas preguntas acerca de la ciudadanía se responden más en el consumo privado de bienes y mensajes que en las reglas de participación. Incluso las identidades no se configuran ya en torno a esencias his-

tóricas sino en razón de lo que uno posee o es capaz de apropiarse, de estilos de vida. Pero este consumidor, en gran medida es un consumidor frustrado, porque el acceso al mercado y a una infinita variedad de servicios se ve recortado para amplios sectores por las reducciones de sus ingresos, la precariedad de los mismos e incluso su cesación. Esta situación no puede dejar de ser fuente de "malestar social"; la ciudadanía del consumidor en el marco del capitalismo salvaje, es generadora de privación relativa, anomia y violencia urbana.

30. La descentralización, por ser un concepto que no implica una receta excluyente sino que en cada caso es novedosa en su forma de implementación, se presta a ser reinterpretada desde muy diversas perspectivas ideológicas. Así –de acuerdo a Bitar (*op. cit.*, págs. 107-109)–, existe una tendencia a asociarla a la democracia y remitir el centralismo al autoritarismo, siendo esta ecuación errónea si se la aplica con un criterio absoluto. Vaya como ejemplo, por un lado, el proceso de acceso a una ciudadanía más plena que supuso el Estado de bienestar de carácter centralista, y por otro, los riesgos a los que una descentralización que no cuente con sus debidas bases de sustentación expone a las comunidades locales sin iniciativas ni desarrollo propios. Además, que la participación de los actores sociales locales involucrados no está asegurada aún, tanto porque la desmovilización actual producto de la crisis de representación, ajuste, cultura individualista, los aleja de las instituciones, como porque no hay rasgos culturales o que definan una tradición en este sentido; también porque las instituciones escolares y organismos regionales y centrales recién ahora están intentando desarrollar políticas aptas para incorporarlos. Además, los programas y proyectos conducentes al logro de los objetivos de esta política pública son muy recientes y su implementación no ha producido todavía sus previsibles ajustes para asegurar la eficacia buscada.

31. Para la búsqueda de una perspectiva superadora de la "ciudadanía asistida" hacia otra "emancipada", ver Bustelo, E., *op. cit.*, 1998.

32. Sobre el tema de la disminución del poder del Estado en la nueva etapa y su disminución, sea por el poder económico de las empresas, sea por las asimetrías que se producen entre diversos países –por ejemplo Estados Unidos–, ver Strange, S., *The Defective State*, Daedalus, 1996.

33. Ver al respecto Zuleta Puceiro, Enrique, "El financiamiento de la actividad partidaria en un contexto de transformaciones estructurales", *El Príncipe*, Nº 5/6, primavera de 1996. La ley tiene que establecer normas claras y contundentes que garanticen la transparencia de los ingresos y gastos de los partidos, y releguen al mínimo el misterio y el secreto sobre el origen de sus fondos. Sea el sistema de financiamiento público (los cuales han demostrado ser más equitativos), sea a través del financiamiento privado o mixto, el sistema que se adopte debe privilegiar la publicidad y el control democrático, en la fiscalización de sus ingresos y gastos electorales.

34. Liliana de Riz hace referencia a la necesidad de apuntar a la existencia de una Justicia Electoral autónoma, de un fuero electoral especializado y con com-

petencia independiente, que confiera la administración y distribución de los fondos públicos a un organismo de la justicia electoral, así como a la eliminación de gastos reservados aplicados a tareas proselitistas, control independiente de las finanzas y gastos de campañas. De Riz, Liliana, "Reformas para la política", *Clarín*, 4/2/98, pág. 13.

35. Para Guillermo O'Donnell, éstas son poliarquías democráticas por la existencia de elecciones regulares. Pero la debilidad que muestran en su *accontability* horizontal –la que deben ejercer los diversos poderes entre sí– implica que los componentes liberal y republicano de muchas de estas poliarquías son endebles, y esto hace que no pueda calificárselas como democracias representativas. Para ello, sugiere una red de agencias autónomas, mayor profesionalismo en la administración, el traslado a partidos de la oposición de las auditorías y agencias de control, etc. O'Donnell, Guillermo, "*Accontability* horizontal", *Agora*, N° 8, verano de 1998.

36. Esto tiene que ver con la demorada Ley de Comunicaciones y también, como señalara en The Freedom Forum: "El debate central es si la sociedad puede enfrentar a los grupos económicos de los medios de comunicación, si los políticos pueden enfrentarlos y llevar adelante sus programas y no tener que aceptar las condiciones impuestas por los grupos que controlan los medios". Villalonga, Julio, "El fin de la ingenuidad", *Noticias*, N° 1106, marzo de 1998, pág. 41.

37. Al respecto, ver las distintas propuestas de reforma electoral que intentan aunar gobernabilidad con representatividad para la ciudad de Buenos Aires: Arroyo, Daniel, "La reforma política de la ciudad de Buenos Aires", FLACSO, *Cuadernos de Investigación*, N° 156, y Bavastro, Roberto y Orlandi, Hipólito, "El diseño institucional de la ciudad autónoma de Buenos Aires: representación y régimen electoral en la futura legislatura local", *Sociedad*, N° 11, agosto de 1997.

38. Los sistemas uninominales por circunscripción, si bien con defectos, tienen ventajas de las que carece la proporcionalidad, como la mayor inmediatez, la no existencia de candidatos remolcadores, de listas sábanas que carecen de fortaleza cívica, que reducen la presión que puedan ejercer los aparatos políticos partidarios y eventualmente podrían bajar los costos de las campañas. Tal vez un sistema mixto como el sistema electoral alemán, que prevé la elección de los diputados para el Bundestag según este sistema: una mitad se elige por uninominalidad a simple pluralidad y la otra por el principio de la proporcionalidad. Ver Costa, Edgardo, "Representación política y sistemas electorales", *INCAP*, N° 1, diciembre de 1997, pág.145.

39. Lechner, Norbert, "Los condicionantes de la gobernabilidad, *op. cit.,* pág. 5.

40. Parte del diagnóstico consiste en definir si el principal problema son las mafias y la corrupción, la oligarquía del delito o la del dinero. Como dice Di Tella, la principal oligarquía es la del dinero, no la del delito. La relación de poder entre ambas es de 1 a 10.

41. IDEP, *op. cit.*, pág. 8.

42. En el fondo esto tiene que ver con el reconocimiento de las potencialidades de la participación social directa (es decir que no implica delegación de mandatos, ni abdicación de soberanía) para perfeccionar las funciones de crítica, control y orientación que la sociedad puede ejercer a través de la nueva institucionalidad. Esta participación social en la construcción de una institucionalidad que la favorezca es precisamente la ruptura de los monopolios del poder político, la búsqueda de mayores simetrías en la representación política. No anula las búsquedas que puedan realizarse de incorporar mecanismos de democracia semidirecta (del tipo referéndum y revocatoria) pero confía en una mayor democratización por el lado de esta línea (Cunill, 1997).

2

FRAGMENTACIÓN Y EXCLUSIÓN SOCIAL

Si en el marco de esa aceleración del crecimiento económico, lo institucional continúa sin resolverse; si no hay transformación, creación e invención de un sistema nuevo de control sociopolítico de la economía, vamos a tener crisis estructurales violentas.

ALAIN TOURAINE, 1994

Resulta tan decisiva la influencia que sobre el patrón de acumulación y distribución del ingreso han ejercido las orientaciones básicas de la política económica, que se torna muy difícil pensar que sea posible hacer "progresismo" en materia social dejando sin modificar los determinantes fundamentales del entorno macroeconómico que, en última instancia, constituye el ámbito que tornará o no viable la vigencia de un proceso económico con inclusión social. Dicho en otros términos, si no se logra modificar el núcleo de la política económica cuyo sesgo empuja hacia la permanente exclusión de trabajadores fuera del circuito de producción y distribución de riqueza, las políticas sociales focalizadas por más eficientes y generalizadas que sean no harán sino convalidar la cristalización de una estructura de creciente desigualdad social.

MERCEDES MARCÓ DEL PONT, 1998

El proceso de industrialización sustitutiva con democracia de masas en la Argentina de posguerra posibilitó, mediante la acción del Estado, lograr una integración social con características similares a los procesos de industrialización del sur europeo, en términos de distribución del ingreso, estructura asalariada y pleno empleo. Esto coadyuvó a la formación de una rápida urbanización de la clase obrera en las principales ciudades del litoral, a la consolidación de numerosos sectores medios y a la introducción de pautas culturales e ideológicas propias de la sociedad industrial. En la sociedad se crearon expectativas de ascenso social, se dieron oportunidades educativas y, al menos en los centros urbanos principales, se accedió a niveles de consumo elevados, favorecidos por la creación y desarrollo de un esbozo de Estado benefactor.

El Estado en este período, no sólo se encargó de acciones sociales destinadas a canalizar el conflicto entre capital y trabajo (concertar, "laudar") y a buscar la integración mediante políticas de "bienestar social", sino que jugó un rol central en la consolidación de la industrialización o en su relativo estancamiento, según fuese ocupado por sectores industrialistas o grupos representativos de los intereses agroexportadores. Estos últimos, como dice A. Fernández, al carecer de una fuerza política capaz de triunfar en las elecciones, recurrieron periódicamente a las fuerzas armadas para imponer sus objetivos, sobre todo después de 1950. Ello bastardeó la vida institucional democrática, debilitó los partidos políticos y militarizó gradualmente la acción política. Las fuerzas armadas se vieron divididas y "politizadas" al extremo, y sólo recuperaron su coherencia hacia 1965, hegemonizadas en torno a la "Doctrina de la Seguridad Nacional". Así es que se llegó a clausurar la libre competencia por las funciones de mando del Estado, ya que las elecciones y los gobiernos electos atizaban posturas antagónicas a los intereses dominantes y fortalecían la movilización popular.[1]

La cuestión social durante esta etapa del Estado de bienestar estuvo vinculada, por una parte, a la integración de la clase trabajadora al sistema político, a la extensión del seguro social y generalización de la condición asalariada, al procesamiento del conflicto capital-trabajo en una situación de país en desarrollo (etapa del primer peronismo). Por otra, estuvo referida al problema de la marginalidad, a la situación de sectores que no quedaban incorporados al sistema de servicios urbanos, que improvisaban viviendas y ocupaban terrenos en forma ilegal (Gino Germani, 1963). Pero aun así la integración social tendió a realizarse dentro del proceso de industrialización sustitutivo y del pleno empleo. Las ideologías predominantes de la época acentuaron el elemento integrador del espacio nacional, la incorporación de los distintos aportes migratorios y la búsqueda de una homogeneidad que incluía un elemento fuerte de construcción colectiva de la nación.

A pesar de focos de marginalidad que sin duda persistían, este crecimiento económico constante con movilidad social ascendente permitió que la gente que nacía pobre tuviera expectativas de progresar. El ingreso por habitante creció hasta mediados de los 70 y la distribución del ingreso fue entonces una de las más equitativas de los últimos 50 años para los asalariados, cercana al 50% del PBI. Corolario de este crecimiento constante con inflación no desbordada fue el elevado ritmo de creación de empleos que por los conocimientos requeridos eran accesibles para la mayoría de la población.

Pero en los últimos 20 años comienza a producirse una inversión de estas tendencias por agotamiento del industrialismo sustitutivo, por la creciente inflación y por la desindustrialización iniciada con el golpe militar. A partir de la transición a la democracia ya comienza a advertirse la coexistencia de estabilidad política con movilidad descendente, inclusión política con exclusión social. Y a fines de los 90 nos encontramos con un desempleo estructural cercano del 14%, un subempleo del 10% así como a una marcada precarización de la fuerza de trabajo, reuniendo de esta forma los males de los dos modelos principales de referencia: el europeo con alta desocupación pero baja precarización, y el americano con bajo desempleo pero con alta precarización.

En el marco de la economía global se producen avances de la informalidad, el debilitamiento de la clase media, concentración de la riqueza y el crecimiento de las distancias entre los que tienen y los que no.[2] Esto da lugar al surgimiento de la segunda de las conflictividades clave que enfrenta el Estado en el marco de la globalización: *la fragmentación y la exclusión*. Lo novedoso es que aparece como población excedente. A partir de ello trataremos de mostrar la conjunción de factores que constituyen la nueva cuestión social e indagar sobre el rol que el Estado puede jugar en el tratamiento de la misma. Sobre todo, en un momento en que comienza a cuestionarse al mercado como capaz de lograr esa integración, al Estado "mínimo", así como a la "teoría del derrame" que asume el crecimiento como condición suficiente del desarrollo.[3]

A. LA NUEVA CUESTIÓN SOCIAL

El país, en esta última década encaró un proceso de intensa modernización, que tuvo como fruto positivo no sólo la salida de la hiperinflación sino también un crecimiento sostenido del PBI y de la productividad. Se diversificaron las opciones, se incorporaron nuevas tecnologías y se promovieron aumentos de la productividad tanto del sector privado como del público. Se amplió la gama de servicios y la calidad de los mismos, y surgieron nuevas exigencias y estándares de calidad. Pero también aparecieron nuevas desigualdades vinculadas a cuatro desanclajes: entre crecimiento y empleo (porque puede haber crecimiento del PBI y aumento del desempleo); entre crecimiento y distribución progresiva del ingreso (porque se produce conjuntamente una distribución más desigualitaria de la torta); entre prosperidad de élites y de los asalariados (porque aumentan las diferencias salariales y porque las perspectivas de progreso de esas élites dejan de asociarse al espacio nacional); y entre *performance* general de la economía (medida positivamente en relación al crecimiento, inflación y cierre de cuentas) y la percepción de la gente, desvinculándose indicadores macroeconómicos con perspectivas de progreso para sectores medios y bajos ("el malestar social").

La nueva cuestión social, hace referencia por cierto a la anterior, a la vinculada al inicio del industrialismo, porque la "...llamada 'Cuestión Social' en los términos del reconocimiento de un conjunto de nuevos problemas vinculados a las modernas condiciones de trabajo urbano y de los derechos sociales que de allí advendrían se originó en la Europa de fines del siglo XIX, a partir de las grandes transformaciones sociales, políticas y económicas generadas por la revolución industrial. Por lo tanto, el 'problema de la pobreza' no siempre fue considerado un 'problema', o un fenómeno disfuncional para la vida de las sociedades, debiendo por esta razón, ser enfrentado y resuelto para su seguridad y progreso material" (Sonia Fleury, 1997).

Lo que se observa ahora es que se produce un doble movimiento de segmentación y desintegración interna de los sectores de bajos recursos, así como de reintegración unificadora por encima de las fronteras de los estratos poderosos o más calificados. Integración a una suerte de espacio supranacional, estimulado por la computarización, la telemática y los viajes, y también con pérdida de solidaridades con el resto de los grupos sociales. Podría hablarse de nuevas élites que concentran cada vez más los ingresos y que se distinguen del resto de la población por su modo de vida, por operar en el mercado mundial, vivir en realidades virtuales recreadas por artificios electrónicos, y en áreas geográficamente especializadas. Por todo esto la nueva cuestión social puede ser vinculada a una conjunción de factores que adoptan cierta circularidad: a) desempleo y precarización, b) vulnerabilidad y exclusión, c) profundización de la pobreza histórica, empobrecimiento de sectores medios y aparición de una nueva violencia social.

Desempleo y precarización

El nuevo modelo está configurado por un cambio del contrato laboral que caracterizó al Estado benefactor desde la posguerra, asociado al pleno empleo, a trabajos estables unidos a seguridad social y a una fuerte defensa gremial y jurídica de los derechos sociales de la sociedad asalariada. El nuevo modelo se caracteriza por admitir el desempleo estructural, por la precarización y rotación permanente de la mano de obra, lo que debilita la defensa gremial y legal del trabajo. Actualmente, más de 4 millones de personas tienen problemas laborales, así como de disminución salarial y aumento de las horas trabajadas.

El mercado de trabajo es afectado por un proceso de desempleo creciente, presentando diferentes características según el mapa urbano del país.[4] Dado que el trabajo se transforma en un bien escaso y en mercancía aparecen nuevas modalidades de empleo: temporal, discontinuo, a tiempo parcial, autoempleo, irregular o clandestino. La precariedad en el empleo trae consecuencias obvias: decrece la reivindicación obrera, así como la cohesión entre los asalariados, la relación entre el empleador y el empleado queda reforzada a favor del primero, originando en el segundo una profundización de los mecanismos de sumisión. La renovación tecnológica (con la concomitante necesidad de preparación por parte del obrero) empeora el mercado de trabajo, tanto numérica como cualitativamente (segmentos del mundo laboral quedan al margen, la capacitación laboral se hace más costosa).[5] Esto genera en los asalariados fragmentación y polarización de los ingresos según los distintos niveles de calificación y competencia entre distintos sectores.

Por otra parte, del aumento de la productividad industrial que, entre 1991 y 1997, fue del 65% nada fue a parar al salario. Mientras que hasta mediados de la década del 70, el salario alcanzaba a cubrir la totalidad de una canasta mínima de subsistencia, hoy sólo llega al 53%. Y si se toma como referencia una canasta básica utilizada en los países desarrollados, el salario argentino apenas alcanza al 36% (FIDE, 1998).

El empleo sigue siendo el gran ordenador e integrador de la comunidad, el único garante del acceso a la red de protección social o del ingreso al sistema productivo. Por lo tanto, cualquier movimiento que se produzca en relación a la posibilidad de acceso a este valor de ordenación social pone en juego la estabilidad psicosocial de una persona. Es decir, tener o no tener trabajo no implica solamente pensar en una cuestión de recursos económicos, desigualdades de ingresos o protección social sino, más aún, de dignidad humana, de "vivir o no vivir en sociedad". La separación de los circuitos de producción y de reconocimiento social a partir de los cuales se crean relaciones de interdependencia pone de manifiesto el desenganche de gran parte de la población, que se ve condenada a vivir en una suerte de "cultura de lo aleatorio" (Castel, 1997).

Vulnerabilidad y exclusión

En la Argentina, el sistema institucional del área laboral fue fuertemente contenedor, y esto explica lo traumático que resulta el ensayo neoliberal flexibilizador que no tiene en cuenta la memoria institucional. La búsqueda de un modelo más competitivo y precarizado como el americano, se realiza sin reconocer que el país tuvo una tradición institucional y cultural distinta, y que de esta forma desaparece la trama institucional que vinculaba al individuo no sólo al trabajo sino también al sindicato y a la política. Hace dos décadas los contratos de duración indeterminada eran hegemónicos, mientras que hoy ya no son la modalidad mayoritaria de contratación para los que ingresan al mercado de trabajo. La precariedad del empleo está reemplazando a la estabilidad como régimen dominante de la organización del trabajo y esa vulnerabilidad conduce a la exclusión. En la anterior situación, había ciertamente pobreza, pero tenía un cierto grado de integración en la sociedad, en la medida en que se pensaba como temporaria.[6] Los individuos que pierden el empleo formal se desvinculan de los marcos institucionales que los contenían, debiendo desarrollar estrategias alternativas para sobrevivir. En un marco de alta incertidumbre sobre el futuro, el individuo que no tiene empleo (o algún ingreso) queda inscripto en un modo cultural de expresar la exclusión a través de la estigmatización de los "perdedores". Esta pérdida de relación institucional provoca desaliento y alejamiento de la vida activa, de la participación social y política. Excluidos casi hasta por resignación, porque ya no ven ninguna posibilidad de entrar.

Pero cuando hablamos de precarización, dualismo y exclusión, no se afirma que existan solamente dos grupos sociales, reduccionismo que choca frente a la afirmación de la complejidad. Tampoco a la consolidación firme y estable de dos sectores sociales, sino a la dinámica que tiende a polarizar a la sociedad. En esa polarización se van generando infinitos subsectores que, progresivamente van siendo atraídos hacia la esfera de la vulnerabilidad en sus distintos niveles (Campo, 1998). La variable tecnológica influye sobre los mercados de trabajo, entre la mayor incorporación tecnológica en su ejecución, y aquellas actividades con incorporación tecnológica marginal. En el actual desarrollo productivo observamos cómo el punto de máxima incorporación mueve el alza de forma constantemente acelerada, por lo tanto, sólo una élite muy reducida es capaz de aguantar "el tirón" para seguirla. Donde cada nuevo desplazamiento del alza de ese punto supone un incremento de la distancia respecto de él. A lo largo de este proceso se tiene como consecuencia una estructura social dualizada, no obstante su desagregación en sectores. Las condiciones impuestas por el desarrollo tecnológico van dejando progresivamente a una proporción cada vez mayor de la población lejos de cualquier posible acercamiento.

De este modo la exclusión no puede entenderse en términos de ejército industrial de reserva, sino como población excedente, porque efectivamente no está en condiciones de reemplazar a la ocupada. En ese sentido, la exclusión de hoy no contendría un principio de recomposición de la sociedad, sobre todo de perspectivas de reconstitución del sujeto histórico en los términos anteriores.

La exclusión se presenta al final del recorrido con un efecto desocializante y de aislamiento social. Se trata de personas desprovistas de recursos económicos, de soportes relacionales y de protección social, fuera del círculo de capacitación y experiencia. Ambos factores nos reenvían a dos dimensiones que operan de manera combinada en la interacción social: la material y la simbólica. La integración material se vincula a la posibilidad de acceder a los bienes y servicios de consumo (inserción ocupacional), y las que se generan en el campo simbólico, la posibilidad de participar y compartir el proceso de gestación y asimilación de valores sociales (inserción relacional). Una primera zona es la llamada "zona de integración", caracterizada por el trabajo estable y una fuerte inscripción relacional. La zona de "vulnerabilidad" es la signada por la precariedad laboral y la fragilidad relacional, de desocialización o exclusión, y es donde predomina un doble desenganche: del trabajo, que se expresa en situaciones extremas de desocupación sostenida, y de las redes sociales, que se traduce en aislamiento relacional (Castel, 1995).

Esta situación se refuerza con lo sucedido con la prestación de políticas sociales. Porque pueden diferenciarse los que tienen ingresos suficientes como para encontrar una salida privada, de los que no lo tienen y quedan marginados de la instancia privada de cobertura, sin tener asegurada su protección tradicional, o disminuida en calidad y alcance (por ejemplo, las obras sociales, la sobreutilización de los hospitales, el declive de la escuela pública, falta de seguridad, etcétera).

Ampliación de la pobreza estructural

De acuerdo con los últimos informes del Banco Mundial, en la década del 90 en el conjunto de América latina aumentó la pobreza estructural. Si bien estas cifras han oscilado, medidas en indicadores de NBI en los últimos años (por ejemplo, aumentó entre las hiperinflaciones, luego de la Convertibilidad disminuye y vuelve a subir un poco pos "tequila"). En primer lugar, o en último, nos encontramos con los pobres estructurales o pobres de necesidades básicas, conformados por sectores ubicados en villas, asentamientos y barrios precarios de los cinturones periféricos de las grandes conurbaciones, que no satisfacen sus necesidades básicas en relación con la vivienda, condiciones sanitarias, educación y capacidad de subsistencia, y que tienen ingresos por debajo de la línea de pobreza. Constituyen aproximadamente un 17% de la población y tienen dificultades para insertarse en el mercado de trabajo dado que no tienen los instrumentos ni las capacidades necesarias.

Son los principales destinatarios de las políticas sociales de tipo asistencial. Están lejos de ocupar la escena y de conformar activamente la opinión pública y en realidad no tienen demasiada visibilidad. Su acción colectiva se vincula a los movimientos de supervivencia, de autoayuda, cooperativas.[7] Sea por la estabilidad o por clientelismo, estos sectores no logran empleo precario y probablemente puedan beneficiarse con la proyectada reactivación de la construcción y de los programas de mano de obra intensiva (Planes Trabajar), pero no van a lograr empleo formal, dándose cierta circularidad en la reproducción de la pobreza.

Así como hay respuestas de redes solidarias de carácter neocomunitario, provenientes de ONGs, parroquias e instituciones sociales de la Iglesia (por ejemplo, Caritas), también se observa un aumento de la anomia, del alcoholismo, de las familias uniparentales, las mujeres jefas de familia y la "feminización" de la pobreza. Como dice A. Ameigeiras, "Los efectos devastadores de la·desocupación emergen en este cuadro de situación como uno de los aspectos que más inciden en los hogares de los sectores populares, no sólo en la medida en que produce una ruptura sobre un eje fundante de la vida diaria, sino que a su vez cuestiona roles y modifica situaciones de poder tanto en el nivel de lo doméstico como de lo extradoméstico. Así, el espacio barrial y las relaciones sociales dentro del mismo son directamente afectados por el crecimiento y la extensión de la pobreza".[8]

Nuevos pobres y privación relativa

Este sector de pobres por ingresos está constituido por un segmento declinado de las clases medias, también denominado "pauperizados" o "empobrecidos". Una población con ingresos inferiores a la línea de pobreza pero que no presenta carencias críticas en sus necesidades básicas. La diferencia básica de los nuevos pobres respecto de los pobres estructurales reside en la posesión de una vivienda digna y en los niveles personales de estudio y capacitación.[9]

Este segmento está constituido por empleados públicos, trabajadores manuales o poco calificados, docentes, jubilados y jóvenes profesionales sin inserción clara o mal incluidos en el mercado de trabajo, expulsión del campo de sectores por tecnificación del agro, por reconversión productiva en el sector privado y reforma del Estado en el público. Constituyen aproximadamente un 20% de la población y disponen en algunos casos de trabajo estable pero en franco tren de deterioro, o sometido a amenazas de racionalización. Mientras los pobres estructurales viven en barrios y enclaves reconocibles para todos, los nuevos pobres están dispersos y desorientados y cualquier edificio de clase media puede albergarlos, es una pobreza privada, de puertas adentro, invisible. Mientras que la pobreza tradicional implica una exclusión de todas las áreas, en la nueva pobreza la exclusión es relativa: hay quienes sufren la exclusión en algunas esferas de su vida social mientras en otras estan aún incluidos.[10] Son personas que viven de salarios bajos, con brechas crecientes entre posición e ingreso y entre expectativas y bolsillo. Los jubilados son el símbolo más expresivo de esta nueva pobreza, ya que si no tienen hijos que se ocupen de ellos pueden caer en la marginalidad.

Los nuevos pobres son uno de los grupos más afectados por el modelo neoliberal, porque no tienen contención simbólica ni material en el mismo. A diferencia de los estructurales, los empobrecidos no construyen redes de contención social de tipo comunitario local debido a su socialización y porque están guiados por una lógica de integración distinta. Además, como las políticas asistenciales están dirigidas hacia los pobres estructurales, los empobrecidos no tienen red estatal de contención social al tiempo que su capital cultural les impide acogerse a estrategias de supervivencia o a programas de empleo público del tipo "pico y pala", quedando al margen de las actuales acciones estatales. Se pueden encontrar en este mundo redes solidarias vinculadas al trueque, a la conformación de cooperativas de consumo, microemprendimientos y de economía popular.

Este sector sufre de privación relativa, la disociación que se produce entre las expectativas de acceder a los bienes que el modelo consumista les ofrece por su condición de sector medio, y la imposibilidad de hacerlo por la declinación de sus ingresos. A mayor amplitud de esa curva de privación relativa también mayor es la frustración. Se encuentran "cuesta abajo", pero no como resultado de pobreza heredada sino como consecuencia de una situación de caída de ingresos, precarización del empleo y desocupación. Esto se revela en el "vaciamiento" de hogares y unidades domésticas vía liquidaciones de bienes, como paliativo más que como solución.

Crisis de las clases medias

Luego de la crisis del "tequila" estos sectores contribuyeron en forma importante a engrosar los índices de desempleo y de subempleo, por la recesión y el cierre de los pequeños comercios amenazados por la expansión de los super e hipermercados y *shoppings,* por el aumento de los costos fijos y de los impuestos y por falta de crédito de las PyMEs. Lo que se tradujo en que la privación relativa se trasladara a los sectores medios en transición, junto a un ajuste de sus niveles de consumo (corte de la escuela privada, de la obra social, del servicio doméstico, del prepago, etc.). Por lo tanto, gran parte de los que engrosan el índice de desempleo reciente no son gente poco capacitada, sino trabajadores con educación media completa y hasta superior.

De esta forma, se observa que junto con el estrechamiento de la clase media como fenómeno generalizado en América latina, en donde un segmento pequeño asciende rápidamente, otro permanece en un equilibrio inestable y otro desciende, se va modificando su relación con el trabajo, ya que para los profesionales termina el empleo de por vida y aumenta el pluriempleo. Empieza la alta competencia y la precarización (ingenieros que se vuelven consultores o son expulsados de la planta permanente).[11] Junto con las tasas crecientes de desempleo aumentan las de sobreempleo, la necesidad de quedarse más tiempo en la oficina o taller para cuidar la fuente de ingresos sin que esto signifique cobrar horas extras. Los sobreocupados representan más del 42% de las personas que tienen trabajo, lo cual se debe a que gran parte de la población activa está conformada por autónomos.

Es un sector social que empieza a darse cuenta de que no hay más chances de movilidad ascendente, de que sólo puede permanecer o resistir. Donde hay nostalgia de los años 60, sea por una situación económica más fácil –empleo, educación gratuita y de buena calidad, cuando impuestos, tarifas y aumento de servicios no afectaban los ingresos como hoy–, o por haber sido una época de certezas y de credibilidad en un mañana mejor. La crisis de la clase media tiene que ver con una tendencia a la proletariza-ción de segmentos de los profesionales liberales que no disponen ya de las posibilidades de ejercicio de la profesión independien-te que se daban anteriormente. Esa forma de ejercicio se enfren-ta a la concentración, modernización y trasnacionalización en la prestación de servicios, al surgimiento de expertos y *consultings*. A la aparición de nuevos requerimientos de calificación, evalua-ción y *performance* que concentran el empleo y el ingreso en de-terminadas categorías y que dejan trabajos precarios y mal pagos a muchos.[12]

Nueva violencia social e inseguridad

El otro fenómeno característico de la emergente cuestión so-cial se caracteriza por la creciente violencia cotidiana. Violencia que se presenta en las relaciones sociales de interacción habitual, y si bien se puede expresar de distintas formas, como el deambu-lar de grupos de interés que no poseen la fuerza de acción nece-saria ni programa determinado (violencia del tipo corte de rutas, "piqueteros", quema de gomas, etc.), el plano más relevante de la misma es el ascenso indiscriminado de la criminalidad.[13] La con-flictividad despertada por la nueva fase capitalista deja de estar caracterizada por una violencia de tipo político y organizada, con una utopía antisistémica que llevaba al círculo activación-repre-sión política, para pasar a ser otra, una violencia de tipo social, anó-mica, sin proyecto, y que lleva al círculo inseguridad-represión policial.

La altísima tasa de desocupación viene acompañada de problemá-ticas comunes en todo el mundo, falta de contención de los jóvenes, explotación infantil como estrategia de supervivencia familiar, au-mento de la maternidad precoz entre las adolescentes de los hogares de menores recursos.[14] Un contexto que genera familias cada vez más inestables, aumento de mujeres cabeza de familia, exclusión de tra-bajadores menos capacitados, alcoholismo, reducción del gasto so-cial del Estado. Y otro dato significativo también lo constituye el en-vejecimiento de la población junto con reducción de derechos de jubilación y la rápida obsolecencia por edad en el mercado de traba-jo. Lo que ofrece el contraste entre una mano de obra que permanece vigente cada vez por más tiempo pero que debe dejar de trabajar a una edad cada vez menor. La expulsión en masa de las actividades económicas y sociales redunda en la generación de una población excedente absoluta, sin que exista la posibilidad de una expulsión hacia zonas consideradas desérticas o vacías, como ocurriera en la revolución industrial, ya que ahora se da una migración de la periferia al centro.

Todo ello lleva al crecimiento no sólo del sector informal de la economía, sino también del ilegal o criminal. En condiciones de capitalismo salvaje, los distintos grupos, clases y regiones compiten de manera exacerbada por el reparto de un producto nacional menguante. Surgen condiciones favorables a la mercantilización de todo y de todos, promoviéndose el éxito económico a cualquier precio, a las actividades improductivas de intermediación y especulación, al aprovechamiento de oportunidades creadas por la crisis y la corrupción. Crecen y se desarrollan la economía informal, la delincuencia organizada y la economía criminal.[15] Esta última aparece como posible salida laboral en creciente expansión, en la medida en que la recesión y la exclusión se profundizan. Es un sector constituido por el tráfico de drogas, robos, prostitución y comercios ilegales de todo tipo (contrabando de órganos, organizaciones de contratación de inmigrantes ilegales para hacerlos trabajar en condiciones de superexplotación), y vinculado al surgimiento de mafias que se relacionan a su vez en una zona oscura y ambigua con las fuerzas policiales encargadas de su represión.

El sector ilegal crece en la medida en que el sistema formal y el mercado de trabajo legal no dan respuestas o sólo las dan muy lentamente. Todos estos fenómenos están llevando a que los presos sean cada vez más jóvenes, y las razones de este descenso de la edad carcelaria tiene que ver con que la mayor delincuencia en robos, hurtos y drogas está vinculada al menor entusiasmo de los jóvenes por el futuro, así como a la falta de oportunidades laborales concretas de realización.[16] La creciente desigualdad y la privación relativa que se promueven en un marco consumista se correlacionan con los aumentos de la inseguridad. La anomia diluye las fronteras de lo que es aceptable o no, facilitando las transacciones, porque si no se consume no se es. Por eso, si no se reúnen las condiciones de una equidad mayor en la sociedad se favorece la tendencia a una suerte de "redistribución ilegal del ingreso", lo que permitiría entender mejor por qué la inserción delictiva parece a veces preservar mejor la dignidad de la persona que la inserción económica por lo bajo (Rosanvallon, 1995).

Si bien existe la obligación de la defensa y el derecho a que no se minimice la gravedad del robo o del crimen, la misma sensación de desesperanza, junto con el alto desempleo y la cultura del mercado promueven transacciones y relativismo de los códigos morales, colocando a los individuos en situaciones límite. A más fragmentación mayor inseguridad, y cuando se piensa en la justicia se lo suele hacer exclusivamente en términos conmutativos, como más policía, más represión y aumento de las cárceles y de las penas, o disminución de la edad para ser procesado, más que en tareas de prevención, en participación de la comunidad y en trabajo sobre las causas del problema. Pero a ese agresor, al no posibilitársele educación y sobre todo trabajo, se lo está impulsando a una vida de vicio, robo y crimen. El proceso es complejo y tiene que ver con la pérdida de horizontes y desorientación vital, y también con "el rasgarse las vestiduras" sobre fenómenos de inseguridad, olvidando las causas que producen la violencia social, corriéndose el peligro de estructurar un sistema de seguridad para incluidos.[17] De montar una seguridad "contra" aquellos a quienes, como cuerpo social, se está condenando a la marginación y exclusión.

B. EL PAPEL DEL ESTADO EN LA INTEGRACIÓN SOCIAL

Pero frente a esta nueva cuestión social tan compleja y estructural, ¿cuál puede ser el papel del Estado? ¿Cómo modificar una situación que hace que algunos se sientan adentro y otros afuera de la sociedad? Sobre todo, cuando se observan tendencias profundas de desestructuración del tejido social y que no serán fácilmente resolubles en el corto plazo. Esta tarea, por un lado, sobrepasa al Estado, que no la puede resolver por sí solo, e involucra también a la sociedad y a la creciente importancia que tiene el tercer sector en la política social. Pero en lo que corresponde a sus funciones indelegables, tres dimensiones podrían ser articuladas a su rol solidario:

El mejoramiento y ampliación de la política social

En el modelo de política social del Estado de bienestar los derechos sociales eran concebidos como una extensión del contrato laboral, puesto que el escenario ideal en que estos derechos se desarrollaban era el de una economía funcionando a pleno empleo. Cobertura social a la fuerza de trabajo asalariada y sus dependientes, financiamiento por parte de los asegurados y sus empleadores. La función del Estado en ese período era asegurar la redistribución y estabilización de los ingresos y/o niveles de consumo necesarios para garantizar la reproducción del capital en tales condiciones. Para ello se otorgaba a ciertas instituciones un conjunto de recursos con el objetivo de constituirlas en medios eficientes para controlar las relaciones de poder definidas a través del mercado, creando una "moneda social" realizable en bienes y servicios, que redistribuía y ampliaba el poder de demanda originado en aquél (Lo Vuolo, 1996).

Ahora bien, junto con los procesos de desregulación y privatización, comienza a configurarse un nuevo paradigma de política social que desplaza al universalista. Porque ahora es el mercado el que impone la lógica de estructuración social y, desde esta perspectiva, el Estado debe garantizar los servicios básicos y una red compensatoria de los desequilibrios que puedan darse en el funcionamiento de aquél. Los principios generales que caracterizan la política social a partir de los 90 son los de focalización, privatización, descentralización y participación:

– *La focalización* surge como un efecto de la profesionalización y especialización de las políticas sociales. El elemento técnico en la política social es creciente. De la comprobación de que el gasto social del Estado no llegaba salvo en una ínfima proporción a los sectores pobres, se llegó a la necesidad de desarrollar políticas de tipo minimalista sobre los sectores de pobreza estructural hacia grupos focalizados (mujeres, infancia, jóvenes, pobres urbanos y rurales, tercera edad, indígenas y discapacitados) que constituyen ejes articuladores de acción institucional.

Se concentra el gasto social en los sectores más vulnerables a la vez que se admite la presencia del sector privado en áreas anteriormente monopolizadas por el público. Se da así una prestación mixta por capacidad de ingreso: los que pueden pagar los servicios privados tienen más o mejores prestaciones. La política social como lucha contra la pobreza basada en la focalización de recursos hacia grupos considerados vulnerables, adopta un modo "residual", actuando donde el mercado no llega. En esta visión, se plantean algunos mecanismos acordes con esos objetivos: la división entre las áreas sociales estrictamente "públicas" (básicas, poco rentables y utilizadas por quienes no tienen otra posibilidad) y las que pueden considerarse "privadas" (aparentemente complejas, más rentables, empleadas por quienes tienen mayores posibilidades).

– *La privatización* de estos últimos espacios y el cobro por el uso de servicios y bienes públicos, excepto para aquellos considerados como individuos con necesidades, es el segundo principio que caracteriza la actual política social. Con esto se busca resolver la crisis fiscal atribuida en gran proporción al gasto desmedido en políticas sociales y a la falta de recaudación de las mismas. Por otro lado, se intenta hacer más equitativo el lado distributivo de la política social, dado que el gasto se destina a los más necesitados y se permite, a quienes tengan capacidad de hacerlo, obtener más y superiores servicios.

– *La descentralización de los programas sociales* ha sido uno de los ejes vertebradores de las nuevas políticas públicas, ya que con el traspaso de funciones sociales del Estado central a las provincias y de éstas a los municipios se busca derivar competencias a las áreas territoriales donde se generan las problemáticas, aumentar la cercanía, lo que se correlaciona con la mayor eficacia y control en la implementación de esos programas sociales.

– *La participación* y la cooperación de los beneficiarios en las diversas acciones encaradas por los organismos gubernamentales y no gubernamentales se realiza bajo el supuesto de que un mayor involucramiento de la población genera mayores recursos y control, y que bajo estas condiciones mejoran la asignación de los recursos y la transparencia, y se evita el círculo clientelar y burocrático punteril.

Cuadro 2
Cambio de paradigma en políticas sociales

	Estado de bienestar	Estado postsocial
Criterio de asignación	Universalismo	Focalización
Población objetivo	Clases trabajadora y media	Pobres estructurales
Financiamiento	Estatal	Cofinanciamiento público-privado, nacional-trasnacional
Criterio institucional	Monopolio Ciclo completo de la política pública, de pleno empleo, salario mínimo garantizado, seguridad y previsión social, sistema de reparto, subsidios	No monopolio Interviene el sector privado y crecientemente el voluntario Financiamiento estatal, implementación privada
Modelo de gestión	Burocrático Enfasis en reglas y procedimientos Lógica de oferta Destinatario: pueblo	Gerencial Enfasis en proyectos y resultados Lógica de demanda Destinatarios: el cliente, los usuarios
Enfoque predominante	Se priorizan los medios Propagación de infraestructura social, regulación del trabajo, gasto social corriente	Se priorizan los fines, el impacto sobre poblaciones objetivos Relación costo-beneficio estrecha
Temática	Población organizada en general, trabajo, educación, salud y vivienda	Pobres estructurales, asistencia, inserción, contención, anomia, inseguridad, juventud en riesgo

Ahora bien, reconociendo que esta praxis está promoviendo una situación más transparente bloqueando orientaciones habitualmente clientelares de la práctica política tradicional, se hace necesario ver las limitaciones que se verifican en su implementación. Porque hasta ahora excluye a otros grupos contiguos como, por ejemplo, la clase media empobrecida para la cual no habría política social (Sthal, 1996). Una política para estos sectores requeriría un replanteo de la política económica o impositiva. Es decir, entre los pobres extremos y los que pueden autofinanciarse sus demandas sociales existe un segmento relativamente amplio de la población que no califica para la atención de la pobreza extrema, pero que tampoco está en condiciones de hacerse cargo de los costos de la privatización (Vilas, 1996).

Estos grupos, que se ven obligados a vivir en una especie de cultura de lo aleatorio, no son reconocidos como población "elegible" por las políticas focalizadas y, a la vez, ven diluirse el circuito de protección que en otros momentos los asistía en sus necesidades sociales. No se observan, en este sentido, acciones claras respecto de esta franja, ni tampoco acciones preventivas que enfoquen las condiciones de vulnerabilidad para que no se llegue a una exclusión más cruenta.

La concentración de la acción estatal en los actores de las poblaciones vulnerables reduce los alcances de la cobertura tanto en extensión como en calidad. Los servicios brindados a los pobres son servicios pobres (Vila, 1996). Los programas sociales focalizados tienen un costo psicosocial definido, como es el costo de estigmatización social, y estimulan la dependencia de la población respecto de los programas sociales, inhibiendo la iniciativa y creatividad de los beneficiarios para la resolución de sus problemas. Más allá de la urgencia coyuntural que legitima la implementación, con el tiempo tienden a ser eficaces en la configuración de un clientelismo político, de formas dependientes de ejercicio de la ciudadanía que aseguran la pasividad, la no organización e incluso la fragmentación interna (Raczynsky, 1996).

En la asignación del gasto social se observa una suerte de sistema clientelar entre funcionarios y organizaciones sociales. Los programas "van y vuelven", pero luego suelen dejar a una comunidad dividida y conflictuada por el control o apropiación de los beneficios, rompiendo solidaridades.[18] Surgen problemas de segmentación y superposición en la implementación de programas y falta de capacidades técnicas en provincias y municipios para llevarlas a cabo. Al respecto, el Banco Mundial señala que se gasta mucho y mal, por problemas de dualización, superposición de programas, inexistencia de coordinación entre las instancias nacionales y provinciales, duplicación de costos, desigualdades en los estándares de evaluación y control, distribución de objetivos de muchos programas.

Pero el problema central del paradigma de política social focalizada es que más allá de su búsqueda de eficiencia y perfeccionamiento técnico, parte de una escisión entre lo social y lo económico, de una opción por trabajar sobre los efectos del modelo desvinculándolos de sus causas.[19] Y si bien las propuestas universalistas no lograban dar respuestas integrales al tema de la pobreza, las políticas focalizadas presentan serias limitaciones conocidas como el denominado "efecto ambulancia", el recoger los enfermos que la política económica va dejando a su paso; o el "efecto fila", es decir el aumento de la capacitación pero sin cambios en la demanda de trabajo que modifica el lugar en la fila de los más capacitados; o el de "soluciones micro para problemas macro".[20] Por ello, es necesario encontrar instancias de compatibilidad entre ambas esferas, la social y económica, a fin de evitar que lo social quede subordinado a lo económico. Sobre todo en países con problemas de desempleo y pobreza de carácter estructural, "...las políticas sociales no pueden dirigirse exclusivamente a la fase terminal del proceso de empobrecimiento de la población ignorando sus causas. Por el contrario, deben apuntar a la inserción social como objetivo principal, garantizando a los ciudadanos la posibilidad de constituirse en agentes económicos productivos" (S. Levin, 1997).[21]

La reorientación económica

Dado que la política social focalizada es condición necesaria pero no suficiente para luchar contra la pobreza, se requiere articularla con la dimensión económica para trabajar simultáneamente en dos planos, el de las causas y el de los efectos, así como en lo inmediato y en el mediano plazo. Y para ello es necesario distinguir entre distintos diagnósticos sobre las causas que generan el desempleo: el neoliberal, que lo deriva de la rigidez del contrato laboral y del costo salarial y los aumentos de productividad; el neoinstitucional, que apunta al impacto de la revolución científico-tecnológica y el déficit de recursos humanos, y el neoestructural, que lo deriva del perfil productivo que se está constituyendo.

• *Neoliberal* (flexibilidad y competitividad). El primer diagnóstico, ligado a la ortodoxia económica y al neoliberalismo, pone como centro del problema del desempleo la rigidez de la normativa laboral, el costo en dólares de los salarios para poder competir y la necesidad de una mayor flexibilidad del contrato laboral, la precarización, reducción de los aportes patronales así como de los derechos sociales. También sostiene que una vez completada la reconversión económica el crecimiento vendrá acompañado de creación de empleo.

• *Neoinstitucional* (revolución tecnológica y educación). El segundo diagnóstico destaca el impacto de la revolución científico-tecnológica, que genera un nuevo paradigma productivo basado en la automatización y robotización de los procesos, en la informatización de las finanzas, en la incorporación de la teleinformática y la bioingeniería. La transformación del sistema de producción provoca una fuerte reducción del factor trabajo, disminuyendo el factor humano en la composición orgánica del capital y demandando una vertiginosa recalificación a gran escala de la población económicamente activa, con el objetivo de permitir el acceso al manejo de las nuevas tecnologías.

Aquí se pone el acento en mejorar los recursos humanos, en apostar a la educación y capacitación como estrategia para mejorar la igualdad de oportunidades. En fortalecer la educación y el Capital Social, un asociacionismo capaz de generar recursos. La única forma de recuperar la movilidad social anterior sería invertir en capital humano en los sectores que más lo necesitan. Invertir de manera permanente en educación, salud y nutrición sería la fórmula para romper el círculo perverso que se genera a partir de dificultades nutricionales, déficit sanitario y falta de permanencia en la escuela.

• *Neoestructural* (perfil productivo y problemas de la demanda). El tercer diagnóstico relaciona el desempleo con la falta de demanda del mercado laboral, con el perfil productivo que se constituye (reprimarizador de exportaciones, de servicios y de bienes con escaso valor agregado), es decir, un patrón de especialización frágil y vulnerable. Porque el modelo de inserción neoliberal a la economía globalizada no se habría preocupado por el empleo ni por su cantidad y calidad, y tiende naturalmente a promover una especialización en producción primaria exportadora, no sólo agraria y de alimentos, sino energética, mineral, pesquera y de servicios para sectores medios. La gran concentración de las exportaciones en un número reducido de *commodities* industriales, que genera poco empleo, alta dependencia del sector financiero y poca atención prestada a la autonomía tecnológica. El ensamblaje de productos requiere de esfuerzos tecnológicos mucho menores y de una menor capacidad de ingeniería de procesos. Esta sustitución desintegra el valor agregado local en el intercambio del proceso industrial y el modelo productivo no tiende a incorporar al conjunto de la población y a la vez expulsa gente ya integrada.

Asimismo, la apertura económica y el atraso del tipo de cambio constituyen herramientas de la política económica que, entre otros objetivos, mantienen controlado el aumento de los precios de los bienes de consumo y tornan menos onerosa para el Estado la adquisición de las divisas necesarias para el pago de los compromisos derivados del endeudamiento externo, pero que al mismo tiempo actúan en detrimento de la producción nacional (propensión importadora y debilidad exportadora que genera la convertibilidad). El atraso cambiario funciona como una especie de subsidio implícito que ha permitido que el proceso de crecimiento de las importaciones no se haya interrumpido desde 1991, favoreciendo junto con un tipo de apertura económica indiscriminada, la importación de bienes diversos que desplazan la producción local y eliminan numerosos puestos de trabajo.

Este diagnóstico también destaca el impacto que genera el sistema financiero más que el de innovación tecnológica, sin desconocer en algunas ramas este efecto, porque la expansión de las oportunidades de beneficio de ese sistema reduce la inversión productiva y, por lo tanto, el ritmo potencial de desarrollo. Un proceso que afecta de manera distinta a los diferentes países y puede depender del dinamismo potencial del avance de sus estructuras productivas existentes, de las posibilidades que presenta el desarrollo de nuevas tecnologías y del apoyo o no de las políticas oficiales. Porque su efecto es menor en algunos países desarrollados, pero actúa de manera generalizada y con mayor presencia negativa en América latina. "Su presencia contribuye a explicar el avance global del desempleo; éste, a su vez, reduce la capacidad de negociación de los asalariados hasta dar lugar a la reformulación de las condiciones de trabajo y de remuneraciones que se observan también dentro de las lógicas diferencias nacionales en todo el mundo" (Schvarzer, 1997).

Este enfoque relativiza la eficacia de intentar modificar la distribución del ingreso sólo mediante la educación, como si el problema central fuera de oferta. Porque si la política educacional no va acompañada de otras acciones convergentes en los campos ocupacional, demográfico y patrimonial, no habrá resultados positivos en materia de equidad, mejores ocupaciones y reparto de la riqueza.[22] Cuando se habla de perfil productivo como causal de desempleo, se destaca que nuestra condición de productores de materias primas y nuestra bajísima autonomía tecnológica son rasgos propios para que sólo se pueda integrar con prosperidad al mundo una pequeña fracción de la población y el resto quede aislado. La filosofía ideológica de la globalización de desregulación total, dice E. Martínez (1996), hará así que los más fuertes no sólo se hagan más fuertes sino que se sientan justificados en su éxito y crean que lo merecen, mientras que los derrotados tengan como única salida la caridad oficial. Pero esto sería suicida, porque los vínculos entre los distintos sectores sociales se debilitan, y sólo quedará la yuxtaposición física de poblaciones distintas (una próspera y otra sin esperanza) en un mismo espacio geográfico, con el horizonte de aumento de violencia social que ello implica. Se trata de absorber al 15% de desocupados por aumento de la actividad del 85% de los que hoy tienen trabajo, en lugar de postular que el problema es de cada desempleado y se resuelve estudiando de noche o convirtiéndose en microempresarios. El problema de las PyMEs se resolverá constituyendo "cadenas productivas" que vinculen empresas grandes con sus proveedores o clientes pequeños, de modo que el conjunto sea competitivo internacionalmente. No se resolverá meramente imaginando que los pequeños empresarios deberían tomar más cursos.

Por ello, para mejorar la integración es necesario que la economía crezca en forma sostenida –si bien esta expansión no asegura en forma automática la reducción de la brecha entre ricos y pobres– y poner el empleo en el centro de las preocupaciones de la política económica.[23] Dinamizar la demanda de trabajo generando actividades de mayor valor agregado en la industria y en los servicios; inducir a que la demanda de personal menos calificado no sea tan baja, amortiguando los efectos del cambio tecnológico y que el trabajo que se genere para los sectores más pobres sea mejor en términos de ingreso y de estabilidad.[24]

Los derechos de inclusión

A la vez que es necesario articular la política social con la reorientación de la política económica, también lo es encarar medidas que den cuenta de la urgencia de algunas situaciones, y de la profunda problematicidad que adquiere el empleo asalariado a partir de la revolución tecnológica y de la nueva "gran transformación". Porque parte de la tendencia de los mercados de trabajo muestra que el trabajo concebido en la forma clásica (jornada completa, salario estable, seguridad y cobertura social) está dejando de ser la forma predominante. Por ello, y adhiriendo en parte a las tesis de Rifkin (1996), sobre la significación que puede adquirir el tercer sector en la absorción laboral, a las elaboraciones sobre la necesidad de distribuir el tiempo de trabajo (dado que éste no va a alcanzar para todos es necesario distribuir el tiempo de los empleos disponibles) (Rocard, 1997), parte de la respuesta al problema puede consistir en vincular ingresos a trabajos que realmente se realizan pero que tradicionalmente no se pagan: remunerar trabajos no productivos o trabajo social, convertir en empleos (asalarización) de un sector público no estatal o del tercer sector.

Se trata así de no pensar en una vuelta nostálgica a una sociedad integrada mediante una masa asalariada industrial y de empleos estables en empresas, fábricas y oficinas públicas, pero tampoco a una naturalización del dualismo, la exclusión y la presencia de una ciudadanía "asistida", sino a la búsqueda de una sociedad integrada, pero de distinta forma, con trabajos también en hogares, en espacios sociales y culturales de organización flexible. Por ejemplo, amas de casa, pasibles de una asignación mensual en términos de fortalecer el lazo familiar y de hacer justicia con un trabajo del cual el mercado se beneficia pero que no remunera; a miembros de sociedades vecinales, cooperativas, de asociaciones de seguridad barrial, etc. Se trata, a su vez, de no remunerar sólo a empleos tipo "pico y pala" y asistenciales del tipo Plan Trabajar, y dirigido a pobres estructurales, sino que vinculen a parte de la clase media declinante o vulnerable. Partiendo de una valorización del trabajo, de recuperar su valor subjetivo, de dignidad y vincularidad social.

Los otros trabajos que podrían asalariarse en términos de derechos de inclusión y justificables en términos del valor de la cohesión social, de la solidaridad, y de una ciudadanía integrada o "emancipada", son trabajos sociales, como por ejemplo, remunerar una "tercera edad activa", sobre todo por la disociación que se produce entre la obsolecencia planificada para gente mayor de 40 años cuando la esperanza de vida alcanza los 80; a miembros directivos de cooperativas, de clubes, o a todos aquellos que desarrollan alguna contribución cultural, artística, solidaria que puedan ser certificables. La asignación de un ingreso de capacitación a jefes de familia y a jóvenes sin ingreso a primer empleo, pero junto a este derecho la obligación de capacitarse, lo que podría contribuir a formular una red nacional de capacitación en dirección al perfil productivo que se intente estimular, así como un financiamiento más independiente y estable de las ONGs, de gobiernos y fundaciones.

El segundo problema tiene que ver con la financiación de los derechos de inclusión y con poner en marcha mecanismos de democracia fiscal y/o solidaridad pública a partir de un impuesto a las ganancias extraordinarias de empresas oligopólicas de servicios públicos (o propietarias de monopolios naturales). Y así como es pródiga la imaginación de la ingeniería financiera para pensar en Fondos Anticrisis para asegurar el sistema bancario, sería necesario pensar en estos mismos términos un Fondo Anticrisis, pero en favor de asegurar la sustentabilidad social, o en apoyo a la cohesión social. Para lo cual también puede pensarse en la creación de fondos provenientes de privatizaciones, con parte de las reservas del Banco Central, o derivados de diferenciales de productividad tecnológica, etcétera.

Por cierto, el problema no sólo es qué hacer y con qué recursos, sino también cómo y quién lo realiza. Porque se trata de formas distintas de gestión al habitual manejo estatal (burocrático-clientelar), o privado (guiado por lucro), para lo cual deberían constituirse agencias integradas por los tres sectores para una gestión transparente y eficiente (funcionarios políticos, empresarios y sector social). Evitar tanto el modelo estatalista de política social, como el de delegación total de responsabilidades al tercer sector. Un tipo de agencia constituida como un *mix* institucional y vinculada a políticas de amplio consenso, auditables y descentralizables.

Porque todo esto tiene que ver con cierta productividad de la política y la generación de capacidad creativa o, en todo caso, de salir de la jaula de hierro "del realismo estabilizador" y de la concepción ideológica de la globalización. En algún sentido esta distribución del ingreso facilitaría no sólo la integración social, sino también la económica, porque facilitaría nuevos negocios y la ampliación del mercado interno (mayor consumo-mayor recaudación fiscal-aumento del nivel de actividad), en la medida que podrían beneficiarse tarjetas de crédito que canalizasen estas remuneraciones (por ejemplo, en España, "tarjeta joven"), centros de consumo, supermercados, cooperativas, centros de creación tecnológica, etcétera.

Cuadro 3
Diagnósticos del desempleo

Diagnósticos	Causas	Propuestas
Neoliberal	Rigidez del mercado laboral	Flexibilización
	Factores exógenos	"Profundización" del rumbo económico
	Aumento de la tasa de actividad	Políticas asistenciales
	(incorporación de nuevos	y de empleo compensatorias
	sectores laborales)	
	Alto costo del salario argentino	Macroeconomía de la estabilidad
Neoinstitucional	Problemas en la oferta	Fortalecer el capital humano
	Crisis de la teoría del derrame	y el capital social
	Proceso científico-tecnológico	Mejorar el gerenciamiento
		de la política social
	Ineficacia en el gasto público	Lucha contra la corrupción
Neoestructural	Problemas en la demanda por	Rol más activo del Estado en la política
	reprimarización de las exportaciones	industrial y tecnológica
	y tendencia a la armaduría	
	Apertura irrestricta	Reorientación del rumbo económico
		y del perfil productivo
	Dependencia de la inversión especulativa	Modificación progresiva
		del sistema impositivo
	Inequidad impositiva y distributiva	Competitividad sistémica

C. El nuevo contrato social

No obstante, la integración no es sólo un problema de política social, de reorientación económica o de incorporación de nuevos derechos, sino que es también y básicamente una cuestión política. Porque para llevar a cabo estas tres líneas se requiere modificar las relaciones de fuerza existentes entre *establishment* y política, entre grupos e intereses actualmente beneficiados en la actual orientación a "profundizar" el modelo y aquellos interesados en regular democráticamente el mercado. La integración social requiere de voluntad política para replantear cómo se asignan los recursos y cómo se los redistribuye en la sociedad, y esto necesita de una relación de fuerzas distinta entre Estado-élites económicas para generar un nuevo contrato social. Buscando para ello no sólo coaliciones y programas que apunten a este objetivo sino también un compromiso de mayor responsabilidad social del mundo empresarial en inversión, fiscal y productivo frente al peligro del crecimiento del dualismo y de la desvinculación de un sector del país del otro.[25]

En ese sentido, es necesario explicitar los distintos contratos y motivaciones que se fueron sucediendo en los últimos 15 años del proceso de transición y consolidación democrática. Los pactos entendidos como consensos profundos que se conforman entre la comunidad y el Estado: 1) el de la estabilidad política democrática, constituido frente al temor al autoritarismo en los 80, el "nunca más" al terrorismo de Estado; 2) el de la estabilidad económica en los 90, de abolir el temor de retorno a las hiperinflaciones y explosiones sociales, el rechazo a los desequilibrios macroeconómicos; 3) y, desde fines de los 90, se observa un cambio del humor social cuyas características son el temor a la exclusión, a la precarización y a la falta de futuro. Comienzan a generarse así las condiciones para la constitución de un tercer pacto que conjure ese temor a la exclusión y a vivir sobreviviendo.[26]

Pero no se trata sólo de conjurar un temor como base de un pacto, como señala F. Repetto. En las dos oportunidades anteriores existió una especie de consenso negativo que involucraba a diversos grupos y sectores unidos en el objetivo de evitar cualquier regreso al pasado. De allí que, tomando las referencias de contratos anteriores, lo que se requiere hoy es configurar y articular políticamente un consenso similar en cuanto a la intensidad, "pero en este caso de un carácter más propositivo, en tanto está de por medio no sólo lo que se quiere dejar atrás, sino el modelo de país a construir hacia adelante" (Repetto, 1998).

El nuevo contrato a fines de los 90 sería así en favor de la integración social, considerando que en la medida en que no haya estabilidad social, una reducción significativa del desempleo va a impactar negativamente sobre lo económico (sobre la competitividad) y sobre lo político (sobre la gobernabilidad), y de ese modo el modelo no va a "cerrar". Que el dualismo no es inocuo, que se puede intentar paliar con más control, policía y redes de contención, pero que en una Argentina poseedora de un amplio sector medio a la deriva ello no parece suficiente, no al menos sin grandes riesgos.

Qué hacer frente a la nueva cuestión social de la exclusión, en síntesis, no se puede reducir a un ámbito, dimensión estatal o de especialización técnica, de élites. Como tampoco es sólo un problema de política social más eficiente o una orientación económica diferente a la ortodoxa. Se trata de una cuestión política y de relaciones de fuerzas para generar alternativas a la concepción de inserción a la economía globalizada hoy predominante. Para optar, más que por la "profundización" del modelo neoliberal o su "consolidación", por su "superación" o modificación. Abogar más que por un Estado asistencial, por un Estado solidario, y más que por un contrato de seguridad jurídica y de confiabilidad externa, por otro de integración social y de lucha contra el desempleo que, manteniendo lo mejor de lo realizado, sea condición para afrontar el desafío del capitalismo globalizado con más consenso.

NOTAS

1. Fernández, Arturo, "El bienestar social y los derechos de los ciudadanos en la Argentina", en *De las necesidades a los derechos,* Primer Congreso Municipal de Investigación y Política Sociales, UNICEF, Municipalidad de Rosario, 1997, págs. 34-35.

2. En el *Panorama Social 1997 de América Latina* (CEPAL) señala que "durante los años 90 se ha mantenido o acentuado la alta concentración de la distribución del ingreso que caracteriza a la mayoría de los países de América latina". "… no se verificaron las esperanzas cifradas en que las reformas macroeconómicas e institucionales desatarían un vigoroso proceso de crecimiento que revertiría los efectos de esas mismas reformas en la ocupación." En Argentina, en la Capital y Gran Buenos Aires, sobre 11,7 millones de personas hay 3.039.225 pobres, de acuerdo al INDEC. Uno de cada 5 hogares es pobre. A mayor distancia de la General Paz, la pobreza aumenta. Más de la cuarta parte de la población argentina –casi 9 millones de personas– viven debajo de la línea de pobreza (medida sobre hogares y personas que no disponen de ingresos para comprar

una canasta básica alimentaria, hogares con ingresos inferiores a los 280 pesos mensuales).

3. El concepto de un Estado mínimo es el de estar "…limitado en gran medida, si no íntegramente, a proteger a las personas y sus derechos y propiedades individuales, y a la aplicación de los contratos privados negociados en forma voluntaria" (Buchanan, 1980, pág. 9).

4. Sobre esta situación de desempleo ver Monza, Alfredo, "La situación ocupacional argentina. Diagnóstico y perspectivas", en Minujin, A. (ed.), *Desigualdad y exclusión. Desafíos para la política social en la Argentina de fin de siglo*, UNICEF-Losada, Buenos Aires, 1996.

5. El sueldo promedio de los trabajadores y empleados en relación de dependencia para julio de 1998 era de 676 pesos por mes. Y de esos trabajadores, el 60% ganaba menos de 450 pesos. Además de esos asalariados en relación de dependencia existirían más de 3 millones de asalariados "en negro" que tienen salarios hasta un 40% menores. Los que no reciben recibos de sueldo no acceden a la cobertura médica de las obras sociales, y tampoco a otros beneficios como el salario familiar, subsidios por escolaridad o aguinaldo. No disponen de vacaciones pagas o licencia por enfermedad. Como no están registrados, si sufren un accidente no están cubiertos por las aseguradoras de riesgo del trabajo (ART) y deben soportar los costos del tratamiento médico. Como no pueden justificar legalmente sus ingresos, tampoco pueden acceder a tarjetas de crédito o si consiguen créditos es pagando tasas de usura. En contraposición, los salarios de ejecutivos locales son los mejores pagos de América latina, los sueldos de ejecutivos argentinos son el doble de los chilenos y están 30% por encima del Brasil. En 1997 la economía creció el 8% pero los salarios permanecieron congelados. Los trabajadores no recibieron los frutos de la mayor riqueza y en consecuencia se achicó su participación en el producto bruto interno (PBI). El ingreso total de los asalariados rondaría menos del 17% del PBI (hace 25 años ese porcentaje rozaba el 50%). Los 270.000 trabajadores rurales son los que menos ganan: en promedio reciben 415 pesos. El nivel de desocupación pasó del 13,7% al 13,2 entre octubre de 1997 y mayo de 1998 (INDEC).

6. La actual población marginada del sector moderno y sin esperanzas de ingresar a él, no posee las instancias de acción colectiva con que cuentan los trabajadores del sector formal; son más bien empleados en pequeñas unidades productivas o cuentapropistas en competencia con sus pares para asegurar la supervivencia. Este no es el contexto más apropiado para el surgimiento de acción colectiva. Isuani, A., *op. cit.*, pág. 257.

7. Sobre este sector, ver Minujin, A. y Kessler, G., *La nueva pobreza en la Argentina*, Temas de Hoy, Buenos Aires, 1995.

8. Ameigeiras, A., "El conurbano bonaerense: Ocupación del espacio, trama socio-cultural y pobreza", en Farrell, G., García Delgado, D., Forni, F. y otros, *Argentina, tiempo de cambios. Sociedad, Estado y Doctrina Social de la Iglesia*, San Pablo-Buenos Aires, 1996.

9. La relación entre las competencias adquiridas en la educación y la inserción laboral se hace más crucial de lo que era en el pasado. La capacitación permanente, el reciclaje periódico, son exigencias imprescindibles en la formación de los individuos. La necesidad de los jóvenes de salir a buscar trabajo desde edades más tempranas para compensar ingresos familiares o para mantenerse durante sus estudios universitarios es otro hecho determinante de la actual crisis de la educación (deserción escolar intensa en adolescentes).

10. Minujin A., y Kessler, G., *op. cit.*, 1995, pág. 39.

11. Los umbrales de capacitación al mercado de trabajo se han elevado. Incluso se han modificado las etapas de biografía laboral donde había antes una etapa de estudio fuerte al comienzo, luego otra de trabajo y una final de retiro. La idea ahora es que no son sucesivas estas etapas, sino que se entrecruzan. Se trata de cambio permanente, de empleos más cortos, donde lo seguro es el cambio, y donde no se termina nunca de aprender. Esto habla también de déficits en los sistemas nacionales y provinciales de capacitación tanto en amplitud, articulación como acreditación.

12. Pastore, *op. cit.*, pág. 4.

13. Uno de cada 7 jóvenes en la franja de edad de 14-17 años se encuentra fuera de la escuela y simultáneamente del mercado de trabajo, especialmente en los sectores de bajos ingresos. Ver Isuani, A., *op. cit.*, pág. 249.

14. Podría mencionarse como otro de los elementos del cuadro de la nueva cuestión social, la erosión de la familia. Ver Kliksberg, *op. cit.*, 1997.

15. Ver Kaplan, Marcos, *El narcotráfico latinoamericano y los derechos humanos*, México, Comisión Nacional de Derechos Humanos, 1993.

16. Casaretto, monseñor Jorge, "El desafío de la exclusión", en *Criterio*, N° 2233, agosto de 1998. Se considera una tasa de criminalidad moderada a 5 homicidios por cada 100.000 habitantes, mientras que en la región ésta trepa a 30 por cada cien mil, recibiendo el calificativo de "criminalidad epidémica", porque se difunde y crece virulentamente. Todas las ciudades en América latina son más inseguras que hace una década.

17. Ver al respecto, Bustelo, E. y Minujin, A., 1998, *op. cit.* Dice también la CEPAL, que la elevada concentración de los patrimonios determina una reproducción de las desigualdades y una diferenciación de las oportunidades futuras de bienestar. Si el grueso de los ingresos son acaparados por una franja pequeña de la población, la concentración de la riqueza es todavía más fuerte. *Panorama Social 1997 de América Latina*, CEPAL, 1997.

18. El concepto de participación en algunos casos sigue acotado a actividades de tipo clientelar-partidario, y se vincula a niveles de implementación, no tanto a las decisiones respecto de la planificación, la evaluación y mucho menos a una agenda diseñada conjuntamente.

19. Se produce una disociación entre los fines modernizantes mencionados en los discursos oficiales sobre la importancia de la política social y la edu-

cativa como llave del futuro, y de la igualdad de oportunidades y los recursos efectivamente asignados a la misma. Ver, por ejemplo, las dificultades observadas para la constitución del fondo de financiamiento educativo. Una contradicción entre la opción de buscar una educación de calidad y generalizada y el criterio fiscal vinculado a los criterios dominantes "de caja" y de pago de la deuda.

20. Esta incapacidad para alcanzar la resolución de las necesidades básicas del conjunto de los ciudadanos y así garantizar la igualdad de oportunidades, hace que con estas reformas el Estado parezca girar hacia un Estado de bienestar de tipo "residual" (Titmuss, R., en Esping Andersen, 1993), en la medida en que cada vez más pareciera asumir su responsabilidad sólo cuando falla la familia o el mercado, procurando limitar sus obligaciones a los grupos marginados y necesitados.

21. Pastore, M., "Fragmentación política y crisis. Tiempos para una nueva ideología", *III Congreso Nacional de Ciencia Política*, SAAP, Mar del Plata, 5-8 de noviembre de 1997, pág. 3.

22. Se constata, desde el Panorama Social 1997 de la CEPAL que, a pesar de que hubo un aumento del número de años de estudio tanto de los jefes como de los miembros ocupados de los hogares "parece que ese avance no generó por sí solo un proceso que influyera de manera apreciable en el resto de las variables, como tampoco se tradujo en una mejora en la distribución del ingreso. A partir de que las personas que provienen de hogares con escasos recursos cursan 8 o menos años de estudio, mientras los de más recursos superan los 12 años, esta brecha tiende a perpetuar la inserción laboral de los jóvenes. Se requiere por tanto una acción simultánea sobre vivienda y equipamientos comunitarios, disponibilidad de préstamos para incorporar capital a las tareas productivas, el acceso a la tierra, asistencia técnica, acceso de las mujeres y jóvenes al mundo laboral. Por ello, sin un esfuerzo significativo de las políticas públicas se reproducirán entre los jóvenes de hoy las mismas diferencias que existen entre sus padres". CEPAL, *op. cit.*

23. Desde 1991, contrariamente a lo que se espera cuando una economía crece, no mejoró la brecha entre unos y otros. Durante la convertibilidad, según el INDEC, el ingreso *per capita* de los hogares más pobres del Gran Buenos Aires cayó más del 14%, mientras que el segmento de las familias más ricas en ese mismo período tuvo un aumento largamente superior al 16%. Así, la diferencia entre los ingresos medios de esas familias se amplió de 20 a 26 veces en estos seis años.

24. Sería una estrategia no "fundamentalista" de la globalización, tender a la formación de un sistema productivo integrado y generador de empleo, de crecientes niveles tecnológicos y fuertemente vinculado al mercado mundial a través de la generación continua de ventajas competitivas asentadas en la incorporación del cambio técnico. Un desarrollo autocentrado en la movilización de ahorro nacional, las exportaciones, la expansión del mercado interno, la educa-

ción, el desarrollo del sistema nacional de ciencia y tecnología y su enlace con la producción de bienes y servicios (Aldo Ferrer, 1996).

25. Este contrato también puede estar asociado al fortalecimiento institucional del Estado. Si bien la reconstrucción del Estado de bienestar es inconcebible, la proporción del gasto público para el gasto social es creciente, lo que facilita el camino para la posibilidad de un uso del gasto estatal más eficiente y para mejorar la calidad de vida. Para lograr esto sería necesaria una estructura institucional similar a la que se ha venido constituyendo en la esfera económica. Así como se ha constituido un Banco Central con más autonomía, un ministerio de finanzas y autoridad presupuestaria, de autarquía de la DGI, para vigilar los balances macroeconómicos. Algo similar –dice Sunkel– podría ser creado en el sector social: un Ministerio, Banco, Autoridad Presupuestaria, para supervisar los equilibrios sociales en un nivel macro. Sunkel, O. "Globalization, Neoliberalism and State Reform", *Seminario Internacional Sociedade e a Reforma do Estado*, San Pablo, marzo de 1998.

26. Cuando hablamos de Nuevo Contrato Social, lo hacemos no como un contrato para dotar de legitimidad al sistema político, ni a los representantes, ya que ambos son procesos ya consolidados (la democracia representativa). Por lo tanto no es un proceso previo al sistema político como lo plantearon los contractualistas clásicos (Hobbes, Locke, Rousseau), ni una interrupción del mismo. Se trata de un contrato al interior mismo de un sistema ya existente, que en todo caso lo afianza, o produce un movimiento de profundización democrática.

3

PÉRDIDA DE SENTIDO, DE IDENTIDAD Y DE ETICIDAD

La prioridad otorgada a los valores y criterios de la economía de mercado se plasma en la afirmación de una doble cultura: La cultura de la conquista: el mundo se reduce a una serie de mercados por conquistar. Lo importante es ganar. En semejante contexto, los demás valores y criterios ocupan un lugar subordinado, secundario y residual. Y la cultura del instrumento: ya no cuenta el hombre, la persona humana, sino la eficacia y la rentabilidad del instrumento (el ordenador, la moneda única), del objeto/mercancía (el automóvil, el teléfono móvil...), del sistema (los mercados financieros, las superautopistas de la información). La persona humana se ha convertido en recurso, en "recurso humano", en la misma medida que los recursos naturales, energéticos, tecnológicos y financieros.

RICARDO PETRELLA, 1998

El tercer eje de indagación sobre la conflictividad postindustrial remite al complejo impacto que provoca la crisis del Estado de bienestar, la irrupción neoliberal y posmoderna en los valores, representaciones e imaginario social. Si bien uno de los efectos más evidentes de la globalización se observa en la uniformación creciente de los estilos de vida, estandarización de los consumos, generalización de modas y prácticas que hacen que casi todos en diversas sociedades se vistan de una misma manera y tengan similares preferencias y aspiraciones. Se trata principalmente de la experiencia de vivir el mundo como una "aldea global", interconectada en relaciones de todo tipo a nivel planetario.

Es el impacto de una revolución tecnológica que acelera los cambios e influye directamente en la vida cotidiana, generando un sentido de universalidad a través del desarrollo de todos los sistemas de comunicaciones. Los avances tecnológicos crean las condiciones para las transformaciones culturales y sistemas comunicacionales, modifican el comportamiento de las personas y se tiende a vivir desde informaciones globales pero fragmentarias. Ello lleva a la pérdida de puntos de referencia en distintos ámbitos de la vida, de creencia y de seguridades básicas para situarse en el mundo. También vinculado a una sobredosis de ofertas (bienes, servicios) todas niveladas y banalizadas, junto al temor al fracaso y la propagación de una mentalidad exitista. Se trata de una fuerte presión por el triunfo y por el ascenso individual, de aprovechamiento de la oportunidad, junto a la crisis de los grandes proyectos. Todo esto dificulta a las personas hacer opciones de vida con relativa hondura y se tiende a vivir como aquel que cambia constantemente su canal de televisión *(zapping)* y se vuelve incapaz de elegir y seguir un programa (Goic, 1997).

A partir de ello, tres aspectos significativos de este cambio cultural pueden distinguirse: el primero, vinculado a un desplazamiento del marco cultural más amplio, del moderno (basado en la razón, visión progresiva de la historia, grandes relatos) al posmoderno (indeterminación, individualismo, subjetividad). El segundo, por el pasaje del *ethos* del Estado de bienestar (basado en la cultura estatal configurada en la igualdad social, en identificaciones fuertemente políticas y en una ética social nacional), al individualismo competitivo (exaltación de la *performance* individual, sociedad de ganadores y perdedores y una ética legalista). Y el tercero, por el pasaje del imaginario de la sociedad industrial (el "del trabajador") al de la sociedad postindustrial y de servicios (el "del consumidor") (García Canclini, 1995).

De lo que se trata ahora es de analizar los rasgos generales de este cambio, de una transformación que genera una nueva subjetividad, que amplía los valores liberales y pluralistas, pero que también significa pérdida de sentido, de identificaciones políticas y sociales y de la ética social vinculada al Estado-nación. Lo cual nos lleva a interrogarnos sobre cuál podría ser el rol del Estado en este plano, sobre todo en un área en la que el avance de la desregulación y la privatización ha sido tan amplio, pero donde las demandas de reconstitución de sentido, identidad y eticidad siguen estando vigentes. Dicho en otros términos, ¿qué rol podría desempeñar el Estado en la reconstitución de una ética social acorde con la sociedad que se está construyendo?

A. POSMODERNIDAD, NUEVO IMAGINARIO Y FAMILIA POSNUCLEAR

Si bien el concepto de posmodernidad es problemático para caracterizar la cultura predominante, por las connotaciones polémicas que conlleva, aquí lo consideramos básicamente como una categoría sociológica más que filosófica. Un concepto que aglutina las características culturales dominantes de una época, los valores y orientaciones de la sociedad de la información y de los servicios. En este enfoque, la cultura posmoderna es la que corresponde a las sociedades postindustriales.[1] Y es en estos términos que consideramos la nueva realidad cultural posmoderna como una situación marcada por la ambigüedad, la complejidad y la necesidad de discernimiento.[2]

En primer lugar, el pasaje a esta cultura se caracteriza por la velocidad y radicalidad con que ocurre, por la "compresión del tiempo y espacio" (Giddens, 1994). Es que en ninguna época de la humanidad se vivieron en tan corto plazo cambios tan acelerados y definitivos. Se caracteriza por la crisis de certezas, el retiro de los grandes proyectos colectivos y de la voluntad de transformación global (ausencia de ideales de utopías o crisis de las anteriores y comienzo de nuevas). Por un énfasis en la libertad, el desarrollo personal y una creciente preocupación por la *performance* individual y el éxito. El neoindividualismo aparece como una afirmación radical de autodeterminación, desconfiando de todo lo colectivo, así como de toda forma de compromiso por una causa. Es la aparición del "gran vacío" y de la cultura de la "descreencia".

Nos hallamos frente a una cultura donde el individualismo competitivo y los valores del mercado y de la economía inundan la subjetividad, donde de la búsqueda de la felicidad en lo público estatal y el deseo de "transformar el mundo" se pasa a una consideración que privilegia sólo el "transformar mi mundo". Donde la gente abandona las acciones colectivas para volcarse a la transformación de lo único que hoy es posible transformar: el cuerpo y la personalidad. Y esto ha generado dos amores nuevos que reemplazan pasiones anteriores: las diversas terapias *light* y los grupos de autoayuda y de cuidado del cuerpo.[3]

Se trata de una situación donde no hay puntos de referencias universales ni valores absolutos o constantes, sino una pérdida de unidad y de fundamentos, donde predomina una gran permisividad en el campo de la conducta moral. En este campo cultural marcado por el individualismo y el hedonismo se produce otra paradoja: junto con el aumento de la racionalidad instrumental, de la competitividad y la eficacia, se produce también un resurgimiento religioso. La religiosidad posmoderna aparece como más íntima y expresiva, desligada de las ideologías o del compromiso social, desinstitucionalizada (sincrética y fundamentalista en algunos casos, con proliferación de grupos carismáticos). Un resurgimiento religioso cruzado por elementos mágicos, que va de la mano con una ruptura de la hegemonía que antes tenían los símbolos e instituciones del catolicismo.

Asistimos al pasaje del énfasis en la razón, del *cogito* cartesiano de la modernidad ("pienso, luego existo") al predominio de la sensación, a una mayor valoración de lo corporal y de lo subjetivo, al "siento, luego existo" de la posmodernidad. En ese sentido, lo corporal, lo sensible, el sentimiento, la autenticidad, el instante, la espontaneidad y la oportunidad no son sólo valorados en el mundo de los adultos, sino también en el de los jóvenes. En lo juvenil, lo corporal es particularmente importante para el reconocimiento del grupo de pares, para la aceptación de sí mismo y para obtener la aprobación social. La imagen corporal es hipervalorada, se convierte en un ideal que concentra gran parte de las energías vitales, pero abrevando en los modelos dominantes, provenientes de los medios de comunicación. Mujeres y hombres, en función de la competencia, tienen que mantener su cuerpo en forma, porque en cuanto éste envejece o engorda, se desvaloriza frente a los modelos dominantes.

En la nueva cultura, los vínculos sociales comienzan a contaminarse con la idea de competitividad. El consumismo aparece como un canto de maximización de la libertad, de las opciones y de la autonomía individual, el ser uno mismo, el "ser especial". Y, a la vez que estos bienes, servicios y oportunidades se vuelven más y más universales, no se posibilitan a todos de la misma manera las condiciones reales para su acceso. Es como un banquete al que todos son invitados, pero en el cual pocos pueden sentarse a la mesa.

Cuadro 4
Cambio Cultural

	Modernidad	Posmodernidad
Logos	Secularización, mentalidad científico-técnica, fe en el progreso, voluntad emancipatoria, espíritu del capitalismo burgués, el futuro, la revolución (Prometeo)	Desencanto, ausencia de sentido del mundo moderno, relativismo, tiempo presente, fin de la idea de progreso, de los grandes relatos, la fruición, lo lúdico, el hoy (Narciso)
Valores	Valoración de la razón, lo objetivo, la certeza, la secularización, la unidad (Predominio del superyó)	Valoración del pluralismo, la subjetividad, la diversidad, la afectividad, escepticismo (Predominio del ello)
Cultura predominante	Estatalista: El ciudadano "trabajador", el texto, lo objetivo, lo público estatal, el compromiso sobre la dependencia, la revolución Valoración del Estado	Del mercado: El ciudadano "consumidor", la imagen, lo privado, "el estar bien" Problemática de la inclusión y la calidad de vida Valoración de la sociedad civil
Cultura política	Del igualitarismo estatal	Del individualismo competitivo

Aparición de un nuevo imaginario cultural

El cual si bien se muestra escéptico respecto de lo político en general, de un modo particular lo es sobre sus formas y canales tradicionales, pero también es diferente al imaginario neoliberal individualista y consumista.[4] De acuerdo a Scannone este imaginario empieza a captar lo local y lo supranacional, es distinto al modelo estadocéntrico, revolucionario, político y socialista de fines de los sesenta y setenta, de los grandes relatos. Cuando se habla del fin de los grandes relatos, significa que ya no se puede descansar en la certeza acerca del sentido final de la Historia. La moderna noción de proceso histórico, en tanto implicaba una separación de lo concreto y lo general; separación por la que se convierten en significativos cuantos particulares eran abarcados por la "totalidad", ha perdido el monopolio de la universalidad y el significado. El resultado más inmediato de la muerte de la Historia como teleología es la omnipresencia de la "desoladora contingencia" (Kant); lo general ya no concede significado y sentido a lo particular, que liberado de esa matriz recobra su carácter múltiple, aleatorio y diverso: contingente.

Un imaginario que se ubica más en la vida cotidiana, en sus dimensiones sociales y públicas, y que tiende a valorar la iniciativa personal, comunitaria y solidaria. Que se ubica en un espacio público no estatal, que apunta a la participación social, más que partidaria, y es democrático pero prefiere una coordinación flexible en formas de redes, más que en lo piramidal y partidario. Que se mueve en la dinámica de lo voluntario y de la constitución dialógica del consenso y no tanto en relaciones típicas de la sociedad tradicional (de parentesco, compadrazgo, vecindad) o de la sociedad moderna (gremiales, partidarias), como tampoco en relaciones utilitarias o meramente funcionales (Scannone, 1998). Que adhiere a experiencias no clasistas, sino transversales de elaboración de diagnósticos conjuntos.

Pasaje de la familia nuclear a la posnuclear

Además del cambio de imaginario y la diferenciación educativa creciente, éste es otro dato decisivo a tener en cuenta. Así como la modernidad industrial trajo consigo el avance de la familia nuclear sobre la ampliada, somos testigos del nacimiento de una nueva estructura familiar propia del posindustrialismo. La familia tipo (dos hijos, fuertemente institucionalizada y estable) se desarrolló en un marco de movilidad social ascendente, de estabilidad laboral y de referencia religiosa homogénea. Mientras que ahora algunos de los rasgos de la familia posnuclear emergente son: se hace más precoz el primer contacto sexual entre los adolescentes; se retrasa la edad de casarse; nace más tarde el primer hijo; baja la tasa de fecundidad; disminuye la nupcialidad; hay más cohabitación y se produce una mayor disolución voluntaria de las parejas; hay cada día más mujeres en la población activa, y se consolida una simetría mayor en las relaciones de poder entre los miembros adultos de la familia.[5]

En la relación entre padres e hijos se pasa de una ruptura rápida del joven con la familia, la salida al exterior y el fuerte conflicto intergeneracional anterior, a la prolongación de la permanencia de los hijos en la casa paterna. Ya no hay un choque generacional abierto, pero las distancias con los adultos tampoco se han acortado. La armonía familiar es el *modus vivendi* que permite a los jóvenes aprovechar la dependencia en beneficio de su vida personal, sin que en este dominio los padres dispongan de un derecho efectivo de intervención. En un mundo no de confrontación generacional sino de desconexión, los jóvenes prolongan su permanencia para la mantención de un cierto estatus social de consumos que les sería imposible lograr en otro espacio.

Es que la familia es el marco de contención y permanencia que ningún otro espacio o relación parece dar. La institución familiar se ha convertido en una auténtica "seguridad social", tanto para los hijos que tardan en encontrar su primer puesto de trabajo y que prolongan su permanencia en la familia, como para los individuos (tanto padres como hijos) que han perdido el empleo y engrosan la cada vez más larga lista de los parados. En ese sentido, sin la familia sería incomprensible que pudiera seguir adelante esta sociedad que, entre otros rasgos, se caracteriza por ser una sociedad del desempleo.[6]

Hay una mayor horizontalidad en la relación padres-hijos y en sus vinculaciones afectivas. Los jóvenes, en su hogar, gozan de un amplio grado de libertad y de tolerancia paterna, especialmente una menor referencia a modelos de vida basados en valores y límites, trabajo y satisfacción postergada, y más en estilos de vida, consumos y accesos, y hay una más temprana iniciación sexual de los jóvenes. Una reciente encuesta reveló que casi las tres cuartas partes de los jóvenes ya han tenido relaciones sexuales. Ha disminuido el sentido de la relación sexual en términos de responsabilidad, compromiso e institución. Y sobre todo, a partir de la extensión del sida, se tiende a banalizar la misma en términos de seguridad e higiene. El modelo televisivo, en el cual el joven siempre tiene razón, se convierte en una suerte de *logos* donde la valoración de la espontaneidad, de la libertad, de la experiencia afectiva y sexual es alta, afirmándose la percepción de que estas referencias y valores parecería lograrlo todo frente a padres confusos que finalmente terminan convirtiéndose al nuevo credo.

En este pasaje de la familia nuclear a la posnuclear avanzamos hacia una sociedad donde son tres los tipos de familias dominantes: las familias de primeros matrimonios nucleares típicas, las monoparentales y las familias recompuestas. La familia recompuesta se integra mediante la unión de una o dos personas divorciadas y su descendencia, que aportan los hijos habidos en el matrimonio anterior.

Es un proceso que se repite y que puede complejizarse al no haber límite legal a los divorcios. Una especie de familia extensa que nunca se había dado previamente. Donde la socialización de los chicos y adolescentes se produce con diversas relaciones parentales. También parecería influir en esta vigencia de la familia la tendencia cultural a la constitución de una sociedad "centrada en el hogar", en el sentido de que el trabajo informático posibilita cada vez más una desvinculación de grandes estructuras centralizadas de gestión. El ocio, el esparcimiento, la educación y las compras se hacen cada vez más en la casa, vinculadas a la informática y al hecho de que es más barato y seguro "dentro" que "fuera". Pero lo cierto es que la sociedad de la información y neoliberal, más que estar centrada en la familia, lo está en el individuo. Más que valores familiares y comunitarios, predominan los de la autonomía individual, de expresión y desarrollo personal. La verdadera tendencia en la sociedad de la información es liberar y fortalecer lo individual, no la familia. Esto es implícito en mucho de lo que los actuales teóricos de la sociedad dicen acerca de las potencialidades de la nueva tecnología. Inmerso en la privacidad de su propio cuarto, sentado frente a la terminal de la computadora, el individuo se entretiene a sí mismo, se educa a sí mismo, se comunica con toda la gente en las autopistas informáticas y se provee tomando el trabajo necesario en la economía informatizada.[7]

Pero lo cierto es que el cambio que se produce en las formas de amor y en las relaciones de pareja tiene una marca distintiva: el aumento de la soledad. En Nueva York, la mitad de los habitantes vive en hogares unipersonales, mientras que en Buenos Aires, en el último censo, hay zonas de la ciudad donde la cifra de gente que vive sola trepa al 42%. Estas situaciones son desafíos novedosos para la reflexión cultural y para las mismas políticas sociales: por el creciente número de gente sola, de ancianos que no pueden pagar impuestos, de profesionales desocupados, de nuevos pobres, así como también de afectados por el sida, la droga, la bulimia y la anorexia, que conforman nuevas áreas de carencia que deben ser atendidas.

Por otro lado, y en positivo, surge una familia con nuevas posibilidades, con formas más simétricas de relación en la pareja, frente al sometimiento de la mujer que era frecuente observar en el matrimonio tradicional. El cambio también tiene que ver con que la sociedad moderna industrial era una sociedad paternal y machista, y actualmente estaríamos pasando a otra más reivindicatoria de lo femenino y con mayor simetría de los sexos. Se trata de un replanteo del rol de la mujer, con hechos decisivos como su creciente incorporación al mercado de trabajo, el acceso a cargos y posiciones destinados anteriormente sólo a los hombres, y una mayor facilidad en el control de la natalidad, como así también un modelo de hombre más afectivo.[8]

Cuadro 5
Cambio estructura familiar

Tipo	Familia nuclear	Familia posnuclear
Rasgos	Homogeneidad, estabilidad	Diversidad, fragilidad Monoparentales, recompuestas
Modelo	Familia tipo, fuerte institucionalización Familias monoparentales y recompuestas	Retraso de la nupcialidad, reducción de la fecundidad
Modelo	Un solo modelo como válido La mujer centrada en el hogar (reproducción) Compromiso del varón en el sustento familiar (proveedor) Valor: estabilidad, compromiso, reproducción Rápida salida de los hijos del hogar Fuerte estabilidad del vínculo	Diversidad Mayor simetría de roles de la pareja (patria potestad compartida) Valor: autenticidad, placer Prolongación de la permanencia de los jóvenes en la casa paterna Mayor labilidad del vínculo

Pero en esta reelaboración de las relaciones de pareja y los valores de la subjetividad de padres e hijos, la articulación familiar es amenazada por dos vías: la económica y la cultural. La primera, por un mundo laboral más competitivo, complejo y restrictivo, que quita tiempo y energía para fortalecer las relaciones personales en el interior de la familia. A su vez, por inestabilidad laboral, ingresos que para muchos sectores son declinantes, con más horas de trabajo o con trabajos precarios y donde crece el desempleo, perdiéndose dimensión de futuro y progreso. El desempleo presupone pérdida de dignidad y de autoestima para los jefes de familia, promueve el aumento de hogares a cargo de la mujer, la feminización de la pobreza y la desarticulación familiar que ésta facilita.

La segunda, porque la sociedad de la información y de los medios está centrada en el individuo, en su autonomía y realización, y en la reivindicación de un relativismo que tiene como único *logos* la libertad personal y el éxito económico. Por un lado, la cultura queda colonizada por una economía autonomizada de toda responsabilidad ética y social y un pensamiento liberal que toma distancia del impacto que esta liberalización y flexibilización genera en la trama social. Por el otro, el neoindividualismo, en su vertiente posmoderna relativista, sólo busca maximizar los espacios de libertad personal, no sólo describiendo con realismo la sociedad del yo, del sentimiento y del momento, sino naturalizándola y convalidándola.[9]

En síntesis, la desocupación y el individualismo competitivo y el Estado ausente pesan sobre la familia como una gran amenaza. Se encuentran allí grandes necesidades económicas y afectivas insatisfechas y fuertes tensiones. Se trata de una suerte de familia finisecular, cuyos contornos son indefinidos porque avanza la desinstitucionalización y se evapora la condición de estructura concreta. Pero aunque actualmente incierta en su composición y en su porvenir, la familia, en la historia humana, ha mostrado una gran capacidad de adaptación al cambio de las estructuras sociales. Lo cual, sin embargo, no es excusa para la absoluta desatención que se observa hoy por parte del Estado de lo que está ocurriendo en la base de la sociedad.

B. Consumismo y crisis de sentido

El fenómeno de la posmodernidad y de la crisis de los grandes relatos colectivos puede ser visualizado como una crisis cultural que introduce un creciente grado de individualismo. Problemática que se traduce en una preocupación muy fuerte por sí mismo (la sociedad del yo, H. Bejar, 1995) articulada a un fuerte economicismo (la "sociedad de ganadores") de ganancia rápida, donde incluso pareciera que el fin justifica los medios, mediando cierto respeto formalista de reglas, para la obtención del objeto y estatus deseados. Se trataría de una crisis de valores muy profunda que genera una suerte de "indiferencia inducida" sobre lo social.

Quizás uno de los aspectos determinantes de esta mutación sea aquel que puede caracterizarse como la "cultura consumista", y que se observa en el pasaje de la centralidad que tenía "el trabajador" en el modelo del Estado benefactor al "consumidor" en el actual. Este nuevo modelo de ciudadano se caracteriza por una orientación centrada en la adquisición de bienes, la exhibición y ostentación como elementos centrales de la identidad. Un afán de poseer y consumir que no deja tiempo para gozar plenamente de lo poseído, donde se tiende a la creación constante de necesidades en muchos casos ficticias, pero que se presentan como impostergables, dada la sobreoferta de bienes, servicios, opciones e información. Se trata de tener, poder, disfrutar, ganar, alcanzar éxito, deslumbrar a los que me rodean. "Estos son los valores que se enroscan en el eje axiológico de la sociedad consumista. Hay un hombre y una realidad correspondiente a este sistema de valores, expresado en forma de eslogan: es un nacido para consumir en el gran almacén de la sociedad occidental" (Mardones, 1991).

La nueva cultura se centra en el consumo como búsqueda de constitución de sentido, a diferencia del modelo estatal público previo, basado en "las energías utópicas de la sociedad del trabajo" (Habermas, 1986). Así, la sociedad en su conjunto tiene que repensarse sin el horizonte de la utopía, de valores sustantivos compartidos, y es en esta caída del imaginario donde la crisis de sentido se ve con más fuerza, o donde encarna más claramente en la historia colectiva de nuestros países. El sentido que se constituía en la política y en lo público, ahora se desplaza a otros ámbitos: lo privado, la *performance* económico individual y las relaciones primarias y de la afectividad. Pero el regreso a lo privado no implica necesariamente la felicidad.[10]

El consumismo no sólo significa alteración de valores (individualistas posesivos, privatistas), sino que, a la vez, rompe la estructura de acción colectiva, fortaleciendo la acción individual y la competencia sobre la cooperación. Modifica el esquema de solidaridad vinculado al mundo del trabajo. En el individualismo competitivo cambia la relación público-privado: hay distanciamiento de la esfera pública y retirada a la privada. Como diría Tocqueville, es la desafección de "la gran sociedad" en provecho de la compañía de los íntimos. En la medida en que la política y sus organizaciones tienden a especializarse y a escindirse del quehacer diario de la gente, la decepción hace crecer el desinterés y la desmovilización política.

En ese sentido no son menos importantes los efectos de este modelo de acumulación sobre la cultura y la democracia. En el primer
caso, poque como señalan Bustelo y Minujin, se ha impulsado una
cultura donde los vencedores son los que ganan dinero y acumulan
riqueza y, entre ellos, los más exitosos son los que hacen fortuna más
rápido. "Dinero fácil" no significa una cultura de producción sino,
por el contrario, una económica laxa en que quienes asumieron los
riesgos de producir frecuentemente terminaron rematando sus activos productivos (Bustelo y Minujin, 1998).

Es la elaboración permanentemente estimulada por los medios de
una sociedad flexible basada en la información y en la estimulación
de las necesidades, la sexualidad, con un fuerte énfasis en los derechos humanos y apuntando al máximo de elecciones, a la mínima
austeridad y a la máxima realización del deseo. Un proceso que se
produce bajo el signo de dispositivos abiertos y plurales. Como dice
Lipovesky, sociedad de la indiferencia de masas, de la innovación
banalizada, donde el futuro no necesariamente es progreso y no mo-
tiva a la suspensión de ninguna satisfacción del presente.[11] Pero este individualismo es distinto al del Estado liberal. Si en aquel período el individualismo había ganado capas de las élites, manifestándose
como posibilidad de progreso y creatividad, ahora también penetra
en los sectores populares y también puede ser signo de aislamiento.

El impacto de la cultura del mercado en el mundo del trabajo gra-
vita en los imaginarios dominantes. Se manifiesta como requerimientos de resultados y de *performance* individual, y vinculados a un
mundo no de derechos sociales sino de oportunidades y espacios para conquistar. Esto desafía a la superación personal, promueve la capacitación, la creatividad, la comprensión de las nuevas reglas, pero
estas oportunidades no se presentan para todos, porque el nuevo perfil cultural es duro para los que no se adaptan o incorporan. Esto puede caracterizarse como el pasaje brusco de una cultura del trabajo
protectiva, garantizada y estatal, a otra más flexible y meritocrática
del mercado, pero sin garantías ni derechos.

De este modo, la cultura del mercado, en un marco de ajuste estructural, promueve una marcada distinción entre ganadores y perdedores. El modelo fortalece las diferencias y la propia culpabili-
zación en una guerra discursiva en la cual los pobres se sienten
responsables de su propia situación de marginalidad, como mere-
cedores de la misma. Ello genera pérdida de autoestima, aumento

de la inseguridad e incertidumbre hacia el futuro. Jean-Paul Fitoussi dice que el aspecto positivo del individualismo es el desarrollo de la autonomía personal, pero que, en situación de crisis social, "lo que se percibe es el aspecto más negativo del individualismo: que la gente se siente responsable personalmente por su fracaso cuando, en realidad, se trata de procesos que atraviesan al conjunto de la sociedad".[12]

Este impacto de la cultura del mercado es configurador del "malestar social". Como dice Lechner (1997), el avance del proceso de modernización se encuentra acompañado de un profundo malestar, a pesar o precisamente a raíz del éxito que tienen las diversas modernizaciones, se extiende un amplio descontento. A veces, el mismo cristaliza en reivindicaciones concretas (la pobreza, la corrupción, la delincuencia), pero generalmente no es más que un malestar difuso pero persistente. Se trata de una sociedad desconfiada del vecino, de los sistemas de salud y de previsión, del futuro del país, incluso de un "nosotros", aunque los indicadores macroeconómicos sean buenos. Se pregunta este autor, entonces, "¿Qué pasa con esta estrategia de modernización, que con todos sus logros no consigue generar adhesión? Precisamente eso: no es más que modernización, una modernización que se ha vuelto un fin en sí misma. Corremos el peligro de una modernización sin modernidad, que no tiene en cuenta a la subjetividad o bien la instrumentaliza en función de sus fines. El malestar parece ser la expresión de esa subjetividad abusada y huérfana, subordinada o ignorada; la crítica de una modernización que avanza atropellando y descartando a los sujetos."[13]

Este malestar es clave en el creciente cuestionamiento que se observa del "modelo", no sólo por sus déficits éticos, sino en lo que se pensaba más exitoso del mismo, en lo económico. Porque la gente empieza a ver que la estabilidad de precios viene asociada a una fuerte inestabilidad social. Porque si bien no ha perdido el temor a la inflación, ya es mayor el que experimenta respecto del desempleo, la pérdida de ingresos y de futuro. Porque se ve que las tendencias son a aumentar la fortaleza de los ya muy concentrados, y sin ningún equilibrio social o poder moderador. Donde la desnacionalización de la propiedad de las empresas y decisiones, la creciente desigualdad y segmentación, los llevan a sentirse como "extranjeros en la propia tierra", todo lo cual es otra decisiva herencia del modelo a reelaborar.

C. Crisis del Estado-Nación e Identidad

La crisis del Estado-nación tiene también hoy un correlato iden- titario: crisis de la identidad nacional. Pero la pérdida de identida- des tiene que ver principalmente con la de los referentes políticos que constituyeran la sociedad, en términos tanto de las identidades políticas que configuraron el Estado de bienestar, como de la na- ción misma. Porque la modernización actual desafía la univocidad de sentido del proyecto moderno y afirma la diversidad cultural, el pluralismo, el regionalismo, el localismo. Este proceso permite ob- jetivar, desde América latina, los aspectos diferenciales con los que ella ha realizado su modernidad respecto de Europa y Estados Uni- dos, y reconocer el rol decisivo que en este plano ha jugado la edu- cación, secularizando la cultura y disciplinando la sociedad, pro- moviendo la movilidad social y la transformación del trabajo, difundiendo la ideología del Estado-nación y formando los ciuda- danos y productores.

En este sentido, tanto la configuración de los procesos de identi- ficación propia del primer modelo, vía educación pública abierta y gratuita con homogeneidad, y del segundo, del Estado social, del tra- bajo industrial y de pleno empleo, ambas dimensiones están en cri- sis. Porque respecto de la educación en la actualidad, por un lado, se está configurando un sistema educativo que se vuelve cada vez más dual. No sólo por la presencia más importante de la educación priva- da y la declinación de la pública, sino porque la educación de exce- lencia se vuelve cara y va consolidando, por un lado, una buena es- cuela, colegio secundario o universidad, y por otro, una "mala", en la cual están los que no tienen ningún remedio y cuya capacidad de degradación es ilimitada. El modelo económico genera, en la educa- ción, diferencias cada vez más marcadas entre los que pueden acce- der a los niveles superiores de calificación y los que quedan margi- nados.

Por otro lado, esta crisis de identidad tiende a un reforzamiento de lo local, a sentidos de pertenencia depositados en las marcas del consumo, en los estilos de vida o en la relación con cierta geografía (nuevos grupos ecológicos, gays, subculturas juveniles). En algunos casos, la adaptación a lo existente y lo que parece inmodificable conlleva la renuncia de estos grupos a la participación social y política. Se vuelve posible y probable la caída en la indiferencia, la apatía, el conformismo y la despolitización. Y con ello, la aceptación de un cierto disciplinamiento y control de nuevo tipo que encara la dominación del mercado a fin de siglo (Kaplan, 1997).

Y junto a la diferenciación, la apatía y la fragmentación, también se debilita la construcción del "nosotros", de sentido de pertenencia a una comunidad política más amplia y a un destino común. La creciente autonomía individualista que el modelo fortalece, en este contexto de alta competitividad y de exclusión, es por ello generadora de sociedades anómicas, de creciente inseguridad, de temor al otro. La autorrealización en lo privado desconoce la dimensión social del hombre y la anomia es desintegradora de lo social: en sociedades atomizadas no hay proyectos comunes.

La globalización postula su propio referente identitario: una ciudadanía trasnacional que se propone culturalista, una ciudadanía global que se constituye teniendo como referencia hegemónica a los países centrales, una suerte de "ciudadano universal" detrás de la terminal de Internet. Pero, por otro lado, la configuración del proceso de globalización afirma también la pertenencia a lo local, a lo más cercano, así como la construcción de bloques o *polis* supranacionales. Y si bien es cierto que las identidades locales y subregionales se van a profundizar, lo problemático es que si no se produce al mismo tiempo una reconstitución de una *polis* abarcadora más amplia y sentida como propia, como, por ejemplo, se da en el caso de la Comunidad Europea, este fortalecimiento de lo local o subregional puede desembocar en una dinámica de "bote salvavidas", donde cada región o ciudad busca salvarse por sí sola realizando un corte con solidaridades más amplias.

En realidad, el proceso de globalización –como señala Claus Offe– genera varias reacciones en su influjo posmodernizante, contratendencias frente al ímpetu uniformador y deculturante, observadas y apuntadas al redescubrimiento de la estética local y de tradiciones religiosas que están siendo adoptadas simbólicamente como resistencia a la uniformidad de la cultura global.[14]

D. RECONSTRUCCIÓN DE UNA ÉTICA SOCIAL

Cada relación Estado-sociedad configura una ética social: la del Estado liberal, individualista, con un marcado énfasis en el deber y la familia, la escuela pública y superación personal. La del Estado social, comunitaria, nacional, de las ideologías y organizaciones. Y en la nueva formulación del Estado neoliberal, neoindividualista y posmoderno, se trata de una ética utilitaria y legalista. Pero, además, en la sociedad postradicional la problemática ética deja de ser una cuestión menor y casi privada, para convertirse en una dimensión política y reflexiva de mayor significación.

Ahora bien: ¿con qué rasgos emerge este nuevo perfil ético, y en qué medida el Estado se hace cargo de su construcción? Porque vemos aparecer, en diversos niveles, una mayor reflexión acerca de la cuestión ética individual, así como también la aparición de nuevos valores en la ética social y énfasis en la importancia de la pública, lo cual coexiste, paradójicamente, con una sensación de frustración y crisis de valores. Pero veamos con algún detalle estos diversos aspectos.

Ética individual. G. Lipovetsky, desde una perspectiva posmoderna (1994), se pregunta por qué el neoindividualismo no degenera en un "todo es posible", sino que lleva a la emergencia de la cuestión ética luego de un momento de transgresión asociado a los primeros años de la irrupción neoliberal, aparece de otra forma, no basada en la religión tradicional del deber, sino en la búsqueda de reglas justas y equitativas. No se trata, esta vez, de una renuncia a nosotros mismos sino de reglas de convivencia. Es un "no" a las consagraciones integrales tanto al prójimo como la familia o la nación. En la era del vacío, se erosiona el sentido del "deber ser" absoluto. La sociedad del posdeber sería de una moral indolora, así como la anterior era virtuosa y rigorista. De satisfacción del deseo, no de postergación y renuncia. Hedonista pero ordenada, de autonomía pero evitando los excesos. Pero esta fijación es menos deductiva, ideológica, teológica o adscriptiva que la anterior, se vive como más personal e individual y sobre planos que antes no se tematizaban en lo público (reproducción, ética sexual, genética, etc.). A la vez también coexiste con una vuelta del deber ser pero proveniendo de una fuerte presión por el éxito individual.

Si bien en este contexto se revaloriza la subjetividad y libertad de los individuos que amplían sus fronteras de elección, un sesgo de esta interpretación posmoderna podría ser el adoptar una moral únicamente estratégica, algo así como obtener el máximo de cosas que se desean sin exponerse a costos demasiado elevados por ello. Una ética individual como límite y no como principio, como plena de derechos pero sin obligaciones; es decir, "yo no renuncio a nada, pero me conviene tener algunas consideraciones estratégicas". Esto, naturalmente, está cortado por ejes generacionales, en la juventud implica pocos límites y un mínimo reconocimiento de umbrales de convivencia. Pero también donde surge una ética de la autenticidad cercana a la nueva sensibilidad, que manifiesta que los problemas han cambiado, y más que los problemas, la manera de enfocarlos y vivirlos. Precisamente ésa es la diferencia entre la solución fija, universal y rectilínea establecida de antemano e indiscutible, el constreñimiento grupal o colectivo, y la amplitud personal, variada y matizada del conjunto de circunstancias en el momento irrepetible. Y parte de la novedad histórica de la irrupción juvenil actual, está vinculada a la ética de la autenticidad, que tiene que ver con el nuevo imaginario: espontaneidad, franqueza, sinceridad, sentimiento, dejar traducir lo que verdaderamente se piensa. Una tarea que implica salirse de marcos, diversificar enfoques, valorar alternativas, quitarse "las caretas", pero sin un compromiso social definido.

Etica social. Tal vez el valor social emergente en el mundo actual no tiene que ver con la igualdad sino con la solidaridad y con la generalización de un *ethos* de los derechos humanos de carácter universal. En lo relativo a la solidaridad, parte de tomar en cuenta que, efectivamente, a algunos sectores de la sociedad les está yendo muy mal, y que es necesario hacer algo al respecto, sentido de interdependencia. Esta importancia que el valor solidaridad adquiere en la posmodernidad puede dar lugar, por su ambigüedad, a concepciones de solidaridad privada, esporádica y neofilantrópica, reforzada por medios y campañas televisivas, pero también abre posibilidades de recuperar este valor en una dimensión pública y no sólo como sentimiento moral individual.

Al mismo tiempo, en los últimos años se han diseminado cursos de ética empresaria, han surgido posgrados en esta especialidad en los más diversos campos. Hay una acentuación del carácter profesional de la ética laboral, de superación personal, de capacitación permanente, de hacer bien las cosas, de la transparencia y la eficacia, como también de códigos respecto de la comunidad. Las corporaciones buscan ampliar y mejorar su imagen respecto del medio ambiente e incorporan cuestiones sociales, ecológicas, etc. El acento se pone en fijar reglas y, por lo tanto, en aceptar estas limitaciones.

Esta reflexividad avanza también en elaboraciones acerca de la responsabilidad social de las empresas vinculadas a fundaciones ligadas al tercer sector. En el mundo empresario también pueden tener los siguientes sesgos: la ética como límite y no como principio, una construcción legalista, indolora, estética y *à la carte*, y como utilización estratégica de ésta, introyectando la cultura del instrumento, también una ética como imagen y posicionamiento empresario frente a la comunidad, a bajo costo, como principio autorregulador que no necesita y que rechaza todo tipo de interferencia estatal.

Ética pública. Por último, emerge una ética vinculada al Estado, vinculada a los problemas de corrupción, de falta de transparencia y opacidad del poder (los hombres públicos tienen que ser probos). Esto promueve, a partir del desprestigio de los políticos, uno de los datos novedosos de la política posmoderna: el énfasis en el control y en las demandas de eticidad pública que, de hecho, constituye uno de los principales cuestionamientos a los gobiernos. Aparece una concepción de ética pública como no corrupción, en especial por la importancia que adquieren los medios de comunicación en el escrutinio permanente de las acciones de gobierno. En una sociedad donde los problemas que empiezan a preocupar a los ciudadanos no son tanto las grandes orientaciones emancipatorias, sino el que no se robe los impuestos, que se controlen los consumos y garanticen los servicios básicos, aparece una ética pública concebida como cumplimiento de reglas más que como parte de una ética más amplia.

Y esta visión legalista se revela en los reiterados intentos del gobierno de reglamentar la Ley de Etica Pública y de crear una agencia con este nombre, así como en la persistencia de la oposición en fincar la cuestión ética en comisiones investigadoras y en el campo de los ilícitos y de la denuncia de funcionarios. Y si bien ello revela orientaciones positivas a la vez se revelan incompletas, porque al mismo tiempo que se busca instaurar que se presenten las declaraciones patrimoniales de los funcionarios, los CEO de grandes empresas constructoras ganan centenares de miles de dólares por mes mientras sus obreros mueren por falta de condiciones de seguridad.[15] De allí que no debería escindirse un planteo de ética pública de la realidad de la implicación de las distintas partes que tienen que ver con los procesos de corrupción por un lado. Y de que también es importante la realidad de empresarios que evaden o contaminan, o de medios que dejan todo librado al *rating*. Es el riesgo de reducir la ética pública a una concepción legalista y referida únicamente al ámbito político, mientras que al mismo tiempo se legitima la concentración de riquezas más fulgurante de nuestra historia junto a salarios rayanos en la miseria. Se exclusiviza así una perspectiva legalista de la concepción de la equidad y de la justicia, basada en reglas y derechos de propiedad, sin un verdadero planteo acerca de la responsabilidad de cada uno de los diversos actores en la configuración del bien común, o se pone el acento en la actuación del poder político y no en otros actores que han consolidado su poder en los últimos años en la Argentina.

De este modo, se observa la necesidad de reconstruir una ética social más amplia, tanto frente al quiebre de la anterior asociada al Estado de bienestar como para poder superar perspectivas utilitaristas y legalistas. Se trata de una tarea que al mismo tiempo enfrenta el riesgo de no reproducir la fragmentación, porque si sólo se entiende por ética el conjunto de normas que rigen el desempeño de la función pública, se excluye a los ciudadanos que no son funcionarios, con lo que consciente o inconscientemente se olvida los procesos de construcción de lo público hoy en manos, en gran parte, de la sociedad civil.[16] En este sentido, una ética pública restringida a un reglamento de presentación de bienes aparece configurada a la medida de los empresarios, y no deriva de un consenso social más amplio sobre valores que la comunidad asume reflexivamente como propios en un tiempo históricamente determinado.[17]

Por ello, parte de la tarea de la etapa posprivatizaciones y de reconstitución del Estado es asumir el rol de catalizador de la construcción de una ética social que una estos campos hoy subordinados a los imperativos del mercado.[18] Ello implicaría asumir un conjunto de valores y orientaciones que incumben en su conformación a todos. Y si bien el Estado no puede ya tener el papel central que tuviera en la constitución de identidad y sentido de pertenencia en los modelos anteriores, sí puede ser "catalizador" de la nueva configuración. Porque la tarea pendiente tiene que ver con construir una ética social que parta de una caracterización más amplia de lo público (no reducido al ámbito estatal) y que integre diversos actores y perspectivas en una elaboración comunicativa de la misma. Y de superar una perspectiva institucional, legalista, que no explicita apuestas ético-culturales más profundas, que deja de interpelar a los diversos sectores y a sus potenciales contribuciones y responsabilidades. Y para ello, se requiere incorporar tanto el "giro neoinstitucionalista" (Rawls, Buchanan)[19] de relacionamiento entre economía e instituciones, como el "giro comunicativo" (Habermas, 1997). De acuerdo a Scannone, la teoría de la acción y racionalidad comunicativa que propone este segundo "giro" trata de responder al déficit tanto político como ético del planteo institucionalista, poniendo su acento en el momento positivo de la política democrática, es decir, en la búsqueda de consenso, mediante procedimientos argumentativos respetuosos de todos los involucrados y de sus razones, a fin de ir logrando dicho consenso y de acercar cada vez más la comunidad real histórica a la comunidad ideal (ética) de comunicación.[20]

Dado que se trata de tener en cuenta a todos los afectados por la acción, la tarea fundamental sería generar formas democráticas de consenso respecto de los contenidos morales relevantes que permitan, desde supuestos de intersubjetividad, recuperar al mismo tiempo la igualdad,[21] la tarea de reconstrucción de una ética social comunicativa debería contemplar, al menos, las siguientes líneas:

– *La institucional*, reforzando las tendencias que se vienen experimentando actualmente y las demandas sociales en torno a la necesidad del funcionario probo, a la necesidad de establecer códigos de ética, reducir la impunidad, generar sanciones, aumentar la transparencia y *accountability* del sector público. Esta línea legalista ha comenzado a instalarse, a generar algunos casos ejemplificadores y probablemente vaya a profundizar sus efectos en los próximos años. Pero esto solo es insuficiente, se necesita también elaborar líneas de interacción entre ética y economía, entre los sectores público, privado y social. Porque el gran interrogante es ¿cómo comprometer al segundo sector, para lograr una sociedad más cohesiva desde una perspectiva ética que no sea sólo la autorregulación?

– *La reinserción de la problemática ética en la economía*. Una autonomía total entre estos dos campos no es viable, como tampoco lo es pensar que la segunda no pueda ser interpelada y ello puede realizarse desde dos vías. Una de ellas es la de reconciliar virtud con interés, donde el comportamiento ético en las empresas debería llevar también a buenos negocios. Lo cual puede ser también extendible a replantear el tema de la distribución de la riqueza y a mostrar la contradicción que a mediano plazo se produce entre competitividad y desigualdad creciente, entre gobernabilidad democrática y dualismo, y entre indicadores macroeconómicos positivos y malestar social. Asimismo se trata de argumentar acerca de las relaciones virtuosas que pueden lograrse entre competitividad y estabilidad social, entre eficiencia y equidad, y entre mayor empleo y seguridad. Porque la cuestión no reside sólo en relaciones de fuerza, sino también en una fuerza moral de interpelación en un debate que evite que la responsabilidad social empresaria pase sólo por el neofilantropismo.

La segunda vía de interpelación tiene que ver con el pasaje de propietarios familiares a rentistas en búsqueda de oportunidades y con el avance de los CEO, en el poder institucional. Una tendencia, extendida en las grandes empresas, a diferenciar la propiedad (acciones) del poder de disponer sobre la empresa y controlarla: el "managerismo". De acuerdo a P. Ulrich, sería necesario llevar esta diferenciación conceptual al plano jurídico, a saber, la diferenciación entre el capital privado personal y el institucional, así como entre los derechos de uso con respecto a ambos, dando nueva base jurídica a la distinción entre la ganancia del propietario y la disposición sobre la empresa.[22] El capital personal nace del mundo de la vida, y es muchas veces amenazado por el capital institucionalizado más o menos anónimo, ante la impotencia de las personas afectadas (propietarios, trabajadores, acreedores, clientes). Lo cual tiene mucho que ver con el poder que detenta el capitalismo virtual frente al real. "Por lo tanto, parece jurídicamente aberrante reconocer la misma autonomía privada a empresarios individuales que a corporaciones anónimas, muchas veces trasnacionales, sin suficiente o ningún control social, bajo la figura equívoca de la 'personalidad jurídica'".[23]

Esta situación se agrava cuando las personas jurídicas se hacen, a su vez, accionarias de otras personas jurídicas, hasta agregar una enorme concentración de poder económico y por consiguiente político. Por lo tanto, se hace necesario distinguir para estos casos, de acuerdo a este autor, además del derecho privado y el público (estatal), un derecho (público) social con sus reglas propias. Este no se referiría a todo tipo de empresa, sino a aquellas cuyo poder afecta la vida de la comunidad económica política de tal manera que se convierten en instituciones "cuasi públicas" con incidencia evidente sobre la vida cotidiana de los argentinos (por ejemplo, las grandes corporaciones de servicios).

–Etica y comunicación. Este plano es necesario dado el decisivo impacto que los medios tienen en la socialización, identidad y cultura general de la sociedad. Pero el mundo de los medios aparece como un campo totalmente desregulado, monopolizado y trasnacionalizado. Y si bien está tematizado el deterioro de la condición del consumidor y del usuario cuando las empresas de servicios públicos privatizados quedan sin ningún control, no parece concebirse un problema similar en lo que hace a usuarios de los medios de comunicación, que son también un servicio. Es decir, que no pueden quedar librados exclusivamente al lucro, a la Inversión Externa Directa, a las presiones de *lobbies* multimedia y a la configuración de la futura ley de comunicación a su medida.

Se requiere incluir aquí también el principio de sociedad civil, a los de mercado y Estado, de institucionalizar una regulación social vía regulaciones antimonopolios, mediante audiencias organizadas, de consumidores y ciudadanos, que permitan incorporar un principio de bien público en este mundo de telecomunicaciones regido hasta ahora sólo por la lógica del mercado. Si bien es necesario destacar la importancia de los medios en la consolidación de la democracia y transparencia social, éstos no pueden quedar sin un marco o idea regulatoria que, por un lado, supere las viejas estructuras de regulación estatales –de las cuales el COMFER queda hoy como pálido reflejo y a la vez como estratégica cobertura para ambos actores–, pero tampoco librados a la perspectiva de autorregulación, escudada en una concepción decimonónica de libertad de prensa.

– Etica como reconstrucción del "nosotros". Por último, un nivel más profundo de esta tarea se relaciona con lograr un cierto enraizamiento social e histórico de la perspectiva ético-cultural. Como señala Bustelo (1998), un esquema de cooperación social implica la exis-

tencia de un "nosotros" como posibilidad de hacer viable una sociedad humana particular: "No se niega a los individuos, pero hay sociedad y en consecuencia hay esfera pública, en el sentido de una preocupación por lo común, por lo compartible, por el interés del conjunto. El 'nosotros' coincide con 'lo social' como 'asociados', como el conjunto de 'socios' solidarios en una propuesta de cooperación mutua compartida. El 'nosotros' como propuesta concreta no es sino compartir una comunidad de argumentos: y esto consiste esencialmente en la definición de adónde se quiere ir y cómo se pretende caminar. El 'nosotros' se constituye así en la dimensión fundante de una sociedad, lo que se hace más relevante en un mundo globalizado en donde se compite con otros proyectos sociales y productivos. Las libertades individuales en la forma de libertades negativas son importantes pero igualmente relevantes lo son las libertades positivas: ampliar el campo de las personas para acceder a las oportunidades que les permitan su superación y desarrollo. Así la igualdad, más que una propuesta niveladora, es un proyecto habilitador".

En la etapa de la globalización se requiere entonces generar algún sentido de pertenencia e identidad, recordando que "sólo se dialoga bien con los cuatro vientos si se está bien afirmado en las propias raíces", y que también la calidad deriva de la identidad.[24] Y esto incluye la incorporación de los valores y sentidos provenientes del nuevo imaginario cultural, porque no se trata sólo de estar juntos y de fijar reglas de convivencia, sino de tener propósito común. De encarar una construcción simbólica de múltiple pertenencia en la etapa de más allá del Estado-nación (local, nacional y ahora también regional). Promover una afirmación más enraizada de valores y de apuesta a la creatividad local. Porque así como el modelo neoliberal se basó en lo cultural, en el consumismo, en el "pertenecer al Primer Mundo" y en el individualismo competitivo, un proceso de modernización impulsado por una matriz exterior que promueve un cambio, pero no como un camino propio a la globalización; se trata ahora de pensar la globalización desde algún lugar y desde una identidad, desde América latina y el MERCOSUR. Y ello tiene que ver con superar la imitación y el mero transplante de una globalización universal y uniforme, como una interpretación válida para todos. Como dice Jeffrey Sachs (1997): "Por cierto, los países del Sur no tienen ninguna oportunidad de salvarse trasladando los modelos del Norte, a no ser que se acomoden en una dualidad aún mayor de sus sociedades. En lugar de ilusionarse con la existencia de una modernidad universal, es necesario que construyan proyectos adaptados al contexto cultural, social, económico y ecológico".

La reconstrucción del "nosotros" puede ser tematizada así de una forma que integre la ética social en sus múltiples dimensiones y desde una apuesta a partir de la percepción de una oportunidad histórica, y donde el valor del trabajo podría definir lo central de esa apuesta. El eje de la cuestión estaría así en la siguiente alternativa: se asocia el trabajo a una dimensión de realización de la dignidad humana y a una condición generalizable, o se lo percibe como algo adaptable, sin límites, precario, ajustable a los requisitos de ganancia y apropiación de la economía. Se trata de buscar una alternativa de política que elimine las permanentes pulsiones hacia el deterioro de la condición salarial como única salida para construir las ventajas competitivas que al poco tiempo requieren de un nuevo ajuste de tuercas.

Y esta apuesta es crítica, porque es condición para configurar un contrato social de integración social. Por lo que se hace necesario reconsiderar el hecho de si todo el sistema socioeconómico debe estar bajo la tutela de los derechos de propiedad, de la intangibilidad de los contratos, de la confiabilidad de los inversores, las seguridades jurídicas máximas para el capital, y reducción de costos de transacciones, mientras que el trabajo no es considerado un valor y se transforma en el elemento ajustable, no tutelado, de la cultura de la conquista o si existe otro escenario. Y de eso depende si se sigue bajo el modelo o no, independientemente de que se mantengan las privatizaciones, la convertibilidad y la inserción a la economía global. Esto define su carácter de alternativa, porque se pueden aceptar los requerimientos de calidad, competitividad y eficacia de inserción en el mundo actual, pero no en una transacción sin límites que convierta los medios en fines en sí mismos.[25]

Y esta postura ante el valor del trabajo, así como ante el valor educación en la Argentina, no es gremial, porque en realidad presupone la defensa de aquellos que ni siquiera tienen ya ese estatus. Porque lo han perdido o porque nunca han accedido a él. Se trata de una perspectiva universalizable y no de una cuestión sectorial, desechable por todos los sesgos que su representación histórica pueda mostrar. Por eso, la refundación del derecho social se liga a ciudadanía y a esta apuesta de reconstrucción ético-cultural.

Y esta disyuntiva va a presentarse cuando desde las usinas mediáticas del *establishment* se demande a los distintos candidatos presidenciales y referentes políticos la necesidad de fijar posiciones respecto de la posibilidad o no de seguir bajando el costo laboral, de seguir flexibilizando presuntamente para crear trabajo. Y no debería haber apuesta especulativa, posicionable, sino algo que afirme una apuesta política y ético-cultural. Porque o se avanza en una colonización del mundo de la vida por el mercado, con la complacencia y ausencia del Estado y con políticos asociados a roles de gerentes, cumplidores de un libreto y mediáticos, o se afirma la posibilidad de la política de generar futuro.

Y, en cierta forma, esa elección nadie la puede hacer por nosotros, porque se trata de elegir entre dos éticas y antropologías contrapuestas: una ancla en la visión emancipatoria, humanista del hombre, la otra lo considera instrumento de los otros. Una ancla en el neocomunitarismo, la otra en el utilitarismo individualista. En el fondo, se trata de definir si la cuestión ética o de los valores de la sociedad posindustrial, de la era del vacío, es un asunto "light" o no. Si es un asunto puramente legal e individual o si compete también a la comunidad, si es un asunto de *marketing*, de imagen y de utilización estratégica, o no. Y, finalmente, si es contitutiva de fines y sentido, o si es nuevamente capturada por la cultura del instrumento.

NOTAS

1. Kumar, Krishan, *From Post-Industrial to Post-Modern Society. New Theories of the Contemporary World*, Blackwell, Cambridge, 1995.

2. Un ejemplo es de Scannone, J. C., "La nueva cultura adveniente y emergente: desafío a la Doctrina Social de la Iglesia en la Argentina", en *Argentina, tiempo de cambios. Sociedad, Estado y Doctrina Social de la Iglesia*, San Pablo-Buenos Aires, 1996.

3. Ver Mardones, J. M., *op. cit.*

4. Scannone, J. C., "La emergencia de la sociedad civil", *op. cit.*, pág. 7

5. *Disturbing the Nest. Family Change and Decline in Modern Societies*, Aldine de Grutyer, Nueva York, 1988, citado por Del Campo, Salustiano, *Familias: sociología y política*, Complutense, Madrid, 1995, pág. 49.

6. Vidal, Marciano, *Para comprender la Solidaridad*, Verbo Divino, Estella, 1996, pág. 152.

7. Kumar, Krishan, *op. cit.*, pág. 158.

8. Más allá de su crisis y pluralidad, la familia es protagonista indispensable en el marco del desarrollo de propuestas de política social que partan de un marco de organización participativa. Gran parte de lo que antes llamábamos organizaciones de base son hoy expresión del protagonismo de la mujer de los sectores populares, que actúa movida por una vocación de servicio a su familia, desde lo colectivo.

9. Dice V. Camps, sobre el triunfo de los valores liberales e individualistas: "La confusión de la posiciones de derecha e izquierda por la aceptación mutua del capitalismo y la democracia, ha hecho del discurso político un 'pensamiento único' que, como tal, es amoral. Dicho de otra forma, se ha impuesto el 'liberalismo moral'. El valor de la libertad es casi absoluto, hasta el punto de que incluso las políticas de izquierdas se muestran renuentes a tomar medidas que protejan, por ejemplo, la intimidad de las personas, por miedo a ser acusadas de opresoras de la libertad. El dirigismo en política está mal visto. Siempre es más agradecido intentar complacer a todos los sectores, especialmente los más poderosos. Con lo cual, la política no hace más que ir a la zaga de los hechos y de los problemas, no toma iniciativas realmente progresistas. No las toma porque no se atreve y porque a falta de una doctrina omnicomprensiva, como el marxismo, no sabe cómo justificarlas". Camps, *El malestar en la vida pública*, Grijalbo, 1996, pág. 26.

10. Junto a una fuerte debilidad de la política y a su falta de contenidos, aparece la potencia con que actúa la economía consumista. Para que el sistema económico funcione, debe crecer el consumo, y para que crezca el consumo hay que crear nuevas necesidades. Todo contribuye a que el individuo busque, por encima de cualquier otra cosa, el dinero y la satisfacción individual. Es lo que enseñan la publicidad, la televisión y el ejemplo de las clases dirigentes. Como apuntaba recientemente Gaget Bozzo: "... el paso de la tradición jacobina a la liberal, de la primacía social de la justicia a la primacía civil de las libertades, ha dejado sin recursos a la cuestión moral. Creíamos que la política iba a salvarnos, y ahora vemos que el tema es más complejo". El problema es "que una moral no se improvisa. Y en una sociedad que elige sus combinaciones individualmente, la dimensión social de la moral es un problema abierto". Gaet Bozzo, Gianni, "Un tiempo de incertidumbres", en *El País*, 11/1/95.

11. Lipovesky, Gilles, *La era del vacío. Ensayos sobre el individualismo contemporáneo*, Anagrama, Barcelona, 1988. Ver también Dumont, L., *Ensayos sobre el individualismo*, Alianza, Madrid, 1987, y Béjar, Helena, *La cultura del Yo*, Madrid, 1994.

12. Fitoussi, Jean-Paul, *op. cit.*

13. Lechner, N., 1997, *op. cit.*

14. Offe, Claus, *op. cit.*

15. Las empresas se ahorraron 8.150 millones de dólares en dos años de vigencia de la nueva ley de accidentes de trabajo. La contrapartida es la muerte de tres obreros por día y el cobro de 200 pesos por mes en concepto de indemnización a la viuda.

16. "La ley de ética pública, la ética y lo público", Grupo Beta (Amarfil, Andrian, Gigliardi y otros), Facultad de Filosofía y Letras, Buenos Aires, diciembre de 1997. Respecto de la concepción de lo público, ver Cohen, Jean L. y Arato, André, *Civil Society and Political Theory*, The MIT Press, Massachusetts, 1994.

17. "El predominio de una cultura que acepta que gane el mercado pero que pierda la sociedad, está llevando al debilitamiento de los principios fundadores de las sociedades modernas occidentales y occidentalizadas, que son la ciudadanía y la solidaridad. La vuelta masiva de la pobreza representa la negación del Estado moderno. La pobreza es el enemigo de la ciudadanía, como lo es la exclusión social." Petrella, R., *El bien común. Elogio de la solidaridad*, Temas de Debate, Madrid, 1997, pág. 13.

18. Sobre la distinción entre Estado, mercado y sociedad civil y la comprensión de ésta según la categoría "mundo de la vida", ver Cohen, J. L. y Arato, A., *Civil Society and Political Theory,* Cambridge (Mass.)-Londres, 1992.

19. Rawls, John, *A Theory of Justice*, Cambridge (Mass.), 1971.

20. Scannone, J. C., "Hacia la transformación comunicativa de la racionalidad económica", en Scanonne, J. C. y Remolina, G. (comps.), *Etica y economía*, Bonum, Buenos Aires, 1998, y Apel, K. O., *Transformation der Philosophie*, Vol. 2, Frankfurt del Main, 1976.

21. Arendt, H., *La condición humana*, Barcelona-Buenos Aires, 1993.

22. Ulrich, P., *Transformation der okonomischen Vernunft. Fortschrittsperspektiven der modernen Industriegesellshaft*, Berna-Stuttgart, 1986, 3ª edición, 1993.

23. Ulrich, P., *op. cit.*

24. Cuando Aranguren habla de la vida humana como proyecto no se refiere a esos proyectos que ni siquiera pueden durar lo que dura la propia vida. En ausencia de proyectos colectivos, políticos, que a su vez puedan ser llamados éticos y que no sean tan generales y abstractos que no nos digan nada, sólo se salvan los proyectos individuales, Aranguren, J. L., *Etica,* Alianza Universidad, Madrid, 1995, cap. 7.

25. Ulrich, P., *Transformation der okonomischen Vernunft. Fortschrittsperspektiven der modernen Industriegesellshaft,* Berna-Stuttgart, 1986, 3ª edición, 1993.

PARTE III

ARTICULACIÓN Y GOBERNABILIDAD

Dos de las transformaciones que más afectan al orden político de las sociedades avanzadas y aun de aquellas en desarrollo, son la articulación con la sociedad civil y la gobernabilidad democrática. La primera, porque hace a la redefinición de la relación entre la esfera del Estado y la esfera de la sociedad civil. Del equilibrio entre ambas depende el buen gobierno democrático de cada país. Se ha aludido a las transformaciones del Estado moderno en términos del Estado de bienestar (como expansión, burocratización y ampliación de sus responsabilidades) y luego de su reformulación neoliberal (como achicamiento, retraimiento, redefinición subnacional y supranacional). Por eso hay que prestar atención a la sociedad civil y a la reestructuración que se ha producido en los últimos años, particularmente a su reactivación ante la crisis del Estado providencia y ante la absolutización del mercado.

La segunda plantea cómo el Estado resuelve la gobernabilidad democrática en un contexto en donde las demandas externas pueden ser tanto o más acuciantes que las internas. Y cuando la tarea de coordinación se hace más ardua frente al aumento de la diferenciación social y funcional de la sociedad. El interrogante es cómo el Estado logra gobernabilidad frente al aumento de la complejidad y al nuevo cuadro de vulnerabilidades que presenta la globalización.

1

LA ARTICULACIÓN DEL ESTADO CON LA SOCIEDAD CIVIL

América latina ha vivido desde principios de 1990 un cambio profundo. Se ha pasado de un modelo sustitutivo de importaciones con énfasis en el mercado interno y un fuerte rol estatal en la dirección del desarrollo, a un modelo de apertura económica, liderado por las exportaciones destinadas al mercado externo y en donde el rol más dinámico lo juega el sector privado. Esto ha dado surgimiento a una nueva relación entre lo estatal y lo privado, basada en la crisis de la anterior modalidad de primacía de la administración del Estado sobre la sociedad civil.

EDUARDO BUSTELO, 1998

La transformación del Estado de bienestar por las políticas de ajuste estructural, configura no sólo otro modelo estatal orientado por la concepción neoliberal del Estado "mínimo", sino también una profunda modificación de la sociedad generada por el industrialismo sustitutivo y la política de masas. Diversas conceptualizaciones han intentado capturar la novedad de este cambio asociado al pasaje de la sociedad burocrática a la del conocimiento e información (Drucker, 1996; Thurow, 1996); en términos comunicacionales, de la sociedad de masas a la de medios (Barbero, 1994), en términos económicos, de la sociedad de producción taylorista-fordista a la posfordista (Lipietz, Boyer, 1996), y en términos sociológicos, de sociedades simples a complejas (Beck, 1998) o de industriales a postindustriales (Touraine, 1994).

Algunos de los rasgos de este cambio se revelan en la modificación de la estructura social: la reducción de la clase trabajadora junto al avance de la informalidad y del sector servicios; el surgimiento de nuevas formas de organización social vinculados a los movimientos sociales, ONGs, voluntariado, una notoria declinación de la clase media así como la aparición de nuevas formas de pobreza y la aparición de nuevas élites.

Pero en términos politicológicos, ¿cómo es analizada esta transformación del Estado en relación con la sociedad? Por lo pronto, se percibe un renovado interés por la sociedad civil. Este interés tiene varias explicaciones. La primera vinculada al establecimiento democrático generalizado de los últimos 20 años, con la denominada "tercera ola" de las democratizaciones que se hace en nombre de la sociedad civil y que tiene un alcance mundial (Huntington, 1994). Los procesos de democratización realizados en América latina en los 80, actuaron en nombre de la sociedad civil y de movimientos como el de derechos humanos que aportaron a la constitución de una nueva área solidaria frente al terrorismo de Estado.[1]

La segunda remite a un interés que se acentúa por la crisis del socialismo en las sociedades controladas por el Estado, y por el hecho de que en Occidente, en sociedades más plurales y complejas, los nuevos movimientos sociales también accionan en nombre de la sociedad civil.

La tercera, vinculada al hecho de que estos cambios han inducido a numerosas elaboraciones teóricas y filosóficas que tratan de dar cuenta de la importancia creciente que adquiere una sociedad civil, como diferenciada tanto del Estado como del mercado. En ese sentido A. Touraine habla de la constitución de una nueva sociedad civil en el proceso de complejización de las sociedades posindustriales (1993). Para Giner, la ideología de la sociedad civil protegería la vida de asociaciones voluntarias y movimientos sociales autónomos y el crecimiento de un tercer sector de no ganancia y altruístico de la economía, profundamente comprometido con un universo con capacidad de dar protección y expresión a valores.[2] En el marco de la crisis del Estado de bienestar, pero a la vez mostrando que el mercado autorregulado es incapaz de responder a ésta con "su mano invisible", se estaría dando un fenómeno nuevo, *la emergencia de la sociedad civil*, como distinta del Estado y del mercado, la cual intenta responder a dicha crisis (Scannone, 1998).

La cuarta tiene que ver con la necesidad de reforzar la sociedad civil y también es impulsada por organizaciones internacionales, particularmente por el Banco Mundial y el BID, en los que se observa un cambio del énfasis en la estabilización macroeconómica y las privatizaciones de los 80, por el "*institution building*" de fin de siglo, impulsando la "participación civil" y financiando "la participación socioeconómica". Desde mediados de los 90, dice Nelson, los bancos, más allá de su influencia tradicional en virtud de su condicionalidad sobre políticas macroeconómicas, integran en la agenda para la región otro grupo de temas, relacionados con la sociedad civil, los derechos humanos, la transparencia, la fiscalización y la participación popular. Y hoy también este segundo grupo de temas es parte de la condicionalidad multilateral.[3] En la reforma del Estado de segunda generación los organismos internacionales han virado de una perspectiva neoliberal ortodoxa hacia otra neoinstitucional, en donde se otorga importancia a la reforma de la justicia, la salud, la promoción del "capital social", así como a la disminución de la corrupción como condición del buen funcionamiento de los mercados.

Estas diversas elaboraciones de los 90 nos muestran una revalorización del concepto de sociedad civil y una convergencia, de derecha a izquierda, sobre un patrón no estatalista de desarrollo y el comienzo de una toma de distancia del modelo de mercado.[4] Un solapamiento del consenso entre corrientes de diversa procedencia sobre la necesidad de lograr mayor transparencia, descentralización, control y *accountability*. Una revalorización convergente casi en los mismos términos que se diera respecto de las políticas de descentralización, una suerte de apuesta a la sociedad civil, como eje vertebral de la reconfigurada democracia latinoamericana y como amplio y difuso agente de cambio y de modernización.

Pero esta emergencia no deja de presentar interrogantes, porque, al mismo tiempo que se habla de fortalecimiento de la sociedad civil, se observa un extendido desencanto y escepticismo, una sociedad más plural y compleja pero, a la vez, desigual. Como se señala, "así como lo popular se fue volviendo poco comprensible por la multiplicidad de puestas en escena, hoy se usa sociedad civil para legitimar las más heterogéneas manifestaciones de grupos, organismos no gubernamentales, empresas privadas y aun individuos. Pese a los variados intereses y estrategias que animan a estos sectores, todos coinciden en acusar al Estado de las desdichas sociales y suponen que la situación mejoraría si éste cediera iniciativas y poder a la sociedad civil. Pero como cada uno entiende algo distinto por este nombre, esta entidad amorfa aparece como una típica comunidad imaginada, al modo en que Benedict Anderson concibió a la nación" (Canclini, 1994).

En todo caso, no sólo hay falta de precisión en el concepto sino también ambigüedad (Lechner, 1994). Por ello, frente a esta emergencia de la sociedad civil, como un nuevo sujeto democrático, diferenciada del Estado y del mercado, se trata de responder a los siguientes interrogantes: ¿cuáles son los rasgos que la caracterizan?, ¿qué significa fortalecerla? y ¿cuál sería la articulación con el Estado a la cual debería tenderse?

A. Del pueblo a la sociedad civil

En la visión hegeliana, la sociedad civil era la esfera de los intereses desagregados y particulares, y lo estatal el lugar de lo objetivo y del interés universal. Hegel ecuacionaba razón a Estado. Mientras que en la visión liberal de Locke la sociedad civil era el espacio del mercado, y de la configuración de los intereses ciudadanos y del interés general, que debía ser custodiado por un Estado garantista. Finalmente, para la versión marxista clásica del Estado, éste cumplía el rol de gerente y garante de la dominación burguesa, una dominación que debía modificarse radicalmente para poder emancipar esa sociedad civil.

De estas tres perspectivas, en América latina el Estado de bienestar acentuó la estatalista, en donde su rol en el proceso de organización nacional primero, y de industrialización sustitutiva después, fue decisivo. A mediados del siglo XX, éste se caracterizó por sus tonos sociales, nacionalistas y comunitarios, primando una visión no liberal, tanto en regímenes democráticos como autoritarios, fundada en la idea del pueblo-nación, particularmente configurada por lo político proyectivo, lo homogéneo y por una ética nacional.

Lo novedoso ahora es que la sociedad civil frente al Estado y el predominio del mercado de los últimos 20 años, comienza a ser vista como el ámbito de lo altruístico, de lo voluntario y de lo asociativo, o de todo lo que no es ni Estado ni mercado. Así, si la lógica del sector privado es la del beneficio, la del sector público, la del poder administrativo, la de la sociedad civil sería la de bien de uso, o de bien público. La sociedad civil sería todo lo que es *non profit*, especialmente expresada por el conjunto de ONGs, organizaciones autogobernadas, voluntarias y altruistas.

Esto se relaciona con el desprestigio del Estado y con la pérdida de credibilidad de actores tradicionales tales como los partidos, sindicatos y grandes estructuras de mediación de la etapa anterior, y con el surgimiento de un conjunto de fenómenos que volcaron la atención hacia actores alternativos, como los movimientos sociales y ONGs. Efectivamente, en un sentido histórico, la emergencia de la sociedad civil viene en reemplazo de la fuerza que tuviera la idea de pueblo y de clase en el modelo anterior, así como la de sujeto histórico y la primacía del principio estatal. Lo cierto es que, junto con los considerables logros vinculados a la conquista progresiva de los derechos sociales e integración de la clase trabajadora al sistema político, el Estado de bienestar generó un tipo de participación donde predominó una orientación a la "fusión" Estado-sociedad. Una convergencia de configuraciones nacional-populares y desarrollistas fuertemente valorizadoras del Estado, así como desde los 60 una influencia de la visión gramsciana de la sociedad civil como ámbito de constitución de una contrahegemonía.[5]

No fue ajena a ello la alternancia de períodos democrático-populares con gran movilización de la sociedad y Estados burocráticos autoritarios represivos, que acentuaron cierta subordinación de la sociedad al Estado. En los últimos años, junto al avance del mercado, se asiste al reconocimiento de la sociedad civil, no como pueblo en el sentido orgánico anterior sino como diversidad de actores y realidad compleja y plural. Un pasaje de la valoración de lo homogéneo y de una interacción unificada del Estado con un actor, a otra de lo heterogéneo, de lo múltiple y de la interacción con diversos actores.[6]

M. Garretón habla de la desarticulación y remoción de la matriz sociopolítica anterior del Estado de bienestar, con la política como elemento central en la vida social, y de la constitución de otra, en la cual se diferencian las relaciones entre Estado, sistema de representación y sistema socioeconómico, y en la cual la política se ve seriamente afectada por un doble proceso: la globalización y la reivindicación de los particularismos. "Nuestra hipótesis es que nuestras sociedades privilegiaron una cultura política que definía una relación, según los casos, de fusión, imbricación, subordinación o eliminación entre algunos de los elementos de esta triple relación. Así, en algunos países la fusión entre estos elementos se hacía desde la figura del líder populista, en otros desde la identificación entre Estado y partido, en otros desde la articulación entre la organización social y el liderazgo político partidario, en otros el sistema de partidos fusionaba todos los clivajes sociales, en otros las corporaciones totalizaban la acción colectiva sin espacio para la vida política autónoma".[7]

Esta matriz de centralidad estatal llevaba a la indiferenciación sociedad-sistema político-Estado, y a la carencia de una distinción entre lo social y lo estatal.[8] La centralidad de la política en la constitución de los actores sociales y una marcada debilidad de la idea de individuo y de la defensa de la esfera de sus libertades negativas frente al Estado.[9] Pero no se pasó directamente de una perspectiva organicista del pueblo a la de sociedad civil, sino que primero se produjo el impacto de la dictadura con una fuerte desestructuración de las redes sociales gremiales y políticas, de quiebre de las mediaciones y de los derechos humanos. Después, en el proceso de transición a la democracia en los 80, el gobierno del radicalismo trabajó sobre el concepto de ciudadano, una visión de Estado de derecho y de mediación por los partidos. Luego de la fuerte irrupción del mercado, de las privatizaciones, del shock neoliberal, viene a recuperarse a mediados de los 90 la importancia del asociacionismo, del "capital social" y del voluntariado.

Pero esta caracterización de la sociedad civil no sería completa si sólo se destacara su mayor diferenciación del Estado y del mercado, así como la autonomía de sus organizaciones y libertad de los individuos. Porque se trata de una sociedad más fragmentada, desigual y donde se observan situaciones paradójicas: por un lado, crecimiento y modernización y, por otro, concentración de la riqueza, aumento de la pobreza y heterogeneidad. Fenómenos de modernización y de involución a estadíos casi pastoriles (pago de impuestos en especias, vuelta al trueque, etc.). Donde se produce una pérdida de libertad de los individuos en dirección del mercado al aumentar fuertemente su dependencia de las empresas.

Porque no se trata sólo del retiro de lo social del Estado y de su anterior rol distributivo y desarrollista, de ausentismo, sino también de las denominadas funciones indelegables, porque la administración de justicia va dando lugar a formas más flexibles como las del mediador. En lo que hace a la seguridad, las empresas privadas de vigilancia han incrementado su acción, y otro tanto ocurre con la educación y salud privada. Las funciones sociales como el caso de la previsión dan paso a la aparición de las AFJP y otras formas de seguridad social, ya sea como empresas privadas o como organizaciones solidarias. Si a esto agregamos el proceso de privatización, observamos que todos estos factores han provocado una reducción tanto del tamaño como de las actividades del Estado. La percepción de la sociedad de esta ruptura con un Estado antes omnipresente, sobre todo de actores que se referenciaban totalmente en lo estatal, en una situación donde ello era percibido como "natural", ocurre en muchos casos como angustia, catástrofe e incertidumbre hacia el futuro.[10]

Por otra parte la distribución desigual del ingreso fomenta una asimétrica distribución del poder político. Por ello, el modelo liberal no tiene en cuenta facetas poco favorables de la actual estructuración de la sociedad civil como la desigualdad social creciente. Si bien se apuesta a su fortalecimiento, se lo hace como oposición al Estado, al que se percibe negativamente, y desde una perspectiva en donde todos estarían en condiciones de interactuar en igualdad de condiciones, pero sin tener en cuenta los nuevos poderes fácticos que se han conformado en derredor de la sociedad de mercado, ni la disminución de las capacidades del Estado para orientar el bien común.

Por ello, puede realizarse una distinción entre una interpretación de la sociedad civil más cercana a la configuración de sociedad pluralista de la teoría liberal, que a aquellas provenientes de la teoría comunicativa, en donde la sociedad civil empieza a ser conceptualizada en términos del conflicto que se produce entre el sistema (económico y estatal) y "el mundo de la vida" (que podría asimilarse al pueblo o la sociedad civil). Donde muchas veces el capital y una parte del mundo del trabajo, sobre todo en los países avanzados que están integrados al sistema (incluidos), se unen entre sí y objetivamente se oponen tanto al mundo de la vida "colonizado" que ellos mismos viven, como a los marginalizados del sistema o excluidos. De este modo, la idea de sociedad civil, como diferenciada del mercado y del Estado, sigue siendo portadora de un principio emancipador, que presenta diferenciación pero no ruptura con la capacidad emancipadora del principio de pueblo anterior, que sí aparece en la teoría liberal, al quedar ésta como el conjunto de diversidad de instituciones.

B. LA CONFIGURACIÓN DE LA SOCIEDAD CIVIL Y DEL TERCER SECTOR

Durante la vigencia del Estado social, la organización de la sociedad se constituyó sobre grandes mediaciones, sobre ejes de clase y popular y de carácter político. En el mundo de las organizaciones intermedias predominó en las formas organizativas lo centralizado, lo burocrático y piramidal. Estas formas asociativas, si bien funcionales al capitalismo industrial, también beneficiaron los intereses de los sectores populares que con sus luchas impulsaron una mayor democratización del poder.

Pero en la nueva etapa comienza a constituirse un lazo social distinto con el surgimiento de formas organizativas basadas en pequeños grupos de reclamos puntuales y monotemáticos. Este cambio se produce a partir de la crisis del Estado de bienestar, con el autoritarismo y la represión con el surgimiento de otras formas de organización políticas y sociales (partidos y sindicatos) y la aparición de las ONGs. Sigue con la apertura democrática, cuando comienza a evidenciarse una superposición y tensión entre las estructuras organizativas de los partidos y de las organizaciones barriales.

– *Las redes*. En estas nuevas formas de organización no piramidales ni fusionadas con el Estado, sobresalen formas inéditas de organización. Las redes son iniciativas de gran riqueza que se llevan adelante con formatos institucionales muy heterogéneos: ONGs, comunidades, espacios barriales, movimientos sociales, foros multisectoriales, asociaciones civiles, grupos de voluntarios, fundaciones, organizaciones de solidaridad de la Iglesia, etc. Estas formas asociativas tienen que ver con una nueva valoración de lo social más centrada en lo pequeño, horizontal y democrático, y que puede ser vista como reacción contra las organizaciones de gran escala y jerárquicas y con la configuración de un nuevo espacio público, no político o no estatal. El achicamiento de los márgenes de acción del Estado y la crisis de representación llevan a que la sociedad sienta como más propio el accionar de agrupaciones pequeñas ligadas a la solución de problemas cotidianos y con dirigentes más cercanos y controlables, quienes, al no querer al menos explícitamente acceder al poder del Estado (lógica de rechazo al poder político), aparecen como más confiables.[11]

Las redes son estructuras flexibles de coordinación horizontal que se constituyen para sumar esfuerzos, dar posibilidades y recursos, o cuando la capacidad de diseñar, ejecutar y evaluar políticas se encuentra dispersa entre distintos actores públicos o privados.[12] Se constituyen inicialmente como formas en algún sentido alternativas al modelo individualista, a las situaciones de atomización y de anomia creadas por esta profunda transformación con eje en el mercado. Reducen y controlan la ansiedad, la dependencia, la pasividad y apatía, y por la disponibilidad de centros y espacios de refugio, autoayuda, defensa, resistencia y avance, canalizan la solidaridad, los reconocimientos y las identidades. También se trata de necesidades de las mismas ONGs de hacer acopio de información, y de estructurar un campo comunicativo y de acción común en derredor de diversos temas.

Las redes serían la forma específica u original de la organización social postindustrial y del tercer sector, el cual no tiene una existencia *ad novo*, sino que capta un cambio en el asociacionismo intermedio que se posiciona ahora diferenciadamente frente a la lógica tanto estatal como del mercado. En una sociedad civil que ya no está organizada desde el mundo de la producción, de empresarios y sindicatos. Y si bien este mundo asociativo fue de carácter no partidario o político durante el Estado liberal (más filantrópico, fomentista, parroquial y débil), y otro modelo de articulación surgió en el Estado social, donde funcionaba la movilización política más homogénea y la matriz de centralidad estatal, en las últimas dos décadas comienza a insinuarse un mundo de entidades intermedias complejizado por el aporte de nuevas temáticas, formas organizativas y luchas.

En este sentido, el tercer sector puede ser una designación residual y vaga que se pretende dar a un vastísimo conjunto de organizaciones sociales que no son ni estatales ni mercantiles, o sea organizaciones sociales que, por un lado, siendo privadas, no tienen fines lucrativos, y por otro, siendo animadas por objetivos sociales públicos o colectivos, no son estatales.[13] O puede caracterizarse por el principio de comunidad y por la búsqueda ya no de negación o supresión del principio estatal o del mercado, sino de una novedosa articulación con los otros dos principios, el del Estado y el del mercado. La sociedad civil estaría compuesta así de movimientos sociales (derechos humanos, ecológicos, etc.), del tercer sector y de un neocomunitarismo de base que tiene una fuerte tradición en la Argentina.

Estos distintos segmentos constitutivos de la misma anclan en valores como la solidaridad, la defensa del tejido social agredido por el individualismo y asociada a tradiciones de "organizaciones libres del pueblo", de base, vecinales, y que ha dado lugar a elaboraciones diversas específicamente en relación a la configuración de un sector económico con reglas propias: "la economía de la solidaridad" (Razeto, 1988) o la "economía popular" (Coraggio, 1997).

Lo cierto es que los individuos van retirando su solidaridad, identidad y sentido de las formas tradicionales de autoridad política, gremial, estatal, y van a descansar más en redes informales de familia, de reivindicaciones urbanas, religiosas, deportivas. Se trata de un asociacionismo muy amplio basado en cuestiones tanto materiales (salariales, urbanísticas, de supervivencia) como posmateriales (calidad de vida, seguridad, ambiente, contención) y de protesta al ajuste (educación, jubilados, cortes de rutas, etc.). Entre los elementos normativos y de identidad del nuevo movimiento social aparecen la ayuda mutua, la cooperación, la solidaridad, la autonomía y la democracia.

Esta nueva vincularidad se caracteriza por el no reconocimiento colectivo de una historia común, dado que el sujeto ve afectado sus vínculos sociales, y las instituciones que mediaban intereses y proyectos pierden el sentido que les diera origen. Nos hallamos frente al hecho de que el lenguaje político no está ya compuesto sólo por la política. La reproducción del sentido común está hoy mucho más distante de la historia (como gran proceso moldeado por voluntades estratégicas realizables) y más próximo al inmediatismo, como fluidos procesos de mudanzas incesantes que exigen respuestas urgentes (Genro, 1997).

En nombre del "no hacer política" para diferenciar su accionar de la lógica profesional administrativa que acompaña a los partidos, se constituyen estas nuevas formas de hacer política, asociadas a la autonomía, la solidaridad, la comunidad; se expresan en formas de interacción público-privado: planeamiento estratégico, desarrollo local, organizaciones de consumidores, articulación con los medios de comunicación, foros y seminarios de universidades y centros de conocimiento, y se constituyen en espacios de un debate y elaboración sobre lo público.

Por otro lado, las crecientes orientaciones hacia lo local y lo supranacional hacen que pueda ampliarse este concepto de sociedad ci-

vil, no sólo a nivel local y nacional, sino también global. La "sociedad civil mundial" es definida como "el conjunto de todas aquellas
organizaciones sociales e instituciones (asociaciones voluntarias, entidades sin ánimo de lucro, ONGs, etc.) que actúan en el plano local,
nacional y mundial, en todas las esferas de la actividad, con el fin de
mejorar las condiciones de la vida social, tanto en el plano individual
como en el colectivo" (Petrella, 1996). Y que participa a través del
asociacionismo no gubernamental en foros como los del Desarrollo
Social, la Conferencia de la Mujer de Beijing o la Conferencia de Es-
tambul sobre la ciudad, con creciente influencia no tanto en los gobiernos directamente como en la opinión pública.

C. UNA NUEVA ARTICULACIÓN PÚBLICO-PRIVADO

La reforma del Estado ha implicado una transformación de la sociedad y, a la vez, de su vinculación con la misma. Junto con estas
transformaciones aparecen formas novedosas de relación en el plano de la gestión pública, como "coproducción", "gestión asociada"
y "corresponsabilidad". Son asociaciones entre el sector privado e
instituciones públicas, para la creación de agencias ejecutoras, mecanismos de terciarización y de ayuda para movilizar recursos, controlar y gestionar de modo nuevo. Por un lado, el Estado no tiene recursos suficientes y necesita generar para ello nuevas articulaciones
y sinergias con la comunidad, para ello debe dejar lugar o dar parte
de su poder a estas organizaciones.

Estas formas asociativas policlasistas y multisectoriales, donde se
destaca el rol creciente de la mujer, son configuradoras de *una nueva
forma de hacer política* que toma distancia del modelo partidario, ideológico, de la sociedad de masas. Muestra el pasaje de un principio estadocéntrico dominante durante el Estado de bienestar, a mercadocén-
trico durante el período neoliberal de los últimos veinte años, a otro
sociocéntrico como reacción en parte a los desajustes y desequilibrios
que genera el mercado. Un enfoque sociocéntrico supone que la institucionalidad del Estado se reconstruye en función tanto de la ampliación de las esferas de autorregulación de la sociedad como del incremento de la equidad social (Cunill Grau, 1997). En este enfoque, el

tercer sector o sociedad civil aparece como un principio de participación y articulación con el Estado distinto del modelo anterior. Sin embargo, este principio todavía no encuentra un reconocimiento e institucionalidad que le permitan incidir en las orientaciones generales y constituir actores con más presencia.

Porque lo cierto es que las ONGs y organizaciones de base no intervienen en los ámbitos de la gran política sobre la reforma del Estado, sino en las zonas "blandas", en lo micro y lo local. No se habla con la red de las ONGs de vivienda para decidir la privatización del Banco Hipotecario, como tampoco se conversa con las ONGs de desarrollo para ver si deben privatizarse o no los aeropuertos. En este esquema dominado por el mercado actuarán como formas de contención y optimización en la asignación de recursos de las políticas sociales en el marco del retroceso del Estado. Pero no se toma al tercer sector como un principio de intervención en la toma de decisiones más amplias.

Paul Nelson señala que el mandato de los bancos de promover participación en la políticas públicas tiene limitaciones rígidas en otro nivel: en el diseño de políticas macroeconómicas nacionales no hay inclinación alguna por ampliar la participación. "Ciertamente, en el proceso de ajuste, la participación no necesariamente creará un consenso ni un sentimiento propietario del mismo, sino que, por el contrario, podría provocar graves controversias sobre la distribución del ingreso, la provisión de servicios sociales. Los bancos, como las autoridades económicas, "tienden a mantener al planeamiento macroeconómico como una tarea 'apolítica', inmune a la participación, y lejos del recurso cuasi legal del panel de fiscalización de los bancos. En síntesis, la consulta se incluye recién cuando los programas de ajuste ya han sido puestos en marcha y se limita exclusivamente a mitigar el efecto de ellos por medio de redes de seguridad social".[14]

Tampoco la configuración del vínculo social a través de redes supone una sociedad civil movilizada, participativa y solidaria. En la multiplicidad de asociaciones registradas como ONGs, trabajan activamente pocas personas en relación con el conjunto. Y si bien la autonomía de estas organizaciones es reivindicada, tampoco ello está resuelto actualmente, sobre todo en lo económico. Esta dependencia se encuentra tensionada en dos formas: desde el sector público por los préstamos de los bancos a través de los gobiernos, y el predominio de un paradigma crecientemente técnico y basado en la eficiencia del gasto, y desde el sector privado, por fundaciones empresarias (neofilantropismo). Estas organizaciones tienen problemas de dependencia económica, tanto de los gobiernos con préstamos de los bancos, como de las fundaciones privadas de los *holdings* empresarios. Son organizaciones de estructuras débiles ligadas al voluntariado y para las cuales es dificultoso negociar en paridad de condiciones con el Estado. Porque las ONGs necesitan interactuar por el cambio de las estructuras de financiamiento (menor apoyo de gobiernos europeos) con los bancos (BM, BID, asociados a los programas de reforma del Estado), lo cual las lleva al riesgo de quedar tanto "afuera de todo" si se apartan, como condicionadas por este financiamiento estatal y potencialmente actuar como "colchón del ajuste".

Si bien hasta ahora las redes y el tercer sector aparecen como un actor indecidido, fragmentario, aparecen casi más como potencialidad que como efectividad. No es tanto lo constatable de su realidad como lo descartable de las anteriores perspectivas.

Cuadro 1
Dos modelos de concepción de la sociedad civil

	Estado benefactor	Estado postsocial neoliberal
Sujeto	Pueblo-nación	Sociedad civil
Mediación	"Fusión" Estado-sociedad MCE	Diferenciación Estado-sociedad civil Contraposición Estado-sociedad civil
Organización	Organización neocorporativa, política, grandes mediaciones, movilización de masas	Organización en redes, *lobbies* y opinión pública, movimientos sociales, ONGs
Ciudadanía	"Social" Sociedad de masas, valoración político-estatal	"Posmoderna", del "consumidor" Valoración de la esfera privada y pública no estatal
Ambito	Esfera nacional	Local-global Micro-macro
Sesgos	Estatismo, predominio del Estado sobre la sociedad, burocratización Pérdida de subjetividad en función del Estado	Tecnocratismo, consumismo, desigualdad y fragmentación Pérdida de subjetividad por el mercado

D. RESIGNIFICANDO LA SOCIEDAD CIVIL

La emergencia de la sociedad civil reconoce aspectos positivos en las tendencias a una mayor subjetividad de la sociedad y al pluralismo, una devolución a sus organizaciones de espacios de autonomía que la anterior ampliación estatal y el sistema político les habría arrebatado de diversos modos. Esta devolución significa un complejo proceso de redistribución de competencias entre el Estado y organizaciones de la sociedad. Es lo que se ha denominado la suscripción de "un nuevo contrato social entre el Estado y la sociedad civil".[15]

Diversas experiencias locales y de organismos públicos centrales muestran el comienzo de una forma distinta en que se vincula lo estatal con la sociedad. De una concepción de la política más dialógica para procesos que ya no implican el primado de la lógica decisionista estatal, como tampoco la exclusiva del mercado. Una relación que se centra en la devolución por parte de un Estado burocrático y clientelar, de las demandas basadas en la protesta y reivindicación y de los movimientos sociales. El comienzo de una perspectiva sociocéntrica y de un nuevo espacio público.

Pero este consenso sobre la importancia de la sociedad civil también reconoce algunas amenazas subyacentes: la vinculada al hecho de estar frente a una sociedad más fragmentada y desigual, dominada por la lógica del mercado y por un modelo económico que privilegia la concentración, y la proveniente de una interpretación cuyas líneas fundamentales son concebir el "fortalecimiento de la sociedad civil" dentro de *un juego de suma cero* entre Estado y sociedad, donde habría más sociedad civil y más fortaleza de ésta cuanto menos Estado y política haya (vía privatización o desregulación).

Donde el Estado es visualizado como algo negativo, burocrático, asociado a la concentración del poder y foco de corrupción; precisamente, en un proceso donde el poder se ha ido desplazando del Estado y de la política hacia las agencias privadas e internacionales y hacia un mercado concentrado y trasnacionalizado. Por ello, "tematizar las relaciones Estado-sociedad civil exclusivamente en términos de juegos de suma cero implica soslayar del análisis las fundamentales relaciones de suma positiva entre sociedad y Estado sobre las que descansa el moderno complejo constitucional" (Peruzzotti, 1995).

Este supuesto remite a una interpretación de la sociedad civil como diferenciada pero enfrentada al Estado, y principalmente como problema este último de control, de transparencia y de limitaciones del poder, pero sin finalidad sustantiva en el logro del bien común. La sociedad civil aparecería como construcción de redes de contención social eficaces, pero no como espacio de constitución de una voluntad más amplia e interviniente en la elaboración de decisiones en igualdad de condiciones con otros sectores. Sólo asociada a lo local y a lo micro, y adquiriendo el carácter funcional a la contención y despolitización de lo social. Se trata de un modelo de sociedad donde las redes tratan de remediar los males del modelo sin tocar sus bases funcionales.

En los debates actuales, el tema de la sociedad civil y sus relaciones con el Estado y la política están igualmente fundamentados en la construcción de las separaciones liberales entre los ámbitos de los procesos histórico-sociales (Lander, 1997). Mucho del maniqueísmo presente en este debate, que establece prácticamente una polaridad entre el bien y el mal, representados por la sociedad civil y por el Estado respectivamente, se basa en asumir el presupuesto de lógicas sociales autónomas en los diferentes ámbitos de la vida social, perdiendo así la posibilidad de explorar sus múltiples interconexiones, sus zonas grises y sobreposiciones.

Se configura de este modo la escisión entre política económica y política social, quedando esta última vinculada a agencias públicas de resolución de la pobreza junto con estas agrupaciones voluntarias, y lo económico como el intocado reino del libre mercado, como la esfera neutral y técnica orientada por los equilibrios fiscales y la confianza de los inversores internacionales. Y si bien este discurso describe con suma crudeza la gravedad del problema de la pobreza, para su resolución se prescriben políticas focalizadas que trabajan más sobre los síntomas que sobre las causas. Donde lo político queda reducido al voluntariado y el bien común aparece como expresión de la multiplicidad de intereses a respetar o tolerar por parte del Estado.

Un elemento constitutivo de la ideología neoliberal es su antiestatismo. Su crítica se centra, sobre todo en las funciones sociales del Estado. Tanto porque ello debe resolverse más eficiente en el mercado (enfoque neoliberal), o mediante su cesión a organizaciones voluntarias por la mala asignación del gasto social que hace la burocracia (enfoque neoinstitucional). Aquí el diagnóstico sobre la pobreza y la exclusión está remitido al gasto y al problema de eficiencia en el mismo. De volúmenes de gasto y gerenciamiento. En realidad, lo reduce a los términos del modelo, es decir, requiere mejor gerenciamiento del gasto social, mayor transparencia y cesión a la sociedad civil de esta cuestión. Esta propuesta, si bien denuncia problemáticas de pobreza y exclusión, también revela limitaciones en el diagnóstico y las herramientas propuestas para su resolución que no están en consonancia con la profundiad del problema.

En este enfoque, las ONGs, a las que no por casualidad los neoliberales califican de *"private organizations"*, vienen muy a propósito como alternativas al "Estado social Moloc". Algunas de las ventajas comparativas que se atribuyen a las ONGs, como la eficacia en función de los costos y la flexibilidad, se esgrimen como argumento para delegarles determinadas tareas del Estado, privatizándolas en el proceso. En el área de ayuda para el desarrollo, la privatización se legitima adicionalmente aludiendo al hecho de que en muchos países en desarrollo los aparatos estatales son especialmente ineficientes y además corruptos.[16]

Esta concepción promueve, además, una suerte de idealización de esa sociedad civil en relación tanto a sus conflictos y contradicciones internas (que no es un mundo feliz, pleno de solidaridad y buena voluntad) como respecto a sus verdaderas posibilidades de actuar por sí sola en la resolución del problema del desempleo y la pobreza. Y oculta el hecho de que esas redes hasta ahora sólo inciden en las zonas blandas del proceso decisional. En este sentido no habría contradicción entre fragmentación y fortalecimiento sino complementariedad, porque ocurren ambas cosas: se fortalecen algunas organizaciones del sector voluntario en su capacidad de contención y gestión, pero la sociedad en un sentido amplio se sigue fragmentando al ampliarse la desigualdad y la rotura de vínculos.

La función estratégica que cumplen al respecto las políticas focalizadas para garantizar la gobernabilidad y legitimación de los ajustes estructurales. Así, dice E. Bustelo: "Las denominadas políticas sociales deben concentrarse (focalizar) sobre la pobreza y los grupos socialmente más vulnerables, formando 'redes de contención' y no sobre la distribución del ingreso. En este punto la política social de

CA (ciudadanía asistida) se junta con el viejo clientelismo electoral y paternalismo social (de ciudadanía 'tutelada' por un 'líder') que ha estado tradicionalmente vigente en América latina. En los ajustes económicos presentes basados en el modelo de economía abierta, la política social se percibe como necesaria para establecer las bases de gobernabilidad que garanticen la legitimación de las reformas exigidas por el mercado" (Bustelo y Minujin, 1998).

De allí que, desde una perspectiva que valore la emergencia de la sociedad civil sin incluir los acentos despolitizantes de la interpretación neoliberal, ni quede sólo en el mejoramiento del gasto social mediante el tercer sector, apostar a su fortalecimiento supondría: primero, que no necesariamente hay un juego de suma cero entre el Estado y la sociedad civil, sino posibilidades de articulación y complementariedad. Que menos Estado no es igual a mayor fortalecimiento de la sociedad civil, sino que es necesaria la complementariedad. Dice Lechner: "La cooperación entre los actores socioeconómicos requiere la intervención del Estado, por cuanto éste dispone de recursos intransferibles (implementación jurídica de los acuerdos, convenios internacionales), o medios adicionales (recursos financieros, información sistematizada). Una premisa básica de la coordinación mediante redes radica pues en cierto equilibrio entre sociedad y Estado. Ambas tendencias, por un lado diversidad y fortalecimiento de la sociedad civil y por otro redimensionamiento de la acción estatal, impulsan una transformación de la política. Es la combinación de sociedad fuerte y Estado fuerte la que da lugar a las redes políticas como combinación de regulación jerárquica y coordinación horizontal".

Segundo, que fortalecer la sociedad civil requiere superar la escisión entre lo social y lo económico, y apuntar no sólo a mejorar los índices de pobreza (NBI), sino a luchar también contra las desigualdades (índice de Gini). No aceptar la naturalización del desempleo y la exclusión, lo cual presupone contener la pobreza a través de una política social asistencial, pero también llevar a cabo una redistribución progresiva del ingreso a través de la reconstitución de la solidaridad pública y de reorientación de la política económica. Tercero, que el fortalecimiento de la sociedad civil también tiene que ver con el impulso que se le dé a una orientación de desarrollo descentralizado que pueda complementarse con el sector más formal, concentrado y trasnacionalizado de la economía, y no como un juego de suma cero entre ambos. Con la reconstitución de la trama social no exclusivamente basada en comunidades demandantes de problemáticas diferenciadas o de derechos individuales y minorías, sino apuntada a los núcleos integrativos amenazados (por ejemplo, las familias).

Por último, la articulación Estado-sociedad civil es un problema de máxima significación para los próximos años. Su interpelación discursiva y constitución dirá si se le asigna a la misma una función residual y de contención social, o si constituirá un nuevo principio de coordinación social, que junto con los otros dos, pueda intervenir en el plano decisional de modo más significativo.

Por ello, si en los países centrales el tercer sector surge en un contexto de crisis, de expectativas descendentes, respecto del desempeño por parte del Estado. Este contexto sugiere que un riesgo para el tercer sector es el ser llamado a resurgir, no por mérito propio de los valores que subyacen al principio de comunidad (cooperación, solidaridad, participación, equidad, democracia interna), sino para actuar como amortiguador de las tensiones producidas por los conflictos surgidos del ataque neoliberal a las conquistas políticas obtenidas en el período anterior. Si ese fuese el caso, el tercer sector se convertirá rápidamente en mito del tercer sector y tendrá el mismo destino que anteriormente tuvo el del Estado, y luego el del mercado. Esta advertencia, lejos de minimizar las potencialidades del tercer sector en la construcción de una regulación social y política más solidaria y participativa, tiende apenas a significar que las oportunidades que se nos depara en este dominio acontecen en un contexto de grandes riesgos.

En el surgimiento de la sociedad civil y del tercer sector, hay elementos emancipatorios en términos de realce de la subjetividad de la sociedad, de la autonomía de sus organizaciones, de formas distintas de representación y de una lógica distinta, no estatalista ni de mercado. Se trata de un camino nuevo que por ahora permanece en una situación no totalmente definida, porque parte del rol que tendrá en un futuro próximo no depende sólo de sí misma, sino de la política. Como dice Claus Offe, la relación y demarcación de las líneas entre mercado, Estado y comunidad, es en sí misma una materia de política.[17]

Por todo ello, una estrategia de fortalecimiento de la sociedad civil no necesariamente significa disminuir el papel que tiene el Estado en la reconstitución del bien común, sino que exige una mejor articulación entre ambos y el mercado. Porque la autoayuda, la solidaridad, la cooperación y el altruismo sociales, si bien necesarios, no alcanzan por más fuertes que sean, para reemplazar la falta de responsabilidad política del Estado y de responsabilidad social de las empresas. Así como la política social focalizada, por más eficiente y transparente que sea, no puede reemplazar el activismo y la solidaridad pública en favor de la integración. Por todo ello, en la valorización de una sociedad civil múltiple y autónoma, debe evitarse una concepción que facilita una suerte de desresponsabilización del Estado, que diluye la idea de solidaridad en neofilantropía, que despolitiza lo social y reintroduce la concepción liberal del Estado y la sociedad en una nueva etapa.

NOTAS

1. Ver los trabajos de O'Donnell sobre "la resurrección de la sociedad civil" como indicador del comienzo del proceso de transición, en O'Donnell, Guillermo y P. Schmitter (ed.), *Transitions from Authoritarian Rule: Tentative Conclusions*, Baltimore, John Hopkins University Press, 1987, y también un artículo pionero al respecto, el de Angel Flisfisch, "Notas acerca de la idea de Reforzamiento de la Sociedad Civil", *Crítica y Utopía*, 6: 11-23, 1982.

2. Giner, Salvador, "Civil Society and its Future", en John A. Hall, *Civil Society. Theory, History, Comparison*, Cambridge, 1994.

3. World Bank, *Summary Report of the Conference on Strenghtening Civil Society*, Washington, D.C., 12-14 de septiembre de 1994. Banco Interamericano de Desarrollo, Proyecto de Centros de Investigación, *The Political Economy of Institutional Reforms in Latin America*, Washington, 1997. Ver Tussie, Diana (comp.), *El BID, el Banco Mundial y la sociedad civil: nuevas formas de financiamiento internacional*, FLACSO-CBC, Universidad de Buenos Aires, 1997.

4. Arato y Cohen, "Politics and the Reconstruction of the Concept of Civil Society", en Honneth, Axel *et al.*, 1987.

5. La sociedad civil aparecía –en la visión gramsciana– como la arena en la que podía surgir una voluntad nacional-popular contrahegemónica que unificase a las clases subalternas en un gran movimiento popular contra la dominación "nacional-estatal" (Portantiero, 1981, pág. 217). En esta visión, el objetivo final del movimiento nacional-popular no era la institucionalización de la sociedad civil y la estabilización jurídica de las relaciones entre sociedad civil y Estado, sino la transformación de la sociedad civil en Estado, es decir,

la supresión de la división "ilusoria Estado-sociedad civil". Que de acuerdo a Portantiero, es la "...forma específica que adquiere la dominación bajo el capitalismo". Para Peruzzotti, el debate retornaba aquí a la vieja idea marxista de la reabsorción del Estado en la sociedad, que descansa en una completa negación de la gran contribución institucional de la modernidad: el dualismo entre Estado y sociedad. Peruzzotti, Enrique, "Sociedad civil, Estado y Derecho en Argentina, en Universidad Torcuato Di Tella, *Working Paper N° 15*, abril de 1995, pág. 7.

6. Una interpretación de sociedad civil remite a la perspectiva liberal clásica a lo R. Dhal. Desde otra perspectiva del mismo tema, ver Habermas, J., *Más allá del Estado-nación*, Trotta, Madrid, 1997.

7. Manuel A., Garretón, "Democratización, Desarrollo, Modernidad. ¿Nuevas dimensiones del análisis social?", en *Dimensiones actuales de sociología*, Braco y Allende, Santiago de Chile, 1995.

8. González Bombal, Inés, "¿Entre el Estado y el mercado? ONGs y la sociedad civil en la Argentina", en Thompson, Andrés (comp.), *Público y privado. Las organizaciones sin fines de lucro en la Argentina*, UNICEF-Losada, Buenos Aires, 1995, pág. 68.

9. González Bombal, *op. cit.*, pág. 70.

10. Carillo, Juan C., "Reforma del Estado u Organización Institucional Alternativa", Congreso del CLAD, *op. cit.*, págs. 107-108.

11. Este mundo está compuesto de un asociacionismo novedoso, que ha sido analizado también a través de la conceptualización y teoría de "los nuevos movimientos sociales", como sujetos colectivos que abren una perspectiva de renovación democrática en la sociedad contemporánea (Touraine, 1982; Mellucci, 1987). También como "neocomunitarismo de base" (García Delgado, 1991, Scannone, 1998), "economía popular" (Coraggio, 1997), "economía de solidaridad" (Razzeto, 1988; Forni, 1992), "tercer sector" (Thompson, 1995).

12. Dabas, Elina, *Red de redes. Las prácticas de la intervención en redes sociales*, Paidós, Buenos Aires, 1993.

13. Ver De Sousa Santos, Boaventura, *A reivenção Solidaria e Participativa do Estado*, en Seminario Internacional sobre Sociedad y Reforma del Estado, San Pablo, marzo de 1998.

14. Nelson, P., *op. cit.*, pág. 49.

15. Bossier, S., "La descentralización, un tema difuso y confuso", Documento 90/05, Santiago de Chile, 1990, y Cunill Grau, Nora, *Situando algunas de las condiciones de un nuevo contrato social: la ruptura de mitos para la reconstrucción y desarrollo de sus negociaciones,* Seminario Internacional sobre Sociedad y Reforma del Estado, MARE, San Pablo, 1998.

16. Wahl, Peter, "Tendencias globales y sociedad civil internacional. ¿Una ONGización de la política mundial?", en *Nueva Sociedad*, N° 149, 1997.

17. Rifkin, por ejemplo, señala que los años 90 serán los del tercer sector, "puesto que en el mundo se ha producido una gran decepción respecto de las instituciones tradicionalmente establecidas entre las que cabe citar a las centrales sindicales, los partidos políticos y las iglesias". El vacío de poder es llenado a través de la creación de pequeñas organizaciones no gubernamentales (ONGs) y por grupos de comunidad en docenas de países. A este tercer sector le atribuye la potencialidad de reabsorber todo el desempleo que se produce por incorporación tecnológica y gerencial en el sector público y privado. Ver Rifkin, Jeremy, *El fin del trabajo. Nuevas tecnologías contra puestos de trabajo: el nacimiento de una nueva era*, Paidós, Buenos Aires, 1996.

2

GOBERNABILIDAD Y VULNERABILIDAD

Consideramos el concepto de gobernabilidad como la capacidad de la comunidad política para desarrollar equilibrios virtuosos (o por lo menos razonablemente estables) entre los sistemas económico, político y cultural; equilibrios que permitan a su vez, conducir con relativa armonía los asuntos públicos.

RENATO CURZIO, 1996

Más que en el terreno político, es en la configuración actual de la economía, en el accionar especulativo e inmediatista de sus actores, en la mercantilización amplia de las relaciones sociales, donde se ubican los desafíos más severos a la gobernabilidad de las sociedades.

CARLOS VILAS, 1998

Dos grandes problemas aquejan al Estado en la etapa de la globalización: ¿cómo lograr competitividad en su economía y, a la vez, lograr gobernabilidad del sistema democrático? ¿Cómo hacer compatibles las demandas del nuevo modelo de acumulación de eficiencia, calidad, e inserción en un mundo globalizado y, a su vez, lograr consenso, liderazgo y legitimidad democrática? No parece fácil, en algún sentido parece consistir en lograr la cuadratura del círculo, porque un objetivo parece lograrse a costa del otro. Así planteado, la competitividad se logra a costa de la cohesión social, del vaciamiento democrático y del desprestigio institucional. El favorecer la gobernabilidad por el contrario, dar respuesta a demandas sociales, aparece como el riesgo inverso, de involución económica e ineficiencia y dar malas señales a los mercados. ¿Tiene resolución este enigma? ¿Hay que adaptar lo social y político a lo económico (ajustarlo), o es posible otra cosa?

En estos términos sustentamos la hipótesis de que la gobernabilidad no hace ya tanto a la cuestión de la crisis de la democracia como fuera en el pasado, de recaída en el autoritarismo, sino a la dificultad de hacer compatibles imperativos sistémicos que parecen hoy contradictorios: competitividad, gobernabilidad, identidad. Y segundo, que la dificultad mayor radica en los factores desestabilizantes asociados, más que a actores internos y a la política, a factores externos y económicos, concretamente a la vulnerabilidad externa que acentúa el actual modelo de desregulación neoliberal y de capitales especulativos sin ningún control. En un marco donde no están en discusión ya el capitalismo liberal ni la democracia representativa, se trata de cómo lograr competitividad, inserción a la economía global y, a la vez, apoyo político en una situación de fuerte vulnerabilidad externa y social.

La teoría de la gobernabilidad aparece en los 70, pero en otro contexto, en los albores de la crisis del Estado de bienestar y ante el temor a la caída en el autoritarismo. Con anterioridad, el concepto más frecuente era el de estabilidad política, utilizado para analizar distintos tipos de regímenes, ya fueran democráticos o autoritarios (Alcántara Sáenz, 1996). Es a partir de que existe legitimidad democrática que una serie de factores adversos conspiran contra el logro de eficacia gubernamental que comienza a elaborarse la problemática de la gobernabilidad. O, visto de otra forma, la capacidad de gobernar se convierte en objeto de reflexión en el momento en que se manifiestan los límites de la acción de gobierno.[1]

Si bien los riesgos para el régimen democrático difieren significativamente del ciclo anterior, la problemática no deja de crecer en importancia, tanto por un número mayor de actores preocupados por la misma (no sólo gobiernos, partidos e intelectuales, sino empresas, ONGs, bancos, organismos internacionales), como por las particulares connotaciones que adquiere en una situación de transición política. Y en un momento donde las apuestas políticas suben, donde se tensiona la relación gobierno-oposición y sobre todo en un contexto internacional económico de alta incertidumbre.

De allí que el problema de gobernabilidad se vuelva clave en la etapa de la globalización y particularmente en el umbral del Tercer

Milenio. Por lo cual realizaremos primero una aproximación al concepto tal como fuera desarrollado en las últimas dos décadas, para luego incorporar diversos enfoques y articularlos a los problemas que afronta hoy el sistema político derivado de la globalización.

A. INGOBERNABILIDAD COMO CRISIS DE LA DEMOCRACIA

La acepción ya clásica de ingobernabilidad –como crisis de la democracia–, aparece paradójicamente en una de las democracias más estables del mundo, la de los Estados Unidos, y como teoría neoconservadora de la crisis (Comisión Trilateral, 1975). Pero pronto se convierte en un punto de convergencia en el discurso político de derecha a izquierda. Se transforma en una preocupación común por el futuro de la democracia que replanteaba el debate en las ciencias sociales, dentro de las distintas tradiciones que hasta ese momento se habían mostrado confrontadas. Por eso, tenemos al respecto, posiciones neoconservadoras y de izquierda.

Ingobernabilidad como "exceso de demandas"

Las teorías neoconservadoras (Huntington, 1975). A mediados de los 70 se marcaba el peligro que afrontaban los gobiernos democráticos de los países desarrollados por la "sobrecarga de demandas" (*overload*). Se señalaba entonces que las demandas crecerán, mientras que la capacidad de resolverlas por parte de los gobiernos democráticos se reduce; éste, como parece confirmarse, era el dilema central de la gobernabilidad de las democracias manifestado en esos términos en Europa, Estados Unidos y Japón en los años setenta.[2]

Este peligro de ingobernabilidad se vinculaba a una sociedad demandante que ante la falta de respuestas podía generar gobiernos sin autoridad o bloqueados (Crozier, 1975). El Estado de bienestar era objeto de acusaciones como el responsable de la crisis política y económica en las cuales se verían incursas por situaciones novedosas de *stangflation* (inflación con recesión conjuntas) las naciones capitalistas desarrolladas. La expansión constante de servicios públicos desembocaba en crisis fiscal. Desde una perspectiva culturalista, se achacaba a ese período distribucionista el haber enfatizado los derechos y dado mayor importancia a la igualdad, llevando al debilitamiento de los vínculos comunales y aumentando la dependencia de los individuos de las agencias gubernamentales (Bell, 1984). Todo ello configuraba tendencias negativas hacia la deslegitimación de la autoridad y la pérdida de confianza en el liderazgo, como consecuencia de esta persecución ilimitada de las virtudes democráticas de la igualdad y la participación.

La propuesta que surgía de este diagnóstico era que la gobernabilidad democrática requería de una estrategia de menos democracia, de restricción de la participación frente al considerado "exceso de democracia", así como de reestructurar la relación gobernantes-gobernados que durante el Estado de bienestar se basaba en una cultura anticapitalista que fomentaba expectativas exageradas sobre el Estado. Se trataba de dar más espacio al mercado, de desregular y de reorientar las demandas de los individuos hacia el mercado, hacia lo privado y hacia el esfuerzo individual.

Las tesis neoliberales están en concordancia con las anteriores, señalando la mala relación existente entre keynesianismo y democracia, en la medida que esta yuxtaposición generaba una mezcla inestable. Sea porque gobierno y oposición quedaban empeñados en una competencia continua terminaban gastando más que lo que recaudaban (Buchanan, 1980). Entre otros autores pueden señalarse Hayek (1974) y sus críticas sobre el "constructivismo" y el chantaje de grupos organizados contra las libertades en las "democracias ilimitadas", Milton Friedman (1982) en su propuesta de recuperar "el derecho a elegir", la libertad del consumidor y la consiguiente necesidad de revitalizar el capitalismo mediante la economía de oferta, la desregulación más completa posible y la apelación al disciplinamiento y acicate que produce la pobreza.

Ingobernabilidad como contradicción entre acumulación y legitimación

Por su parte, las teorías provenientes de la izquierda que habían criticado previamente al Estado de bienestar, ya no por amenazas a la libertad como lo habían hecho los conservadores sino por "gatopardismo" o "populismo", por enmascarar la contradicción de clases y la dominación del capital, a fines de los 70 comienzan a mostrar nueva preocupación por la crisis del Estado de bienestar y la suerte de la democracia liberal.

Claus Offe, en su trabajo sobre las contradicciones del Estado de bienestar y en artículos posteriores se preguntaba sobre las motivaciones que generaban coaliciones mayoritarias en favor de la desestatización, o por qué la democracia se enfrentaba al Estado de bienestar.[3] O'Connor (1982) por su parte, mostraba la contradicción existente entre los requerimientos capitalistas de acumulación y los democráticos de legitimación en el capitalismo tardío. Porque el sistema de legitimación empezaba a chocar con la lógica de gasto público creciente e inflación y debilitamiento de la tasa de ganancias empresarias. La aparición de la crisis fiscal y los conflictos entre diferentes tipos de trabajadores, regionales, étnicos, comenzaban a poner de manifiesto la incapacidad de los gobernantes insertos en las condiciones contradictorias de los sistemas capitalistas.

La propuesta de esta corriente se basó en indagar sobre nuevas formas de redefinir intereses, en la inclusión de bienes simbólicos, en la concertación y en la búsqueda de nuevos movimientos sociales como sujetos de participación para profundizar la democracia reemplazando el papel desempeñado por el viejo sujeto histórico (el movimiento obrero). Las propuestas neocorporativas de concertación tripartitas entre empresarios, sindicatos y Estado también fueron postuladas como mecanismo eficiente para diluir la pugna distributiva con potencial desestabilizador e inflacionario (P. Smither, 1987).

Lo cierto es que la crisis del Estado de bienestar no terminó en las predicciones catastrofistas del "exceso de demandas", ni tampoco en la incapacidad de resolver la contradicción entre acumulación y legitimidad en el capitalismo welfarista. Ni arrasó con la democracia ni con el capitalismo, sino todo lo contrario, ambos se consolidaron y expandieron a nivel mundial.

Transición y enfoque institucional de la gobernabilidad

En América latina, la teoría de la gobernabilidad se asoció a una experiencia histórica concreta que fue la recurrente inestabilidad y por lo tanto el peligro de volver al ciclo cívico-militar que asolara particularmente la Argentina durante más de medio siglo. Durante la década del 80, dentro del marco de la corriente principal de la teoría de la transición, las causas de la ingobernabilidad se asociaron en nuestro país a la "cultura inflacionaria", "movimientista", o "populista", es decir, a la ausencia de culturas democráticas o no convergentes con la institucionalidad democrático-liberal (Portantiero, 1981), o como consecuencia de tradiciones culturales latinoamericanas autoritarias, corporativas y centralistas (Veliz, 1986). Se puso énfasis en resolver problemas de carácter cultural e institucional, tanto por la falta de conformación de un verdadero sistema de partidos como por la necesidad de asegurar el desplazamiento del esquema corporativo que había predominado desde la posguerra y su reemplazo por un sistema competitivo y plural (Cavarozzi, 1992). Pero también se señalaba la configuración sesgada del sistema de partidos, y por la falta de un partido de derecha con capacidad electoral que pudiera garantizar los intereses dominantes (Di Tella, 1995).

Otros explicaron la ingobernabilidad cíclica por la falta de una institucionalidad de carácter parlamentario, remarcando el rol disfuncional que tendría el presidencialismo para la estabilidad en la medida en que el partido que ganaba las elecciones terminaba llevándose todo, facilitando de ese modo que la oposición conspirara (Linz, 1991).[4]

Pero la teoría de la gobernabilidad en esa época, de carácter institucional, fue articulada a la perspectiva que guió el accionar del gobierno radical en la transición, dentro de la cual se acentuaron los temores sobre el riesgo corporativo y gremial como eventual elemento desestabilizador. Pero este enfoque, si bien remarcó aspectos antes olvidados por los sesgos deterministas de la teoría de la dependencia, le faltó una perspectiva más amplia que integrase los efectos disruptores no sólo "desde abajo" sino también "desde arriba", no sólo culturales e institucionales sino también económicos y estructurales. Que integrase el comportamiento de las élites económicas muy poco comprometidas con la democracia desde el 30 en adelante; de un contexto internacional desfavorable como el de la guerra fría, con el predominio de la doctrina de la seguridad nacional en los ejércitos del continente que favoreció clivajes políticos polarizadores y el comportamiento de las élites partidarias dentro del conocido "juego imposible".

No se reparó lo suficiente en la profunda influencia que alcanzó la conflictividad Este-Oeste en la configuración de los actores y la dinámica de los golpes militares, en la Doctrina de la Seguridad Nacional y en el rol de custodia del orden político asignado por la potencia hegemónica regional a los ejércitos nacionales en América latina. De este modo se tuvieron en cuenta aspectos exclusivamente endógenos de la ingobernabilidad, a la vez que indirectamente se suscribió a la tesis de ingobernabilidad propiciada por "exceso de participación" de los sectores populares en sus demandas de carácter corporativo (Sain, 1995)

Ingobernabilidad como inestabilidad económica

Pero el contexto comienza a ser distinto una década después, porque una vez que el Estado de bienestar queda atrás y se observan tendencias consistentes hacia la consolidación del régimen democrático y tiende a constituir, como diría A. Preseworsky, en *"the only game in town"*. Los elementos de consolidación se manifiestan en la ausencia o debilitamiento de actores antisistémicos, en las nuevas instituciones reafirmadoras de la democracia (Constitución de 1994), y en la conformación de una clase política más profesional. En la constitución de un subsistema de partidos junto a un marco internacional de la posguerra fría que favorece tanto la legitimidad democrática liberal como la economía de libre mercado.[5]

Si en sus inicios el concepto de ingobernabilidad estuvo asociado a la crisis de la democracia, a fines de los 80 se relaciona con un fenómeno desconocido en la perspectiva inicial: la inestabilidad económica, la hiperinflación, los "golpes del mercado" y los estallidos sociales. La gobernabilidad se asocia a la capacidad de estabilizar, de poner orden macroeconómico, y a la mayor o menor eficacia en la gestión. La economía política se hace teoría política y el economicismo se constituye en razón de Estado.

El temor del gobierno a ser capturado por un doble movimiento como ocurriera al gobierno radical a fines de los 80 –por la explosión social y el golpe de los mercados–, en una situación que derivó en adelantamiento del traspaso del poder del gobierno de un partido a otro. Y si en los 80 la ingobernabilidad estuvo asociada al "exceso de demandas" y al riesgo corporativo, a comienzos de los 90 va a estar asociada a la capacidad de superar la inestabilidad económica y los "golpes de mercado".

Lo cierto es que la eficacia lograda en la resolución de la inflación por el Plan de Convertibilidad, reforzó la gobernabilidad democrática durante la primera parte del gobierno del presidente Menem y ello se vio reflejado en el apoyo electoral y del contexto internacional logrado durante gran parte de sus dos mandatos. De este modo, en el nuevo marco la ingobernabilidad se redefine haciéndose menos probable en términos de crisis del régimen representativo pero, a la vez, la creciente corrupción, desempleo e inestabilidad de los mercados, ponen el problema en otro plano. No sería la ingobernabilidad producto de conflictos y actores antisistémicos, sino de problemas de coordinación y demandas cruzadas internas y externas que tiene que procesar el sistema político. La pérdida de gobernabilidad ya no afectaría al régimen sino a los gobiernos y en todo caso, a las principales figuras de los elencos gobernantes, especialmente a los presidentes que pueden convertirse así en válvula de escape del sistema. Porque puede haber ingobernabilidad de diversos grados, sea que implique en su nivel máximo la salida del jefe de Estado junto a una operación de salvataje para defender la legalidad, o sólo la caída de un gabinete, o la pérdida de popularidad y de apoyo político de un gobierno. Las primeras serían las que acaban con los gobiernos de Collor de Mello (Brasil), Alfonsín (Argentina), Bucarán (Ecuador). En las de segundo grado estarían la crisis del "tequila" en el México de Salinas de Gortari, y la de Fujimori (Perú) cuando suprime el Congreso.

No obstante, la ingobernabilidad requiere de situaciones catalizadoras, precipitadoras (por ejemplo Watergate, hiperinflación, denuncias de corrupción probadas, "golpe de los mercados", etc.), y muchas veces la crisis escala quedando fuera del control de sus protagonistas y más allá del mismo *establishment*.

B. Enfoques actuales de gobernabilidad

Si bien es cierto que está fuera de peligro el régimen democrático esto no significa que la gobernabilidad deje de ser un problema y que la forma en que se resuelva no tenga importantes consecuencias sobre la calidad y la naturaleza del mismo. La gobernabilidad se vuelve más compleja, porque el Estado tiene más limitaciones y porque tienen más poder los actores del mercado. Y porque las demandas de eficacia de la sociedad comienzan a trasladarse a la resolución del anterior problema crucial (la hiperinflación), a otro que en parte es consecuencia del mismo modelo económico que sirvió para resolver el primero (el hiperdesempleo).

A partir de este proceso de transformación emerge, entonces, una nueva situación para la cuestión de la gobernabilidad que ya no se asimila a la capacidad de control del proceso económico. En la Argentina de la postestabilización, la gobernabilidad pasa a ser una noción compleja integrada por valores, normas, garantías, equilibrios y mecanismos de confianza y cohesión social.[6] Sin embargo, ¿cómo presentan las diversas teorías los problemas que enfrentan los gobiernos en estas circunstancias?

– *El enfoque neoliberal,* al que también podemos denominar como "de gobernabilidad funcional", tiene como rasgo principal la insistencia en generar las mejores condiciones para la reproducción del capital. La clave de bóveda de este pensamiento es reconocer que el Estado nacional es incapaz, en el moderno esquema de economía globalizada, de proveer en solitario elementos de estabilidad. Por ello, es preciso debilitar al máximo el factor trabajo y las instituciones e ideas del Estado de bienestar, fundamentalmente en lo que hace a los derechos laborales y sociales, pues los otros países competidores de cualquier forma lo harán. Desmontar ese entramado de derechos permitirá, según esta lógica, atraer el máximo volumen de capitales, que a la larga procurarán estabilidad y prosperidad generalizada. Como corolario, la "profundización" del modelo en términos de ortodoxia económica y presupuestaria sería condición de gobernabilidad. El problema a vencer es la corrupción, lograr la separación de las esferas política y económica y construir un mercado sin "ruidos" políticos.

– *El enfoque neoinstitucionalista* resalta la necesidad del buen funcionamiento institucional para alcanzar una representatividad y un vínculo más transparente con la economía de mercado. Esta perspectiva afirma que la economía está enraizada (*embebedded*) en instituciones y que por esa razón, si no se modifican instituciones centralizadas, corporativas y politizadas o no competitivas, la economía no puede funcionar de acuerdo con las expectativas. La Nueva Economía Institucional (NEI) representa un enfoque que, a diferencia de la teoría neoclásica, sostiene que las instituciones son factores determinantes para la eficiencia de las economías, ya que reducen los costos de transacción, esto es, disminuyen el costo en información, negociación, contratación y garantías para hacer cumplir las condiciones de los intercambios, todo lo cual debe estar regulado formalmente por el Derecho (North, 1990). De manera que estas instituciones deben ser confiables y esta confianza viene dada por la existencia de un cumplimiento obligatorio que puede estar garantizado por constricciones morales sobre la conducta –autocumplimiento–, o por el Estado a través de un independiente Poder Judicial.

Desde allí que se hace hincapié en una preocupación por la descentralización, por las agencias de regulación independientes y profesionales, y por la autonomía de la justicia de la política y la transparencia de los mercados. El mercado no daría resultados inmediatos sino mediante su buena institucionalización. La gobernabilidad estaría asegurada por la transparencia, instituciones autónomas de justicia, aumento de la capacidad de gestión y disminución de la corrupción.[7]

El FMI, y particularmente el Banco Mundial en su propuesta de reformas de segunda generación, incorporan a los préstamos de facilidades ampliadas requerimientos institucionales de calidad gubernativa, como por ejemplo, el funcionamento del Consejo de la Magistratura y la importancia de defender la independencia del sistema judicial, velando porque se haga justicia con imparcialidad y agilidad, e infundiendo a los ahorristas e inversionistas la confianza en que se respetarán los contratos, se protegerán los derechos y se garantizará la propiedad, en definitiva: seguridad jurídica. Esta perspectiva reafirma la necesidad de mantener la ortodoxia económica y la disciplina fiscal, pero reclama una más eficiente asignación de los recursos para la asistencia social. El problema se centra en la mala administración, la corrupción, la evasión y la falta de políticas sociales adecuadas y en las malas asignaciones de los recursos, así como en la evasión.

En clave politicológica, el neoinstitucionalismo advierte sobre un tipo especial de democracia no representativa –si bien cumpliendo los requisitos de legitimidad electoral– sino "delegativa". O'Donnell (1993) realiza una crítica al hiperpresidencialismo y a los estilos políticos caudillistas, al surgimiento de democracias con incierto destino por la proliferación de zonas sin control ni respeto de la ley. Por lo tanto, evitar la ingobernabilidad sería pasar de lo delegativo a lo representativo, mejorar el andamiaje institucional, sobre todo la *accountability* horizontal (entre las instituciones del Estado) y la vertical (del Estado a los ciudadanos), lo cual se asociaría a los objetivos que promueven las reformas de segunda generación que asumen la problemática institucional junto a las reformas pendientes de salud, educación y justicia.

Dentro de una perspectiva institucional se puede distinguir entre gobernabilidad de "mínima" y de "máxima", como hace Repetto (1997). La gobernabilidad democrática que se constituye a lo largo de tiempos prolongados puede interpretarse dentro de un rango de posibilidades: una definición de "mínima" implicaría acuerdos a nivel de la cultura política y el régimen político; una definición más amplia incluiría consensos a nivel de las principales políticas públicas. Mientras en el primer caso es suficiente el involucramiento de las élites, en el segundo se requiere de algún tipo de participación efectiva de los grupos subalternos, sea en forma directa o a través de intermediarios representativos, con capacidad para descifrar información compleja, resolver ciertos problemas de acción colectiva y negociar en favor de las demandas de dichos sectores. Desde aquí se propone aumentar las capacidades estatales para una mejor gestión del Estado, mediante el concepto de "autonomía enraizada" de sus agencias, exigiendo que éstas conjuguen coherencia interna, alta calidad técnica y conectividad externa (Evans, 1996).[8]

– *El enfoque sistémico* relaciona la gobernabilidad con los problemas de conducción y coordinación que genera el actual proceso de modernización. Los problemas de gobernabilidad radican en la coordinación de diversos subsistemas: el económico, el político y el sociocultural, a partir de la creciente diferenciación social y funcional que el actual proceso de modernización genera. El problema de gobernabilidad derivaría de las consecuentes dificultades de coordinación y conducción que este proceso de transformación promueve a los gobiernos, junto a la disminución del poder político y a la generación de subsistemas autónomos y autorreferenciados.

De acuerdo a N. Lechner (1997), cuatro aspectos caracterizarían las transformaciones en curso: primero, los procesos de diferenciación social y funcional y el surgimiento de subsistemas funcionales cerrados y como campos autónomos (sistema educativo, social, económico, etc.). Segundo, el desarrollo social no se regiría ya por una racionalidad única, las sociedades latinoamericanas dejan de tener un centro. La gobernabilidad tiene que ver con regular procesos complejos en donde la vida social no tiene unidad, donde la diferenciación funcional genera descentramiento de la política, que deja de ser el núcleo sobre el cual se ordena la sociedad.[9] Tercero, la globalización genera un aumento de la racionalización social así como una transformación espacio-temporal de la política. Esta ya no opera sólo a escala nacional sino que se abre sobre lo regional-global y, a la vez, resalta la significación de lo local. Cuarto, hay también un redimensionamiento no sólo del espacio sino del tiempo, porque ya no hay imagen de futuro y eso contrasta con la visión anterior de la política que aparecía como construcción deliberada de futuro. Mientras que ahora hay pérdida de esa perspectiva y el presente se hace absoluto, un presente multimedial que sobrecarga a la política.[10]

La modernización plantea así una cierta inadecuación de la política al ajuste macroeconómico y de las representaciones de los ciudadanos a lo que es posible esperar de la misma. Ello provoca un retraso en las formas de hacer y de pensar la política, un desajuste entre política y sociedad, y esto tendría que ver con el nuevo contexto en que se formula el problema de la gobernabilidad. Se requiere de cierto ajuste de la política al nuevo contexto, el cual podría ser proporcionado por las reformas de segunda generación y por la integración de la nueva subjetividad emergente.

C. Gobernabilidad, complejidad y globalización

Estos tres enfoques, si bien dan cuenta de algunos de los problemas que deben afrontarse a fin de siglo, también generan un interrogante: ¿No sería necesario asociar más los aspectos endógenos con los exógenos, y a su vez integrar la creciente diferenciación de los subsistemas que produce la nueva modernización con los problemas que genera la globalización en el sistema decisional?

Si así fuera, debería considerarse que las causas de la ingobernabilidad no son ya principalmente endógenas, porque en la sociedad posnacional los problemas principales son de índole externa, o en todo caso, surgen del entrecruce de ambas esferas. Se trata de reelaborar en otro contexto el enfoque de "gobernabilidad progresiva", que quedó debilitada ideológica y prácticamente a fines de los 80 (Dos Santos, 1990). En términos generales, seguía los postulados de la integración social por la vía política y no por el mercado, y se proponía equilibrar los factores de la producción. El punto débil de esta argumentación fue que la economía ya se había sustraído de las soberanías nacionales exclusivamente.[11] Segundo, también debería integrarse al nuevo enfoque que, si bien se generan problemas de gobernabilidad, éstos no desembocan en un reemplazo del régimen, pero sus consecuencias no son inocuas para la democracia: se traducen en debilidad política, aumento de las presiones del poder económico y en pérdida de calidad institucional. Y, a la vez, en un mayor desgaste de los ciudadanos que no entienden el funcionamiento del sistema financiero internacional pero tienen claro que siempre terminan perdiendo.

Tercero, la gobernabilidad ya no estaría afectada por un solo factor u actor (movilización obrera, lucha de clases, guerrilla, militares, cultura política revolucionaria, etc.) ni por un solo tipo de conflictividad social. Sus problemas se agudizan por la interdependencia creciente entre las sociedades, y por la cual dichos gobiernos pueden ser impactados por sucesos muy distantes. Por la dificultosa compatibilización entre demandas internas de los ciudadanos (como empleo, educación, salud y justicia) y las externas de los inversores (confiabilidad, seguridad jurídica, flexibilización, disciplina fiscal, etc.).[12]

Para configurar este enfoque se requiere articular tres variables que tienen una circularidad sistémica: el impacto de la economía globalizada o la "vulnerabilidad externa"; la fragmentación, empobrecimiento y desempleo, o la "vulnerabilidad social"; y la debilidad institucional, la escasa autonomía de los poderes, o "vulnerabilidad político-institucional".

Mercados globalizados y vulnerabilidad externa

La globalización genera una serie de poderes extranacionales no contemplados en la visión convencional del gobierno democrático ni en la teoría democrático liberal (Held, 1994).[13] Los mercados fi-

Cuadro 2
Teorías de gobernabilidad

	Factores de ingobernabilidad	Medidas para garantizar la gobernabilidad
Clásica	"Sobrecarga de demandas", exceso de participación, pérdida de autoridad	Despolitización y disminución de la participación
Institucional (en los 80)	Problemas en el corporativismo, el presidencialismo y las culturas políticas no democráticas	Parlamentarismo, fortalecimiento del sistema de partidos, disminución de la influencia de los grupos corporativos
Neoinstitucional (en los 90)	"Delegación", falta de *accountability*, pérdida de autonomía de la Justicia, politización de las instituciones	Transparencia *(accountability)* horizontal, agencias autónomas y despolitizadas, reforma política
Compleja	Creciente diferenciación social y funcional, subsistemas autorreferenciados y autónomos, problemas de conducción y de coordinación	Coordinación en redes, fortalecimiento del tercer sector, reconocimiento de la sociedad civil, reformas de segunda generación
De las vulnerabilidades	Superposición de demandas internas y externas Interconexión entre vulnerabilidad "externa", "social" e "institucional"	Actuar sobre los tres frentes Aumento de la cooperación política (agenda de Estado) Promoción de la participación social

nancieros, susceptibles a un aumento del gasto público por déficit de cuenta corriente pueden afectar a los gobiernos en su capacidad de regulación económica y condicionarlos a directivas que ponen en conflicto la capacidad del sistema político para mantener apoyo electoral. La economía simbólica predomina cada vez más sobre los actores planteando problemas de gobernabilidad a los Estados porque limita o desvirtúa sus decisiones y sus acciones, sobre todo la formulación y aplicación de políticas económicas nacionales.[14] Se produce un movimiento contradictorio: mientras que la globalización crea problemas sociales-económicos, ecológicos, cuya solución es reclamada por los ciudadanos al Estado-nación, ella socava las bases del mismo, incapacitándolo para resolver tales problemas (Sonntag, 1995).

En los mercados globalizados, los aspectos subjetivos de lo económico son tan altos en economías dominadas por el capitalismo financiero y especulativo de bancos de inversión, y fondos de pensión así como calificadoras de riesgo, que la falta de apoyo de alguno de estos actores puede constituirse en un elemento importante para considerar la gobernabilidad o no de una situación. Y éste es el origen del conflicto, la variable independiente, que genera efectos sobre las demás vulnerabilidades (la social e institucional) por la particular situación que tienen los mercados emergentes en este contexto internacional.

La denominada vulnerabilidad del sector externo está vinculada a una extrema dependencia económica de un recurso o de las exportaciones a un país y al creciente endeudamiento para equilibrar las cuentas fiscales. En las nuevas condiciones de los mercados, los flujos de dinero son muy sensibles a los cambios en las tasas de interés, las calificaciones de riesgo de empresas o países y de actitudes menos científicas como pálpitos, miedos o prejuicios de gurúes financieros. La vulnerabilidad externa es definida como la gran dependencia de la actividad interna del flujo de fondos externos, es decir, del endeudamiento. La actividad interna crece pero no por las inversiones o exportaciones sino por el déficit comercial y el endeudamiento, y ésta es una de las razones por las que la Argentina es tan vulnerable a los "shocks" externos. La estrategia gubernamental predominante sobre esto es "comprar confianza", enviar señales a los mercados (cumplimiento fiscal, compromiso con el FMI, no ley laboral, etc.). Pero, en realidad, esta concepción es la que ha predominado durante todo este tiempo, la Argentina ha estado vendiendo confianza y sin embargo es cada vez más vulnerable. Eso no sirvió para que los fondos dejaran de considerar al país como un "mercado emergente" volátil. Si en este momento la Argentina "compra confianza", podría producirse un flujo de fondos que elevaría el endeudamiento del país que, pero contradictoriamente, lo haría más vulnerable a los vaivenes de las tormentas financieras internacionales. Lamentablemente cuanta más "confianza" vende la Argentina, mayor es la fragilidad extrema del país y, a su vez, la vulnerabilidad social (Muchnik, 1998).

Como los fondos mundiales de inversión superan al de los propios movimientos comerciales, las naciones menos desarrolladas están expuestas a intensos movimientos de capitales y este factor puede generar un escenario en el que la agudización de la incertidumbre y voracidad especulativa de los nuevos *robber baron* del capitalismo trasnacional –a lo Soros–, se traduzca en ataques especulativos a la divisa, en rápida huida de capitales y de confianza de los inversores externos. Sea por el impacto de la crisis de la bolsa, por la relación entre déficit de cuenta corriente y PBI o por devaluación de una moneda importante (por ejemplo, el rublo), o, como señala la teoría del caos, por el "trémulo aletear de una mariposa" en el otro extremo del planeta.

La desnacionalización operada de la economía también plantea interrogantes sobre la responsabilidad social de actores empresariales que tienen una influencia decisiva en la marcha económica. La desnacionalización de las empresas traslada la residencia de los que toman las decisiones económicas en la Argentina hacia afuera, hacia sus casas matrices, y con ello se facilita una suerte de desresponsabilidad social dado que la única ecuación que atiende el selecto grupo de los CEO es la maximización de las ganancias en el corto plazo para responder a sus accionistas y asegurar la continuidad. De allí la dificultad de los funcionarios para recurrir a este mundo tanto para concertar, como cuando por algún temblor necesiten del apoyo de estos nuevos poderes económicos.

Ahora bien, ¿cómo enfrentar la vulnerabilidad externa? Porque parece un problema más global que nacional. Por un lado, ello muestra la creciente responsabilidad de los países desarrollados para generar otro régimen de regulación pos Bretton Woods para evitar los efectos de la actual competitividad sin reglas.[15] Porque ese sistema funcionaba en el marco de la bipolaridad y de economías nacionales, mientras que en el marco de trilateralismo y de economía global, el FMI trabaja disfuncionalmente en situaciones poscrisis que no puede prever, y ni siquiera resolver satisfactoriamente; en la medida en que las corporaciones trasnacionales sean las que conduzcan la globalización y que la inversión extranjera directa estructure las relaciones económicas internacionales e internas de las naciones, ello seguirá provocando situaciones de enorme desprotección, conflictividad social, y exacerbación de las desigualdades. Para algunos autores y políticos ello requiere que el G7 (la reunión de las economías más poderosas) promueva una suerte de "economía social de mercado" a nivel mundial (Lafontaine, 1997); para otros, la realización de "nuevos contratos" para contrarrestar los efectos desintegradores que produce la competitividad a ultranza (Petrella, 1996). Algunos economistas hablan de regular los flujos financieros mediante imposiciones fiscales a esas transacciones acordadas internacionalmente (Tobin, 1983) o de un nuevo Banco Mundial, y la Iglesia Católica busca una resolución de la deuda externa en el contexto del próximo Jubileo (J. Pablo II).

A partir de ahora, dice Petrella, "tenemos cita con la solidaridad mundial, ya no sólo nacional o continental", y este autor propone para ello la realización de contratos mundiales, como el del agua, con el objetivo de crear condiciones necesarias e indispensables para que la población mundial afectada. Se trata de "desarmar al poder financiero" a través de diversas medidas:

– Deducir una tasa de 0,5% de las transacciones financieras de acuerdo a Tobin, Premio Nobel de Economía 1983.

– Eliminar los paraísos fiscales. Hay 37 paraísos fiscales en el mundo y su existencia constituye una forma de legalizar la creciente criminalización de la economía (evasión fiscal, especulación, tráfico de drogas, comercio ilícito de armas).

– Poner fin al secreto bancario. El respeto al principio de la libertad de propiedad y el derecho a la confidencialidad pueden garantizarse sin mantener el secreto bancario.

– Hacer pública y transparente la evaluación de los mercados financieros. Porque seis grandes sociedades privadas de expertos establecen la clasificación (rating) de los diversos países en función de lo que estos expertos consideran que es la "salud financiera" del país.

– Por último, crear un Consejo Mundial por la Seguridad Económica y Financiera, cuyo tema principal sería redefinir las reglas de un nuevo sistema financiero mundial (el Bretton Woods del siglo XXI).

De acuerdo a Navarro (1997) existen otras alternativas, y todas ellas pasan por una regulación de los mercados financieros desincentivando la movilidad de capitales financieros por motivos especulativos, priorizando las movilidades largas en contra de las cortas, con regulación de las transferencias bancarias y comercio de divisas, reduciendo su volatilidad.

Pero en el plano nacional reducir la vulnerabilidad externa significaría salir de una admisión pasiva de la trasmisión de los cambios externos hacia sus mercados internos para tratar de moderarlos o graduarlos en el tiempo, afectar la composición de los flujos de capitales y suavizar sus efectos sobre el tipo de cambio y la demanda interna:

– Ampliar los márgenes de actuación del Estado para favorecer el ahorro público y privado y disminuir la política de endeudamiento.[16]

– Favorecer un desarrollo industrial exportador, incorporando de-. sarrollos tecnológicos como forma de generar productos exportables de mayor valor agregado y empleo de calidad.

– Estabilizar el crecimiento para que sea menos oscilante, regulando la introducción de inversiones directas y poniendo determinadas condiciones de tiempo a la posibilidad de retirar los capitales ingresados al país, porque la mayor apertura financiera requiere un manejo de flujos de entrada y salida de capitales que permita capturar los beneficios de la apertura, pero que contribuya también a evitar sus peligros.

– Reducir endógenamente el riesgo país y moderar los efectos cíclicos de los movimientos de capital u otros choques externos. Es necesario evitar que el capital entre y salga en 24 horas, con medidas como las que ya puso en práctica Chile desde hace una década.

– Por último, pero no menos importante, se trata de maximizar la coordinación macroeconómica de carácter regional para disminuir la vulnerabilidad externa que afecta al conjunto de estos países: profundizar el modelo MERCOSUR, porque sólo aquí parece haber respuestas estratégicas y de peso a este nivel. Así como empezar a contar con esquemas comunes para tratar con empresas que invierten en los dos países, políticas regionales de atracción, para disminuir la capacidad de chantaje social que tiene este sector privado e intervenir conjuntamente en los debates sobre el nuevo esquema de regulación del sistema financiero a nivel global.

La "vulnerabilidad social"

Otro riesgo para la gobernabilidad surge de la circularidad regresiva que se produce entre el aumento de la pobreza, el desempleo, la precarización y la inseguridad, la capacidad de gobernar una sociedad semejante. Esta situación da lugar a diversos tipos de protesta, del tipo "carpa blanca", jubilados, puebladas, marcha federal, apagón, y a explosiones anómalas de baja intensidad que impactan sobre el sistema político. Los conflictos en zonas "inviables" por las privatizaciones de empresas públicas y otras explosiones puntuales. Las manifestaciones de esta vulnerabilidad estarían dadas por los índices de popularidad en baja, el aumento del "malestar social", el aumento de la protesta social por pérdida de derechos adquiridos y el aumento de la criminalidad. Lo que en el fondo es expresión de una sociedad fragmentada y en la cual amplios sectores no se sienten representados y sólo pueden atinar a formas de protesta que maximicen la atención de los medios sobre ellos.

La ingobernabilidad por "explosión social", aun cuando no se trate de una explosión generalizada, puede terminar planteando problemas de "riesgo país", porque si bien no son luchas de carácter antisistémico sino de búsqueda de inclusión, repercuten negativamente en el sistema económico, al aumentar la visión negativa del país y por tanto la vulnerabilidad externa. Es el problema de gobernar en una sociedad que aparece como una Babel fragmentada, donde cada uno habla el lenguaje de su propio interés, y donde los partidos han perdido vínculos con la sociedad, cuyas formas organizativas son gelatinosas y de protesta espontánea y que los rechazan a la hora de negociar. Cuando el conflicto estalla, lo hace de manera incontrolable y sorpresiva y, a la vez, no es posible reprimir en el sentido clásico por la transmisión "en vivo y en directo" del mismo; luego sólo cabe administrar políticas focalizadas puntuales para lograr su control momentáneo.

Pero la repetición de estas manifestaciones y cuando se resiente el frente social por varias de estas irrupciones, lleva a los gobiernos a buscar sostén en los grupos económicos, y éstos terminan agravando la situación social por lo que éste pronto pierde sustentabilidad. Porque esta vulnerabilidad no sólo es un problema de pobreza y desigualdad, sino también de falta de mediaciones y esto se conecta con preocupaciones similares acerca de la importancia del Capital Social (Putnam, 1994) y de la necesidad de generar trama social, asociacionismo intermedio. Pero este enfoque está muy vinculado a la política social, y de contención, más que a una reconstitución de un nuevo principio del proceso decisional.

Si bien es cierto que a partir del Plan de Convertibilidad se logró una significativa estabilidad macroeconómica, que constituyó un logro significativo en términos de eficacia gubernamental, dado que las principales demandas del momento se vinculaban al control de la inflación, después del efecto "tequila" se pasó a la declinación salarial y a la precarización. Y este conflicto pone de manifiesto las dificultades crecientes del Estado para ser eficaz en dar respuesta a la nueva demanda central de la sociedad: el desempleo estructural.

Así, la vulnerabilidad "social" está en conexión con la "económica", como se desprende de la reciente crisis asiática, de las medidas de-

mandadas por el FMI para "enfriar" la economía e incluso de la paradoja de que hay más vulnerabilidad social a pesar de que se destinan
más recursos al gasto social. A partir de estas medidas, el frente social
va a ser nuevamente afectado y en particular el empleo. Porque apenas
mejoró en la fase expansiva del '97, en base al asistencialismo disfra-
zado de empleo de los planes oficiales, que por su naturaleza no puede
parar el repunte de la pobreza, la desaceleración de la economía tendrá
su impacto en no poder modificar los altos índices de desempleo. Parte del problema deriva de los errores del proceso de privatización y del
perfil productivo que generó un patrón de inversiones dirigido a los servicios más que a la producción de bienes exportables, y que lleva a un
crónico problema del sector externo, al que precisamente se suponía
esas reformas ayudarían a modificar. Porque el déficit de cuenta corriente es muy sensible a cualquier crecimiento alto del PBI por el aumento de importaciones: si se crece debe ser a una tasa máxima del 4%
que mantiene la balanza comercial en equilibrio, pero la enorme desocupación exige un ritmo de crecimiento superior al 7% anual, si se quiere llegar a un desempleo de un dígito en los próximos años.

Por todo ello disminuir la vulnerabilidad social frente a los riesgos provenientes de la agudización de las desigualdades requiere: 1)
mejorar la política social y reorientar la política económica, combi-
nando políticas sociales de carácter focalizado de corto plazo, con
aquellas que apunten a generar empleo en el mediano; 2) encarar
orientaciones activas mediante el apoyo a redes productivas, PyMEs
y de desarrollo local. No sólo se necesita más crecimiento sino políticas del Estado que corrijan el perfil productivo hacia una mayor incorporación de valor agregado. Porque no es viable mejorar la situación social sólo desde la política social o disminución de la
corrupción. Como tampoco se resuelve el problema del empleo aumentando la precarización, bajando el costo salarial, o eliminando el
sistema de concertación social.

Aquí se expresa el conflicto entre un pensamiento que se articula
en torno a la demanda de gobernabilidad de los procesos de ajuste que
promueven los organismos internacionales (por ejemplo, Banco Mundial), y que suscriben los sectores dominantes locales, y un cuerpo de
ideas que sostiene que "éticamente no se puede, electoralmente no se
debe, e incluso técnicamente no parece conveniente congelar la idea
de gobernabilidad en la sola reproducción del orden social vigente dominado por inaceptables desequilibrios comunitarios".[17]

La "vulnerabilidad político-institucional"

La tercer variable hace referencia a problemas de corrupción y la escasa autonomía de la justicia así como de inseguridad jurídica y todo un conjunto de datos que se relacionan con la crisis de representación. Porque si bien hay consolidación del régimen democrático, se percibe que una extendida corrupción ha generado no pocas situaciones de ingobernabilidad en la región, como los casos de Collor de Melo (en Brasil), Andrés Pérez (Venezuela), Bucarán (Ecuador). En este contexto, la pérdida de credibilidad de la política aparece como uno de los factores que atentan contra la gobernabilidad democrática. Porque la corrupción se convierte en un tema de importancia global y, sobre todo, porque figura en la nueva agenda de seguridad nacional norteamericana y, es por tanto susceptible de presión política y económica. Es el impacto de los *issues* estratégicos para la seguridad hemisférica, como son las drogas, el terrorismo internacional, el medio ambiente o la misma corrupción.

La percepción disociada del sistema democrático se explica por la configuración de un subsistema donde el ciudadano se siente "espectador". Por ello, J. Nun acuña el concepto de "democracias de baja intensidad", en referencia a la falta de adecuación o distorsión del esquema institucional argentino por inexistencia de controles, y la pérdida de independencia de los poderes, así como a la creciente sensación de alienación de los ciudadanos frente a las instituciones.

Para disminuir los riesgos de vulnerabilidad producidos por la globalización, los gobiernos de la región deben tener un alto grado de capacidad adaptativa para responder con celeridad frente a los cambios internacionales. Ante esta condicionalidad estructural, deben definir reglas de juego internas apropiadas que posibiliten respuestas rápidas. Esto trae como consecuencia que en su intento por lograr gobernabilidad, en el marco de situación de crisis aguda y de culturas políticas adversarias, opten por un Ejecutivo fuerte y eficiente que no vacile frente a presiones internas ni delegue facultades en otros poderes democráticos (Congreso y Justicia). Por lo tanto, se genera un poder Ejecutivo absorbente en el sentido de arrogarse facultades que no le son propias pero que le posibilitan una respuesta rápida a las demandas de la globalización.[18]

Pero ¿cómo luchar contra la corrupción y la falta de transparencia y a la vez con esta pérdida de calidad institucional? En un país cuyo producto bruto anual ronda los 300.000 millones de dólares y cuyo presupuesto estatal es de alrededor de 50.000 millones, las estimaciones responsables sitúan a la corrupción-evasión cercana a los 20.000 millones anuales. Parte de la argumentación de la corrupción como problema central, señala que con los montos que podrían rescatarse de la corrupción, se podría subsidiar la resolución de la cuestión social, de los desempleados y elevar el ingreso de los jubilados y de los docentes. Pero más allá de cierta presunción voluntarista de que un cambio en el estilo y calidad institucional puedan modificar una cuestión social tan compleja, al mismo tiempo se requiere mejorar el sistema de controles, la autonomía de la justicia, terminar con la impunidad y generar cambios en las formas de relación de las élites políticas.

D. COOPERACIÓN POLÍTICA Y PARTICIPACIÓN SOCIAL

Ahora bien, el mejoramiento de la calidad institucional es de gran importancia, pero esta iniciativa fracasará si no se trabaja conjuntamente para modificar la vulnerabilidad externa y la social asociadas al actual rumbo económico. Y frente a este cuadro parecen necesitarse dos cosas: remover la falta de consociatividad entre las élites políticas y aumentar la participación social.

La primera, porque la conjunción de demandas externas e internas requiere reforzar la capacidad estratégica del Estado y una reconstitución de solidaridades políticas superando la baja capacidad de concertación que ha caracterizado nuestro sistema político hasta ahora. Las políticas de Estado son basadas en acuerdos amplios, y al mismo tiempo van más allá de una administración, es decir, son estratégicas, van más allá de un partido y gobierno. En este sentido, la misma globalización empujaría a la colaboración en políticas de esta naturaleza debido a la misma gravedad de las amenazas que significa. En parte ello se debe a que las amenazas de la globalización no son ficticias, se pagan en desvertebración social, heteronomía política y en alienación cultural. Y además porque ya no hay hegemonías electorales y porque ahora las relaciones de fuerzas parlamentarias son similares y pueden vetar la acción de un gobierno (Senado del oficialismo, mayoría de diputados de otro), por lo cual se requiere del apoyo o al menos del no hostigamiento de los partidos de la oposición. Y porque de no contar con una orientación más concertadora frente a los retos de la globalización, sin salir de la "política denuncia", del corto plazo y del juego suma cero, la pérdida seguirá siendo de la política en desprestigio y de posibilidades de cambio.

Por ello se requiere configurar un sistema político más consensual, menos polarizado y con más capacidad de diálogo que lo que fuera durante los dos períodos gubernamentales del proceso de transición. Porque sin la constitución de otras relaciones de poder entre élites económicas y gobierno, la relación gobierno-oposición se transforma en juego de suma cero y el proceso electoral en cooptación por el *establishment* del partido que llega al gobierno.[19] Donde el Estado pierde autonomía respecto del mismo y hasta parece ser más exitoso cuanto mejor interpreta los requerimientos de economía abierta, competitiva y de alta flexibilidad laboral. Y esta escasa capacidad concertadora es funcional a una globalización desnacionalizante y fragmentaria. La dificultad para negociar entre los partidos se traduce en negociaciones apuradas, chantaje, reforzamiento mediático del poder empresario, y de negociación con éste en las peores condiciones. Por eso, "que la democracia no pueda prescindir del sistema de partidos no significa que todo deba enfocarse desde una perspectiva partidista. No es imprescindible descalificar la propuesta del otro para demostrar que la que vale es la propia. Esa costumbre de poner en cuestión todo lo ajeno, irreprimible en la vida política, recuerda el análisis que Nietzsche hace del resentimiento: el resentido dice 'tú eres malo' para afirmar que él es bueno, su posición es siempre reactiva, no sabe valorarse sencillamente en positivo, sin rechazar al adversario" (Camps, 1996).

Y esta capacidad concertadora debería plasmarse en la conformación de una Agenda de Estado para el siglo XXI, que acordase objetivos principales así como en algunos instrumentos y medidas de políticas de Estado: el mejoramiento de la calidad institucional, la lucha por la integración social y la reducción de la vulnerabilidad externa. Quizás la fórmula sea coaliciones nacionales con fuerte consenso, más MERCOSUR. Porque sin esa agenda va a ser difícil establecer otra relación de fuerzas entre economía y política, entre Estado y mercado. Sin la superación del estilo suma cero en el sistema de relación oficialismo-oposición. El estilo suma cero posibilitó realizar la primera reforma del

Estado pero genera imposibilidades evidentes para apuntar a la superación del modelo neoliberal. Y si bien el próximo período gubernamental se presta a implementar políticas de Estado, también es cierto que el problema sigue siendo qué signo van a tener, porque también se presiona desde la derecha para que esta agenda esté constituida por el acuerdo sobre los *fundamentals* "del modelo".

Tal vez un caso regional en el que más se haya avanzado al respecto sea el chileno. En éste no solamente el gobierno de la Concertación (DC y PS) muestra capacidad de pacto entre partidos enfrentados en el pasado, sino que al mismo tiempo tiene una política de constitución de Foros suprapartidarios y de representación social para delinear políticas de Estado, es decir, de aquellas que superan una administración (por ejemplo, de combate a la pobreza).

– La segunda condición tiene que ver con favorecer *una mayor participación social.* La inclusión de otra lógica y actores al sistema decisional, hoy ocupado por el mundo empresario y el político. La clave institucional no sería tanto de problemática de control, *accountability* en términos de pesos y contrapesos, sino de incorporar la ciudadanía del tercer sector al nivel decisional. De reconstruir mediaciones rotas entre el sistema político y la sociedad civil, pero no mediante una participación ligada a un polo partidario y gubernamental, sino en la creación de un *mix* institucional que articule los tres principios del orden social: el mercado, el Estado y la comunidad. Y esto significa aumentar el contenido de participación social y el involucramiento de la gente en resolución de problemas para que no queden afuera, delegando, o miembros pasivos de la escena pública para luego irrumpir intempestivamente.

Cooperación política y participación social serían así dos claves articuladoras para hacer frente a las tres vulnerabilidades que afectan la gobernabilidad. O para lograr, en términos de Dos Santos, una "gobernabilidad progresiva" (1992), o "de máxima" en los de Repetto (1997). Por ello, asumir el desafío de la gobernabilidad en la etapa de la globalización presenta el siguiente dilema: o hay mayor cooperación política o el automatismo del mercado sigue asignando recursos y finalidades; o hay mayor capacidad estratégica de mediano plazo del Estado o ésta es proporcionada por el "pensamiento único"; o hay mayor participación social o el predominio será de las lógicas sistémicas reproductivas del mercado y del Estado.

De este modo, la gobernabilidad democrática a fin de siglo requiere salir tanto del estilo de democracias "delegativas" como "adversarias", y de incorporar una cultura de "democracias consociativas". De reforzar la participación social y aumentar el involucramiento democrático de la gente en la resolución de problemas y no como espectadores de soluciones técnicas y de expertos.[20] Esto permitiría alentar la acción conjunta de reconstrucción del Estado y de fortalecimiento de la sociedad civil, relanzando además expectativas esperanzadoras hacia el Tercer Milenio. Porque, como dice Lechner, "la gobernabilidad democrática depende entre otros aspectos de la capacidad de la política de reconstruir horizontes de futuro. Sólo entonces nuestros países podrán encauzar los cambios sociales en una visión estratégica de la modernización".[21]

NOTAS

1. Arbós, X. y Giner, S., *La gobernabilidad. Ciudadanía y democracia en la encrucijada mundial*, Siglo XXI, Madrid, 1996.

2. Huntington, Crozier, Watanuky, *The Crisis of Democracy: Report on the Governability of Democracies to the Trilateral Commission*, New York University Press, 1975, pág. 9

3. En el pensamiento marxista la inestabilidad se originaría en otros sitios que donde la coloca el pensamiento neoconservador, en la economía, donde la caída de la tasa de ganancia, la sobreproducción y sobre todo el trabajo asalariado y la competencia derivada de la apropiación privada de la ganancia, llevaría a una contradicción insalvable entre clases, y a luchas políticas desordenadoras de la vida política, que confirmaría la tesis de que la democracia burguesa y el capitalismo "mantienen una relación tensa entre sí, precaria e irresoluble en el fondo". Offe, Claus, *Partidos políticos y nuevos movimientos sociales*, Sistema, Madrid, 1989, pág. 29.

4. Ver también la crítica al enfoque institucionalista en los 80 de Cherensky, I., "El futuro de las nuevas democracias", SAAP y CLACSO, 1997. Dice C. Franco respecto de este enfoque en los 80 de América latina, que el conjunto de cambios planteado en los 80, no podía ser definido exclusivamente en los términos de una "…transición de regímenes autoritarios militares a regímenes democráticos civiles", el sentido de la democracia absuelto en esa expresión sumaria que asocia "reglas conocidas y resultados inciertos", ni la construcción del régimen limitada a la recreación de su formato "clásico" de actores, reglas e institucio-

nes. Sin embargo, esas definiciones estuvieron, como se sabe, en el origen de una estrategia institucionalista, procedimental y gradualista de organización del régimen, como de un discurso centrado en torno a los valores de la cultura democrática y los "pactos fundacionales"; la discusión de mecánicas idóneas que aseguraran la forma de gobierno y el reconocimiento de dilatados grados de autonomía del régimen con respecto a sus "bases materiales"; la reflexión acerca de la construcción discursiva de los actores como de los modos de generar consensos básicos y concertaciones políticas, etc., en "Visión de la democracia y crisis del régimen", *Nueva Sociedad*, N° 128, 1993, pág. 52.

5. "La eficacia se refiere a la capacidad de un régimen para encontrar soluciones a problemas básicos con los que se enfrenta todo sistema político (y los que cobran importancia en un momento histórico), que son percibidas más como satisfactorias que como insatisfactorias por los ciudadanos conscientes." (Linz, J., 1991)

6. Para Garretón, la gobernabilidad democrática se relaciona con el modelo de acción colectiva subyacente, lo que refiere a una cuestión de cultura política. Se trata del paso del modelo revolucionario al modelo político de acción colectiva, y del paso de una política de corte mesiánico, ideológico y heroico, totalizante, a una política de carácter incierto, ambivalente, y por tanto limitado a esta dimensión de la acción social, en "Aprendizaje y Gobernabilidad en la Redemocratización Chilena", *Nueva Sociedad*, N° 128, 1993.

7. Torres Rivas, E., dice que los gobiernos democráticos tienen que basar su eficacia en aspectos elementales y formales, tales como huir de la ejecución arbitraria de la ley, cuidar de manera permanente el respeto a las normas constitucionales, exhibir permanentemente una absoluta claridad en el manejo de los recursos financieros, adoptar una discrecionalidad mínima en aquellas decisiones que no están reglamentadas, que afectan a grandes porciones de la población, cuidar que no haya desperdicio de recursos, evitar el prevaricato, etc. La eficacia se garantiza a través del control ciudadano, democrático (*accountability*) de la gestión pública, que debe ser reglada, transparente, pública y honrada. Descontado el sesgo normativo de todo lo anterior, la aspiración a una gobernabilidad democrática descansa en algunos de estos presupuestos, en "América latina. Gobernabilidad y democracia en sociedades en crisis", *Nueva Sociedad*, N° 128, pág. 101. A su vez, Luciano Tomassini dice que la gobernabilidad se refiere a la capacidad de la autoridad para canalizar los intereses de la sociedad civil, a la interacción que se da entre ambos, para alcanzar el desarrollo económico, en "Estado, gobernabilidad y desarrollo", *El Príncipe,* septiembre-diciembre de 1995.

8. Esta diferenciación respecto a los alcances del concepto de "gobernabilidad democrática" conduce a concentrar la atención en las políticas públicas, en especial aquellas que tienen un carácter estratégico para la articulación virtuosa entre las esferas política, social y económica (Repetto, 1998). Es posible sostener que alrededor de cada "subsistema de políticas" se va construyendo lenta-

mente una red institucional, en torno a la cual se nuclean actores sociales y estatales con recursos, intereses e ideas muy variados, los cuales son movilizados en tensión con formas tradicionales de gestión estatal en la respectiva materia. Este enfoque mostraría que en la democracia argentina, el nivel de los acuerdos sobre cultura y reglas habrá sido alcanzado, pero no sobre el de las políticas estratégicas.

9. Lechner, N., "Gobernabilidad en América latina a fin de siglo", *40 años de Flacso, op. cit.* Este enfoque abreva en la teoría de sistemas y particularmente de los desarrollos de Lhuman y Zolo.

10. Lechner, N., *op.cit.,* 1997.

11. Dos Santos, M., *op. cit.,* 1992.

12. La gobernabilidad de los regímenes políticos latinoamericanos se encuentra altamente determinado por condicionalidades estructurales externas. Evitar la crisis de gobernabilidad implica estructurar modos de regulación compatibles con la orientación de los movimientos de capital y flujos financieros internacionales. Idígoras, G., "Los dilemas políticos de la globalización en América latina", *Documento de Trabajo Nº 4,* Universidad de Belgrano, 1996, pág. 27.

13. De acuerdo con el último documento del Banco Mundial, los flujos privados netos a largo plazo sextuplicaron los flujos oficiales. Banco Mundial, "Global Development Finance 1998", Washington D. C. Dice Josep Stiglitz que, a partir de la crisis asiática, este año "hemos visto no sólo las oportunidades sino los riesgos que plantean los flujos de capital internacionales".

14. Kaplan, Marcos, *op. cit.,* pág. 210. C. Vilas, señala que "la volatilidad de la economía internacional y el auge de las actividades especulativas se han convertido en uno de los mayores elementos de tensionamiento de la capacidad de gobierno en América latina y el Caribe. Las instituciones gubernamentales de la región enfrentan obstáculos serios para fiscalizar el ingreso y la salida de ingentes recursos financieros; su subordinación respecto de los flujos internacionales de capital está fuera de discusión. El Estado, como garante y promotor de los intereses nacionales y del bienestar general es cuestionado por el movimiento vertiginoso de las corrientes financieras, por sus cambios de mano, por decisiones tomadas en cualquier lugar del mundo y que tienen efecto inmediato en cualquier otro. Una orden transmitida por correo electrónico, un rumor oportunamente difundido, pueden hacer trastabillar la economía y poner a temblar los gobiernos". Vilas, Carlos, "Gobernabilidad y globalización", en *Realidad Económica,* 1998, pág. 10.

15. Dice French Davis (1998) que las causas de la creciente volatilidad tienen que ver, en parte, con las insuficiencias en la coordinación macroeconómica entre las naciones más influyentes en los mercados mundiales, y con las limitaciones de la institucionalidad internacional, por ejemplo en el campo regulatorio y de coordinación de políticas e información a escala mundial. No existe ninguna institución internacional que contribuya a evitar que se desarrollen bo-

nanzas financieras insostenibles y el FMI posee sólo una capacidad limitada para manejar las crisis subsiguientes. En reemplazo surgen medidas nacionales de regulación. Cabe destacar los sistemas de encajes a los créditos externos que han venido utilizando con éxito Chile y Colombia en los períodos de abundancia de fondos. French Davis, R. "Las crisis financieras", *Clarín,* 2/8/98.

16. Señala Ferrer que es posible y necesario afianzar la estabilidad de precios sobre los equilibrios macroeconómicos de base (presupuesto, balance de pagos, sector monetario) y resolver la continua dependencia de los capitales externos especulativos de corto plazo (Ferrer, 1997).

17. IDEP, *op. cit.*, pág. 19

18. Idígoras, *op. cit.*, pág. 15. También C. Vilas señala que el "ideologismo neoliberal" instalado en el diseño de las políticas públicas "enfrenta" la globalización financiera y promueve una rápida y amplia abdicación de los instrumentos de política con los que los Estados podrían compensar o prevenir los efectos nocivos de la manipulación especulativa de los mercados. En vez de compensar o equilibrar, los Estados refuerzan las tendencias especulativas de la economía, *op. cit.*, pág. 11.

19. En la Argentina, dice Nochteff (1994), la élite económica aprovecha las debilidades del sistema político para su crecimiento y expansión. Sin la coacción social no se comportan como *entrepreneurs* que buscan cuasi rentas tecnológicas a través de procesos innovativos, cambio técnico e inversión, convirtiéndose en portadores de desarrollo. "El comportamiento de una economía como la argentina –nuevamente en términos de la teoría del desarrollo shumpeteriana– se puede considerar como el de una economía de adaptación, cuyos períodos de expansión se asemejan a burbujas, en las cuales la élite económica y el Estado impulsan el ajuste de la economía a cambios en los datos externos producidos por impulsos exógenos, creando monopolios no innovadores ni transitorios, amparados de la competencia por las políticas públicas."

20. Claus Offe señala el rol clave que tiene ahora el diseño y la preservación del orden social que reside en los ciudadanos y sus asociaciones cívicas en sí mismas, en una época que desplaza los esquemas de ideológicos (por ejemplo, todo al Estado o todo al mercado), en que hay un mundo esencialmente "mixto" en lo institucional, y donde se necesita el juicio de un público informado, deliberando y comprometido más que un conocimiento autoritario de expertos sobre lo que hay que hacer o lo que no.

21. Lechner, N., *op. cit.,* 1997.

Epílogo

EN EL UMBRAL DEL TERCER MILENIO

Nuestra memoria será forjada y liberada por la esperanza.

EMILIO MAZARIEGOS, 1997

Mientras que las multinacionales pueden eludir el fisco del Estado nacional, las pequeñas y medianas empresas, que son las que generan la mayor parte de los puestos de trabajo, se ven atosigadas y asfixiadas por las infinitas trabas y gravámenes de la burocracia fiscal. Es un chiste de mal gusto que, en el futuro, sean precisamente los perdedores de la globalización, tanto el Estado asistencial como la democracia en funciones, los que tengan que financiarlo todo mientras los ganadores de la globalización consiguen unos beneficios astronómicos y eluden toda responsabilidad respecto de la democracia del futuro. Consecuencia: es preciso formular en nuevos términos teóricos y políticos la cuestión trascendental de la justicia social en la era de la globalización.

ULRICH BECK, 1998

En el pasado el cambio de milenio fue proclive a perspectivas apocalípticas. No es ése el retrato de la actual bisagra histórica, que tampoco muestra el resurgir del imaginario revolucionario que floreciera en los 60-70. Más bien, el talante que predomina en este fin de siglo es chato, de nostalgia y de falta de expectativas, de escepticismo, de encapsulamiento en lo privado y búsqueda de supervivencia. Para muchos sectores no hay perspectivas de progreso individual en este marco. Ni siquiera la fecha está en el imaginario colectivo.

No es difícil percibir un clima caracterizado por un difuso "malestar social", de escisión entre realización individual y colectiva, así como de desorientación. Una sensación entre que no pasa nada y, a la vez, que "todo está cambiando". En todo caso, este malestar social es producto de la situación económica, del déficit de futuro y del fuerte desapego a una política poco sustancializada que tiende a propagarse en detrimento de valores éticos y en la que predomina una racionalidad estratégica que autonomiza a los representantes de los ciudadanos. Una suerte de neomaquiavelismo que se va apoderando de los escenarios políticos, enclavados en lo inmediato y en el posicionamiento personal y espectacular. Una sociedad política consumida por la competencia coyunturalista, donde la gente no tiene expectativas sobre el cambio que pueda promover e incluso si ésta lo propone, puede sospechar por qué lo hará.

Pero no es sólo un problema de dirigencia política, sino también de un mundo empresario que ha ganado en gerenciamiento, adaptabilidad y eficiencia a la economía trasnacional, pero que ha perdido en arraigo espacial y en responsabilidad social. Que ha tomado una orientación de ganancia financiera y rentista de capitalismo salvaje, pero con pérdida de perspectiva de clase dirigente y productiva, y que ha transferido esa misma lógica al conjunto de los ciudadanos. Que toma distancia de lo que sucede en la parte no integrada y mal incluida, asociándose a la visión de los nuevos profetas de un mundo feliz, los gurúes financieros, centrada exclusivamente en el buen funcionamiento de los mercados, y que traslada acríticamente sus demandas al sistema político como si fueran las únicas atendibles.

Pero también este clima deriva de la debilidad que muestra el movimiento social, el asociacionismo del tercer sector para constituirse en actor unificado y para poder politizar la cuestión social. En la medida en que se encuentra fragmentado y sin marco institucional aun para intervenir más decisivamente en la elaboración de respuestas en la esfera pública.

En este contexto, agudizado por los efectos de la crisis global que tiende a desacelerar el crecimiento, parecería efectivamente poco realista esperar del umbral del tercer milenio algo más que un festejo sonoro y espectacular, con ulular de sirenas y fuegos artificiales transmitido en vivo y en directo. No habría demasiado espacio para la esperanza. Sin embargo, también podría resultar poco realista encerrarse en el presente inmediato y no avizorar un escenario que, por una conjunción de factores, puede brindar oportunidades de cambio. No deberíamos perder de vista que, más allá de la chatura y de la falta de horizontes, estaríamos frente a un cambio de etapa y a un gozne histórico-cultural posible de ser aprovechado. Y esto por cuatro razones: por el declive neoliberal, el Estado posprivatizaciones, la situación de transición política, y por las demandas emergentes sobre un nuevo contrato social.

Declive neoliberal. En un plano ideológico y teórico asistimos al agotamiento del neoliberalismo. Esta concepción individualista y antiestatista cuyo ascenso comenzó a producirse hace ya más de 20 años, junto con la crisis del Estado de bienestar (Friedman, programa de Martínez de Hoz), y que llegó a su cenit con la caída del muro y el Consenso de Washington, lo que fuera sintetizado por el trabajo de F. Fukuyama como "el fin de la historia". Hoy comienza a percibirse que su visión del mercado como única respuesta o principio de coordinación está llevando a situaciones sociales preocupantes en diversos países. La crisis financiera global disparada en Asia y luego en Rusia es una prueba del efecto disruptor de los mercados financieros totalmente desregulados. Y ya en múltiples foros internacionales económicos y académicos comienza a cuestionarse esta perspectiva ortodoxa, así como la falta de una regulación de los flujos de capitales de fondos de pensiones y bancos de inversión que hacen impredecibles, así como transforman a los mercados emergentes en variables de ajuste de la especulación financiera internacional.

Esta declinación en el plano ideológico se vincula con el plano económico, porque luego de las transformaciones y la revolución tecnológica la economía mundial pasó de una crisis por caída en la tasa de ganancia en los países centrales sobre finales de la década del 60, a una crisis de insuficiencia de la demanda. Esta se explica por la caída de la demanda mundial en razón del deterioro de la participación asalariada y de los ingresos de los países exportadores de materias primas. Si bien el neoliberalismo configuró el cuerpo ideológico y de política económica que permitió desmontar el proceso de acumulación anterior, ahora resulta incapaz para dotar de niveles de coordinación elementales al nuevo esquema económico vigente.

De acuerdo a Touraine (1997), nos encontraríamos en un momento de cambio profundo, que no implica el abandono de la economía de mercado sino el desarrollo de políticas reformadoras que le permitan a la mayoría de los países recuperar el control de la economía y hacer que ésta sea compatible con los objetivos sociales. No ingresaríamos en un largo período liberal, sino que salimos de una transición liberal violenta que deshizo muchas políticas antiguas que se habían convertido en obstáculos del crecimiento, pero que también causó grandes sufrimientos, sobre todo a las categorías menos calificadas.

Lo cierto es que comienza a existir un desencanto con lo privado y con el modelo, que le resta capacidad de generar consenso, al menos con la sola garantía de la estabilidad económica. Lechner habla del agotamiento del paradigma neoliberal y de su capacidad innovadora, y del advenimiento de una etapa posneoliberal. Ese paradigma ya no sería convocante porque su ideología habría perdido fuerza al no poseer ya las condiciones necesarias de cohesión y teleología, seguramente por la vigencia de una crisis de exclusión. Ello nos lleva a plantear la existencia de un "vacío ideológico", erigiéndose en su lugar una praxis vacía de contenido axiológico universal.

No obstante, si bien es cierto que el neoliberalismo ha perdido *élan*, el pensamiento único tiene aún capacidad de reproducirse a través del predominio de la técnica y de la ortodoxia económica, así como por la fragmentación que presenta el pensamiento social. Pero ese vacío comienza a llenarse con múltiples contribuciones que, sin alcanzar todavía el estatus de un paradigma alternativo, aportan elementos para un nuevo camino: las elaboraciones sobre la teoría del desarrollo actualmente en marcha, el "desarrollo humano" y el "desarrollo social", sobre la "reconstitución del Estado", la "globalización de la solidaridad", los "derechos de inclusión", los "nuevos contratos", la teoría de la competitividad sistémica, y toda una masa crítica que se está produciendo en diversas instituciones y organizaciones.

En lo alternativo se incorpora también la reflexión sobre lo ambiental. Por esta vía, la crisis de la modernidad, la idea falaz de que el hombre se había liberado o independizado de la naturaleza (sin notar que era parte de ella) puso en crisis el planeta y la propia especie. La cuestión urbana ha llegado al límite de sus posibilidades, lo que hace referencia a las elaboraciones sobre desarrollo sustentable.

Estado posprivatizaciones. Afrontamos también a fin de siglo una nueva etapa en términos reformistas, la del Estado posprivatizaciones. Casi podría hablarse de que hay en el mundo una reconsideración sobre el rol del Estado, si bien no como vuelta hacia atrás pero sí como búsqueda de un equilibrio distinto con el mercado y la comunidad. Y en esta coyuntura de búsqueda de ese Estado necesario, se anotan tanto las reformas de Segunda Generación, distantes de la visión privatizadora a ultranza, y más preocupadas por la calidad institucional y por garantizar la seguridad jurídica, como diversas elaboraciones que no muestran ya a lo privado y al mercado como panacea, sino que consideran la necesidad de regulaciones que permitan tanto la defensa del consumidor como una mayor integración social, "la reconstitución del Estado" y la búsqueda de su nuevo rol.

Al respecto, se observa en diversos gobiernos europeos el surgimiento de políticas públicas favorables a apoyar el pasaje de un Estado de bienestar "pasivo" a otro "activo" que atienda no sólo a la pobreza sino a la inclusión. Recientes experiencias de Blair en Gran Bretaña, las políticas de Jospin en Francia y de Prodi en Italia, la concertación social en España, y los esfuerzos hechos en Chile para promover desarrollo con equidad. Se trata de una vuelta del péndulo que comienza a perfilarse también aquí en el actual movimiento parlamentario hacia el control de la gestión privada de servicios públicos (sobre abusos de sobreprecios en las tasas, peajes, tarjetas de crédito, aseguradoras, AFJP, ART y superentes, o en el manejo de información). En cierta forma, hay casi un adelantamiento de la etapa posprivatizaciones y sus temas acicateado por la apuesta electoral.

Y en este sentido, el Estado en la etapa posprivatizaciones puede brindar posibilidades de regulación y de lograr otro equilibrio social, superando la situación en la cual se cae actualmente cada vez que se propone una regulación progresiva o de justicia social. Es decir, cuando la visión ideológica de la globalización activa sus voces de alarma contra lo que considera como involución, desestabilización o aumento del "riesgo país", porque esta metodología pierde realismo, porque ha comenzado a debilitarse el temor al aumento de la inflación al experimentarse otro temor más fuerte, al desempleo, a la precarización y exclusión.

De allí que las amenazas del *establishment* respecto del peligro de la involución, de regresión si se toca algo del modelo, intentan seguir haciendo pagar los costos de su mantenimiento a los mismos sectores que lo han hecho hasta ahora, tienen un flanco débil. Porque se está en un contexto diferente, sobre todo cuando están involucrados, dado que la propiedad de la casi totalidad de los activos públicos ya les pertenece y una inestabilidad fuerte también los arrastraría. Se trata de una amenaza que en realidad, en caso de efectivizarse, se volvería contra estos mismos intereses.[1] Y porque empieza a abrirse paso la idea de que un país más equilibrado socialmente no sólo es más gobernable, sino que incluso puede ofrecer ventajas competitivas.

Lo que se observa es que la falta de avance en esta dirección se debe más a la falta de voluntad y de cooperación política que a una imposibilidad práctica. Tanto por una concepción de "responsabilidad" exacerbada hacia los mercados de los partidos, como por una cultura política de democracia adversaria que se orienta más que a políticas de Estado a juegos de suma cero entre oficialismo y oposición, y a la vinculación con el *establishment* por separado y en el gobierno de turno. De este modo, existirían márgenes de progresividad social que dejan de utilizarse, escudados temores agigantados desde las usinas mediáticas y por una falta de voluntad política más que por impedimentos estructurales de los mercados, más por una falta de consociatividad que por un aumento del riesgo país.

Transición política. Estamos en una coyuntura particular de transición política, hacia un cambio del liderazgo asociado al ajuste estructural y a las reformas de primera generación: hacia *el posmenemismo.* Porque las próximas elecciones presidenciales de 1999 abren una oportunidad de cambio de rumbo, en una transición que siempre ha sido de difícil procesamiento en Argentina, pero que también ha significado novedad y potencial politización. La oportunidad del pasaje a una etapa posmenemista, coincidente con la etapa posneoliberal, tiene que ver con la fuerte significación que el presidente tiene en la orientación general del país, tanto en el estilo de gestión como del pacto implícito que lo constituye. En ese sentido, el cambio de liderazgo introduce la posibilidad de constituir un nuevo contrato, pero en una situación dominada ya no por la cuestión de la estabilidad democrática o económica, sino por la cuestión social.

Al mismo tiempo, vemos cómo en distintos países nuevos liderazgos comienzan a apostar hacia una orientación más equilibrada en lo social, sin necesariamente subrogar los requerimientos de eficacia y equidad. A la implementación de políticas que se orientan a la búsqueda paralela de aumento de la productividad y la competitividad del país junto con la configuración de un Estado más solidario y regulador; a la defensa y consolidación de una polis de carácter regional, junto con el fortalecimiento de los espacios locales, a una refuncionalización del Estado de bienestar más que a su eliminación o desmantelamiento.

Esta transición de una etapa reformista dura, de ajuste salvaje e hiperpresidencialismo y de decretos de necesidad y urgencia, hacia otra, más consociativa y equitativa, concertadora y con políticas de Estado, podría ser amplificada por un cambio de política generalizada que se avecina en América latina. En estos dos años se eligen ocho presidentes, empezando por la importancia que tienen las elecciones de Brasil, y por la misma influencia que tradicionalmente la Argentina ha ejercido en los países del bloque.

Demandas emergentes de un nuevo contrato social. Por último, la oportunidad de cambio deriva también de las demandas de un nuevo contrato que comienzan a surgir en la sociedad. Y éstas son tanto provenientes del "malestar social", de la exclusión, como de la necesidad de una renovación del escenario luego de una década de neoliberalismo y pragmatismo político. Tal vez lo nuevo no sea la sensación de incertidumbre y desprotección de la gente, sino que el futuro es ya inalcanzable y que la posibilidad de participar de los beneficios del cambio depende de un cambio político cualitativo que no llegará sólo con gobiernos más prolijos. Demandas realizadas desde una ciudadanía contradictoria, que se debate entre el temor al cambio y, a la vez, la necesidad del mismo. Un nuevo contrato o compromiso social, no de características fundacionales o ahistóricas, sino como completador de los que constituyeron el proceso de transición: el de estabilidad política democrática en los 80, el de estabilidad macroeconómica en los 90 y ahora, a fin de siglo, podría ser el de integración social.

Un nuevo contrato social que puede configurarse no como "profundización" o "consolidación" del modelo neoliberal sino como "superación" del mismo. Porque sobre los tres pilares del modelo (las privatizaciones, la globalización y la convertibilidad), si bien es cierto que no es posible una vuelta atrás en la privatización, sí es posible no profundizar la misma y avanzar en una regulación que afirme la competitividad y la equidad en los servicios, así como una mayor participación de consumidores y usuarios. Si bien tampoco se puede volver a "cerrar" el país por la globalización, tampoco es aceptable admitirla con los actuales costos sociales, y puede ser encarada con una mayor preocupación por la producción y el empleo. Y si bien es cierto que deben respetarse los equilibrios macroeconómicos, la convertibilidad no deja de ser un instrumento pasible de ser modificado por consenso democrático y decisión política, y no sólo vía voluntad de los mercados. Es decir, no se trata ni de la sacralización del modelo como necesidad de la globalización y la consecuente adaptación de la sociedad a los automatismos del mercado, ni tampoco de la vuelta atrás, a la demonización del mismo y al desmonte de lo hecho, como si nada hubiera pasado.

Este nuevo contrato debería incluir algunas de las potencialidades emergentes en la sociedad civil (fortalezas): el tercer sector como nueva lógica de participación social, como búsqueda de una ampliación del espacio público y del proceso decisional en la zona "dura" del mismo, y a diversos niveles (local, nacional y regional). El mismo debería integrar el nuevo imaginario social y sus valores, incorporar la nueva subjetividad social, una visión dialógica y comunicativa en la reconstitución de una nueva ética social.

Reconocer la unidad de lo local y de lo regional, promoviendo un proceso de fortalecimiento de lo local, a partir de fomentar mayor autonomía y recursos, de impulsar las experiencias de desarrollo y planificación estratégica, mediante nuevas formas de participación descentralizadas que articulen tejido productivo y social. Y, a la vez, profundizar el proceso de integración regional para la constitución de un desarrollo sustentable, y en dirección al Estado-región más que desde opciones puramente adaptativas de la perspectiva neoliberal.

Se trata, por último, de la búsqueda de un equilibrio entre Estado-mercado-sociedad civil distinto, donde el nuevo contrato reivindique el rol "regulador", "solidario" y " estratégico" del Estado en la etapa de las posprivatizaciones. Y donde se resalte no sólo la importancia de las instituciones de control, de la calidad de gestión y de la transparencia, sino también de la voluntad política y la necesidad de una reorientación económica, ampliación de la política social e incorporación de los derechos de inclusión.

Y finalmente, este contrato debería ser fruto de un trabajo colectivo. Su constitución no debería quedar sólo como tarea de las élites políticas y empresarias, sino también de la sociedad civil. Un contrato no presentado en términos tradicionales, bajo programas y plataformas de los partidos desde arriba para abajo, sino como una intervención comunicativa con la sociedad civil y sus organizaciones. Sobre todo, porque ya no hay fórmulas terminadas y porque no hay sinergias que puedan despertarse en la sociedad desde el descompromiso, la desconfianza y el predominio de lo técnico y lo instrumental. De lo que se trata es de abrir futuro y ello, en parte, depende de nosotros y de una nueva articulación de la política con la sociedad. Porque lo que se busca es entrar mejor al nuevo milenio y, en este sentido, también cada uno deberá discernir y realizar su contribución particular en esta gesta histórica que se abre, que todos estamos invitados a no desaprovechar: el gran reto del año 2000.

Buenos Aires, octubre de 1998

BIBLIOGRAFÍA GENERAL

Abal Medina, Juan M. (h), "Reflexiones sobre la modernidad, la representación, los partidos políticos y la democracia", en *Posdata*, N° 2, Buenos Aires, noviembre de 1995.

Abal Medina, Juan M. (h) e Iglesias, Claudio, "Acción estratégica y comportamiento colectivo: una revisión", en *Revista Argentina de Ciencia Política*, N° 1, Buenos Aires, noviembre de 1997.

Acuña, Carlos (comp.), *La nueva matriz política argentina*, Nueva Visión, Buenos Aires, 1995.

Aglietta, M.; Brender, A. y Coudert, V., *Globalisation financière: l'aventure obligée*, Economica, París, 1990.

Albert, Michel, "La mundialización de la economía", en *Archivos del Presente*, N° 2, Buenos Aires, 1995.

Alcántara Sáenz, Manuel, *Gobernabilidad, crisis y cambio*, Centro de Estudios Institucionales, Madrid, 1996.

Alford, R. y Friedland, R., *Los poderes de la teoría*, Manantial, Buenos Aires, 1991.

Alvarado Pérez, Eduardo (coord.), *Retos del Estado del Bienestar en España a finales de los noventa*, Tecnos, Madrid, 1998.

Aranguren, J., *Etica*, Alianza Universidad, Madrid, 1995.

Arbós, X. y Giner, S., *La gobernabilidad. Ciudadanía y democracia en la encrucijada mundial*, Siglo XXI, Madrid, 1996.

Arendt, Hannah, *La condición humana*, Seix Barral, Barcelona, 1974.

Arocena, J., *El desarrollo local. Un desafío contemporáneo*, CLAEH, Universidad Católica del Uruguay, Nueva Sociedad, Caracas, 1995.

Arroyo, Daniel, "La reforma política de la Ciudad de Buenos Aires", en FLACSO, *Cuadernos de Investigación*, N° 156, Buenos Aires, 1993.

Axelrod, Robert, *The evolution of cooperation*, Basic Book Inc., Nueva York, 1984.

Axford, *The Global System. Economics, Politics and Culture,* St. Martin's Press, Nueva York, 1995.

Azpiazu, Daniel, *La concentración en la industria argentina a mediados de los años noventa,* FLACSO-EUDEBA, Buenos Aires, 1998.

Balardini, S. y Hermo, J., "Políticas de juventud en América latina. Evaluación y diseño", en FLACSO, *Informe Argentina,* Buenos Aires, 1995.

Banco Mundial, *Estudio sobre la capacidad de los gobiernos locales. Más allá de la asistencia técnica,* Departamento III, División de Operaciones I, América latina y el Caribe, Informe N° 14.085, julio de 1995.

Banco Mundial, *Poverty Reduction Handbook,* Washington D.C., 1993.

Banco Mundial, *Working with NGOs,* Washington D.C., 1995.

Barbeito, Alberto C. y Lo Vuolo, Rubén, *La modernización excluyente. Transformación económica y Estado de bienestar en Argentina,* UNICEF-CIEPP-Losada, Buenos Aires, 1995.

Barbeito, Alberto C. y Lo Vuolo, Rubén, "Las políticas sociales en la Argentina contemporánea", en Miño y Dávila (eds.), *La nueva oscuridad de la política social. Del Estado populista al neoconservador,* CIEPP, Buenos Aires, 1992.

Barbero, J. M., "Mediaciones urbanas y nuevos escenarios de comunicación", en *Sociedad,* N° 5, Facultad de Ciencias Sociales, Universidad de Buenos Aires, 1994.

Bavastro, R. y Orlandi, H., "El diseño institucional de la Ciudad autónoma de Buenos Aires. Representación y régimen electoral en la futura Legislatura local", en *Sociedad,* N° 11, Facultad de Ciencias Sociales, Universidad de Buenos Aires, 1997.

Becaría, Luis y López, Néstor, *Sin Trabajo. Las características del desempleo y sus efectos en la sociedad argentina,* UNICEF-Losada, Buenos Aires, 1996.

Beck, Ulrich, *¿Qué es la globalización? Falacias del globalismo, respuestas a la globalización,* Paidós, Buenos Aires, 1998.

Béjar, Helena, *La cultura del yo,* Madrid, 1994.

Bell, Daniel, *Las contradicciones culturales del capitalismo,* Alianza, Madrid, 1979.

Bernal-Meza, R., *América latina en la economía mundial,* Grupo Editor Latinoamericano, Buenos Aires, 1994.

Berry, Albert, "The Income Distribution Threat in Latin America", en *Latin American Research Review,* Vol. 32, N° 2, 1997.

Bervejillo, Federico, "Territorios en la globalización", en *Prisma,* N° 4, 1995.

Bianchi, Patrizio, *Construir el mercado. Lecciones de la Unión Europea: el desarollo de las instituciones y las políticas de competitividad,* Universidad Nacional de Quilmes, 1997.

Biancucci, Duilio, *Grupos juveniles. Análisis sociológico. Reflexiones pastorales*, Proyecto CSE, Buenos Aires, octubre de 1994.

BID-PNUD, *Quiénes son los pobres y cómo focalizar*, Washington-Nueva York, 1994.

Bitar, M. A., *La política de descentralización educativa. Ciudadanía social e impacto en la administración pública y en el entramado social*, Universidad Nacional de Rosario, 1998.

Bitar, S., "Neoliberalismo versus neoestructuralismo en América latina, el nuevo enfoque liberalizador-privatizador", en *Revista de la CEPAL*, N° 34, abril de 1988.

Blutman, Gustavo, *Investigaciones sobre municipio y sociedad*, CBC, Universidad de Buenos Aires, 1996.

Bobbio, Norberto, *Estado, gobierno y sociedad*, Fondo de Cultura Económica, México, 1991.

Boisier, Sergio; Lira, Luis y otros, *Sociedad civil, actores sociales y desarrollo regional*, ILPES, Documento 95/14, Serie Investigación, junio de 1995.

Borja, Jordi, *Descentralización y participación ciudadana*, Instituto de Estudios de Administración Local, Madrid, 1987.

Borón Atilio, "¿Yugo o Jaguar? Notas sobre la necesaria reconstrucción del Estado en América latina", en II Congreso del CLAD, *Reforma del Estado y de la Administración Pública*, Caracas, 1997.

Botana, Natalio, "Las transformaciones institucionales en los años del menemismo", en *Sociedad*, N° 6, "Representación, democracia y Estado", Facultad de Ciencias Sociales, Universidad de Buenos Aires, abril de 1995.

Bouguinat, H., *La tyrannie des marchés. Essai sur l'économie virtuelle*, Economica, París, 1995.

Bouzas, Roberto, "El MERCOSUR: Una evaluación sobre su desarrollo y desafíos actuales", en FLACSO, *Documentos e Informes de Investigación*, N° 215, julio de 1997.

Boyer, R., "La globalization: mithes et réalités", *Actes du GERPISA*, N° 18, 1996.

Bozzo, Cristina; López, B.; Rubins, R. y Zapata, A., "La segunda reforma del Estado. Balance", en *Cuaderno CEPAS*, N° 5, 1997.

Bradford, C. (ed.), *Redefining the State in Latin America*, OECD, París, 1994.

Braun, Michel, "The Maastrich Treaty as High Politics. Germany, France and European Integration", en *Political Science Quarterly*, Vol. 110, N° 4, 1996.

Bresser Pereira, Luiz Carlos, "De la admnistración pública burocrática a la gerencial", en *Revista do Serviço Público*, Año 47, N° 1, Brasilia, 1995.

Bresser Pereira, Luiz Carlos, "Managerial Public Administration: Strategy and

Structure for a New State", en Woodrow Wilson International Center for Scholars, *The Latin American Program,* Washington D.C., julio de 1996.

Bresser Pereira, Luiz Carlos, "Reconstruindo um novo Estado na América Latina", en Congreso Interamericano del CLAD sobre la Reforma del Estado y de la Administración Pública, *Anales,* N° 5, "La Reforma del Estado", CLAD-BID-PNUD-AECI, Caracas, 1997.

Bresser Pereira, Luiz Carlos y Cunill Grau, Nuria (eds.), *Lo público no estatal en la reforma del Estado,* CLAD-Paidós, Buenos Aires, 1998.

Bruno, Angel, *Juventud: sociedad, gobierno y participación,* Marymar, Buenos Aires, 1996.

Buchanan, J. M.; Tollison, R. D. y Tullock, G., *Toward a Theory of the Rent-Seeking Society,* College Station, Texas University Press, 1980.

Burki, Shahid Javed y Edwards, Sebastian, *Dismantling the Populist State: the Unfinished Revolution in Latin America and the Caribbean,* World Bank, Washington D.C., junio de 1996.

Bustelo, Eduardo y Minujin, Alberto, *Todos entran. Propuestas para sociedades incluyentes,* FLACSO-UNESCO-Alfaguara-Santillana, Buenos Aires, 1998.

Buthet, Carlos, *La participación de las ONGs en las políticas sociales: el caso argentino,* SEHAS, Córdoba, 1993.

Cabrero Mendoza, Enrique, "Capacidades innovadoras de municipios mexicanos", en *Revista Mexicana de Sociología,* N° 3, UNAM, México, 1996.

Calcegia, Y., *La resolución de controversias en esquemas de integración: el caso del MERCOSUR,* tesis de maestría, FLACSO-La Ley, Buenos Aires, 1995.

Calderón, Fernando, "Gobernabilidad, competitividad e integración social", en *Revista de la CEPAL,* N° 57, Santiago de Chile, 1995.

Calderón, Fernando y Dos Santos, Mario, *Hacia un nuevo orden estatal en América latina. Veinte tesis sociopolíticas y corolario de cierre,* CLACSO, Buenos Aires, 1990.

Calderón, Fernando y Dos Santos, Mario, *Sociedades sin atajos,* Paidós, Buenos Aires, 1995.

Campbell, Tim, *Descentralización hacia los gobiernos locales en América latina y el Caribe,* Banco Mundial, Washington D.C., 1991.

Camps, Victorio, *El malestar en la vida pública,* Grijalbo, Madrid, 1996.

Castel, Robert, "De la exclusión como estado a la vulnerabilidad como proceso", en *Archipiélagos,* N° 21, Barcelona, verano de 1995.

Castel, Robert, *La metamorfosis de la cuestión social. Una crónica del salariado,* Paidós, Buenos Aires, 1997.

Cavarozzi, Marcelo, *Autoritarismo y democracia (1955-1996). La transición del Estado al mercado en la Argentina,* Ariel, Buenos Aires, 1997.

Cavarozzi, Marcelo, "Beyond democratic transition in Latin America", en *Journal of Latin American Studies,* Vol. 3, N° 24, 1992.

Cavarozzi, Marcelo, *La crisis de la matriz Estado-céntrica: política y economía en la América latina contemporánea*, Overseas Development Council, Washington, 1992.

Cavarozzi, Marcelo, *Transformaciones de la política en América latina contemporánea*, ponencia presentada en el XIV Congreso Latinoamericano de Sociología, ALAS, Caracas, 1994.

CEFIR, *Participación de la sociedad civil en los procesos de integración*, Montevideo, 1998.

CEPAL, *El regionalismo abierto en América latina y el Caribe*, Santiago de Chile, 1996.

CEPAL, *Informe de la Comisión Latinoamericana y del Caribe sobre el desarrollo social en la región*, ONU-CEPAL-BID, 1995.

CEPAL, *Panorama de la inserción internacional de América latina y el Caribe*, Santiago de Chile, 1996.

CEPAL, *Políticas para mejorar la inserción en la economía mundial*, Santiago de Chile, 1995.

Cheresky, Isidoro, "Argentina, la innovación política", en *Nueva Sociedad*, N° 132, Caracas, 1994.

Cheresky, Isidoro, *El futuro de las nuevas democracias*, XVIII Asamblea General de CLACSO, Buenos Aires, noviembre de 1997.

Cheresky, Isidoro, *Le declin de l'engagement politique et l'enjeu republicain dans les nouvelles democraties latinoamericaines: le cas argentin*, XVI Congreso de la Asociación Mundial de Ciencias Políticas, Berlín, 21-25 de agosto de 1994.

Chesnais, François (ed.), *La mondialisation financière. Genese, cout et enjeux*, Syrox, París, 1996.

Chumbita, Hugo, *Innovaciones en la gestión pública. Acerca de algunos modelos, experiencias e interrogantes en Argentina*, Congreso Interamericano del CLAD, Río de Janeiro, 6-9 de noviembre de 1996.

Cohen, Jean L., y Arato, Andrew, *Civil Society and Political Theory*, The MIT Press, Cambridge, 1992.

Coraggio, José Luis, *Descentralización, el día después...*, Oficina de Publicaciones del CBC, Universidad de Buenos Aires, 1997.

Córdova Vianello, "Liberalismo, democracia, neoliberalismo", en *Revista Mexicana de Sociología*, N° 4, UNAM, México, 1996.

Correa, Enrique, *Perspectivas de la modernización del Estado y las políticas públicas en América latina*, ponencia presentada en la reunión de la UNESCO "Estado, Interdependencia y Soberanía", Cartagena de Indias, 22-23 de julio de 1995.

Cortina, Adela, *Ciudadanos del mundo. Hacia una teoría de la ciudadanía*, Alianza, Madrid, 1997.

Cortina, Adela, *La moral del camaleón*, Espasa Calpe, Madrid, 1991.

Cortina, Adela, "Más allá del colectivismo y del individualismo: autonomía y solidaridad", en *Sistema*, N° 96, Madrid, 1990.

Crozier, Michel, "El crecimiento del aparato administrativo en el mundo de la complejidad. Obligaciones y oportunidades. Del Estado arrogante al Estado modesto*"*, en INAP, *El redimensionamiento y modernización de la administración pública en América latina*, México, 1989.

Cunill Grau, Nuria, *Repensando lo público a través de la sociedad. Nuevas formas de gestión pública y representación social*, CLAD-Nueva Sociedad, Caracas, 1997.

Curzio, Leonardo, "Gobernabilidad en tiempos de crisis: la experiencia mexicana", en *Revista Mexicana de Sociología*, N° 30, UNAM, México, 1996.

Dabas, Elina, *Red de Redes. Las prácticas de la intervención en redes sociales,* Paidós, Buenos Aires, 1993.

De Sierra, Gerónimo (comp.), *Democracia emergente en América del Sur*, UNAM, México, 1994.

De Souza Santos, Boaventura, "A reivenção solidaria e participativa do Estado", *Seminario Internacional sobre Sociedade e a Reforma do Estado*, San Pablo, marzo de 1998.

Del Campo, Salustiano, *Familias, sociología y política*, Universidad Complutense, Madrid, 1995.

Devlin, R. y Garay, J. L., "De Miami a Cartagena: nueve enseñanzas y nueve desafíos del ALCA", en BID, *Serie de Documentos de Trabajo*, N° 210, Washington D.C., julio de 1996.

Di Tella, Torcuato, *Sociedad y Estado*, EUDEBA, Buenos Aires, 1995.

Donati, Pierpaolo, "La crisis del Estado y el surgimiento del tercer sector. Hacia una nueva configuración de relaciones", en *Revista Mexicana de Sociología*, N° 4, UNAM, México, 1997.

Dos Santos, Mario (comp.), *¿Qué queda de la representación política?*, CLACSO, Buenos Aires, 1992.

Dromi, Roberto, "La Reforma del Estado", en *INCAP*, N° 1, diciembre de 1997.

Druker, Peter, *La administración en una época de cambios,* Sudamericana, Buenos Aires, 1996.

Ducantenzeiler, Graciela y Oxhorn, Philip: "Democracia, autoritarismo y el problema de la gobernabilidad en América latina", en *Desarrollo Económico*, Vol. 34, N° 133, Buenos Aires, abril-junio de 1994.

Dumont, L., *Ensayos sobre el individualismo*, Alianza, Madrid, 1987.

Esteso, Roberto, *La reforma de las administraciones públicas provinciales en Argentina,* Primer Congreso Interamericano del CLAD sobre la Reforma del Estado y la Administración Pública, Río de Janeiro, 6-9 de noviembre de 1996.

Evans, Peter, "El Estado como problema y como solución", en *Desarrollo Económico*, N° 140, Vol. 35, enero-marzo de 1996.

Farrell, G., García Delgado, D., Forni, F., Chojo Ortiz, Y. y otros, *Argentina, tiempo de cambios. Sociedad, Estado, doctrina social de la Iglesia*, San Pablo-Buenos Aires, 1996.

Fazio Vengoa, Hugo, "La batalla del euro ha comenzado", en *Análisis Político*, N° 33, enero-abril de 1988.

Ferrer, Aldo, *Historia de la globalización*, Fondo de Cultura Económica, Buenos Aires, 1996.

Ferrer, Aldo, "MERCOSUR: trayectoria, situación actual y propuestas", en *Sexto Encuentro Plenario del Grupo de Análisis sobre la Integración del Cono Sur*, CARI, 1996.

Ferry, Jean-Marc, *Las transformaciones de la publicidad política*, Gedisa, Barcelona, 1992.

Ferry, Jean-Marc; Wolton, Dominique y otros, *El nuevo espacio público*, Grijalbo, Barcelona, 1996.

Filmus, Daniel, *Estado, sociedad y educación en la Argentina de fin de siglo. Procesos y desafíos*, Troquel, Buenos Aires, 1996.

Filmus, Daniel, "La descentralización educativa en Argentina: elmentos para el análisis de un proceso abierto", en *Revista del* CLAD, N° 10, febrero de 1998.

Filmus, Daniel (coord.); Arroyo, D. y Estébanez, M. E., *El perfil de las ONGs en la Argentina*, FLACSO-Banco Mundial, Buenos Aires, 1997.

Flisfich, Angel, "Notas acerca de la idea de reforzamiento de la sociedad civil" en *Crítica y Utopía*, N° 6, Buenos Aires, noviembre de 1982.

Forni, F. y Sánchez, J. (comps.), *Organizaciones económicas populares. Más allá de la informalidad*, Servicio Cristiano de Cooperación para la Promoción Humana, Buenos Aires, 1992.

Forrester, Viviana, *El horror económico*, Fondo de Cultura Económica, México, 1996.

Franco, Rolando, "Estado, consolidación democrática y gobernabilidad", en Alcántara, Manuel y Crespo, Ismael (eds.), *Los límites de consolidación democrática en América latina*, Universidad de Salamanca, Salamanca, 1995.

Fridman, Alejandro M.,"La globalización como marco para la Argentina en el MERCOSUR", en *Propuestas*, N° 6, Universidad Nacional de la Matanza, diciembre de 1997.

Gaitán Pavía, Pilar, "Algunas consideraciones sobre el debate sobre la democracia", en *Análisis político*, N° 20, septiembre-diciembre de 1993.

García Pelayo, Manuel, *Las transformaciones del Estado contemporáneo*, Alianza, Madrid, 1977.

García Canclini, Néstor, *Consumidores y ciudadanos. Conflictos multiculturales de la globalización*, Grijalbo, México, 1995.

García Delgado, Daniel, "Consolidation of democracy, crisis of representations and poverty in Argentina", en FLACSO, *Serie documentos de información de investigación,* N° 172, Buenos Aires, octubre de 1997.

García Delgado, Daniel, *Estado y sociedad. La nueva relación a partir del cambio estructural,* Tesis Norma-FLACSO, Buenos Aires, 1994.

García Delgado, Daniel (comp.), *Hacia un nuevo modelo de gestión local,* FLACSO-Universidad Católica de Córdoba-Oficina de Publicaciones del CBC, Buenos Aires, 1997.

García Delgado, Daniel, "La reforma del Estado: de la hiperinflación al desempleo estructural", en *Revista del CLAD,* N° 8, FLACSO, Buenos Aires, 1997.

Garretón, Manuel Antonio, *Dimensiones Actuales de la Sociología,* Bravo y Allende, Santiago de Chile, 1995.

Garretón, Manuel Antonio, *La política y el Estado en América latina desde las ciencias sociales,* XVIII Asamblea General de CLACSO, 24-28 de noviembre de 1997, Buenos Aires.

Garretón, Manuel Antonio, "La transición chilena: un corte de caja", en *Nexos,* N° 159, México, marzo de 1991.

Garretón, Manuel Antonio, "Revisando las transiciones democráticas en América latina", en *Nueva Sociedad,* N° 148, marzo-abril de 1997.

Gaveglio, Silvia y Manero, Edgardo (comps.), *Desarrollos de la teoría política contemporánea,* Homo Sapiens, Buenos Aires, 1996.

Genro, Tarso, "El mundo globalizado y el Estado necesario", en ABRA, *El Estado en la aldea global,* Buenos Aires, 1997.

Germani, Gino, *Sociedad de masas,* Paidós, Buenos Aires, 1963.

Giambiagio, Fabio, "¿Una moneda única para el MERCOSUR?", en *Archivos del Presente,* N° 11, Buenos Aires, diciembre-enero de 1996-febrero de 1997.

Giddens, Anthony, *Consecuencias de la modernidad,* Alianza Universidad, Madrid, 1994.

Goetz, E. y Clarke, S. (eds), *The new localism. Comparative urban politics in a global era,* A Sage Focus Edition, Londres, 1993.

Gosta Esping, Andersen, "El futuro del Estado de bienestar", en *Desarrollo Económico,* junio de 1996.

Graciarena, Jorge, *El Estado en América latina. Teoría y práctica,* Siglo XXI-Universidad de las Naciones Unidas, México, 1989.

Grondona, Mariano, *La corrupción,* Sudamericana, Buenos Aires, 1994.

Grupo Sophia, *Hacia un nuevo sector público,* Buenos Aires, 1998.

Guéhenno, Jean-Marie, *El fin de la democracia. La crisis política y las nuevas reglas del juego,* Paidós, Buenos Aires, 1993.

Habermas, Jürgen, *Historia y crítica de la opinión pública,* Gustavo Gilli, México, 1986.

Habermas, Jürgen, *Más allá del Estado nacional*, Trotta, Madrid, 1997.

Hall, John A., *Civil Society. Theory, History, Comparison*, Polity Press, Cambridge, 1995.

Hardy, Clarisa, "Políticas sociales en Chile", en FLACSO, *Chile 96, Análisis y Opiniones*, Santiago de Chile, 1997.

Held, David, "Democracy: From City States to a Cosmopolitan Order?", en David Held (ed.), *Prospects for Democracy*, Stanford University Press, Stanford, 1993.

Held, David, *Democracy and the Global Order. From the Modern State to Cosmopolitan Governance*, Stanford University Press, Stanford, 1995.

Hirst, M., "Reflexiones para un análisis político del MERCOSUR", en FLACSO, *Documento de Trabajo N° 120*, Buenos Aires, 1991.

Hopenhaym, Martín, "¿Pensar lo social sin planificación ni revolución?", en *Revista de la* CEPAL, N° 48, Santiago de Chile, 1992.

Hopenhaym, Martín, *Ni apocalípticos ni integrados. Aventuras de la modernidad en América latina*, Fondo de Cultura Económica, Santiago de Chile, 1994.

Huntington, Samuel, *El choque de las civilizaciones*, Sudamericana, Buenos Aires, 1996.

Huntington, Samuel, *La tercera ola*, Paidós, Buenos Aires, 1994.

Ianni, Octavio, "Metáforas de la globalización", en *Revista de Ciencias Sociales*, N° 2, Universidad Nacional de Quilmes, Buenos Aires, 1995.

Idígoras, Gustavo, "Los dilemas políticos de la globalización en América latina", en Universidad de Belgrano, *Documento de Trabajo N° 4*, Buenos Aires, 1996.

IINTAL, *Informe* MERCOSUR, Año 1, N° 1, Buenos Aires, julio-diciembre de 1996.

International Social Science Journal, N° 149, "Corruption in Western Democracies", septiembre de 1996.

Isuani, Aldo, "Situación social y escenarios futuros en el MERCOSUR", en FLACSO, Centro de Estudios Interdisciplinarios, Instituto de Desarrollo Regional, *Políticas públicas y desarrollo local*, Rosario, 1998.

Isuani, Aldo y otros, *Estado democrático y política social*, EUDEBA, Buenos Aires, 1989.

Jaguaribe, Helio, "MERCOSUR and Alternative World Orders", en SELA, N° 53, junio de 1998.

Jelin, Elizabeth, "¿Ciudadanía emergente o exclusión?", en *Sociedad*, N° 8, Facultad de Ciencias Sociales, Universidad de Buenos Aires, abril de 1996.

Kaplan, Marcos, *Teoría y realidad del Estado en América latina*, CIEDLA, Buenos Aires, 1995.

Keohane, Nyej, *Poder e independencia. La política mundial en transición*, GEL, Buenos Aires, 1988.

Kliksberg, Bernardo, *Cómo reformar el Estado más allá de mitos y dogmas*, Fondo de Cultura Económica, México, 1989.

Kliksberg, Bernardo, *El rediseño del Estado para el desarrollo socioeconómico y el cambio. Una agenda estratégica para la discusión*, INDES-BID, Washington D.C., 1997.

Kliksberg, Bernardo, *Pobreza, el drama cotidiano, claves para una gerencia social eficiente*, CLAD-Tesis Norma-PNUD, Buenos Aires, 1995.

Kliksberg, Bernardo, *Pobreza. Un tema impostergable*, Fondo de Cultura Económica, México, 1993.

Konterllnik, Irene y Jacinto, Claudia (comps.), *Adolescencia, pobreza, educación y trabajo*, Losada-UNICEF, Buenos Aires, 1996.

Kornblit, Ana Lía, *Culturas Juveniles. La salud y el trabajo desde la perspectiva de los jóvenes,* Instituto de Investigaciones Gino Germani, Universidad de Buenos Aires, Buenos Aires, 1996.

Kosacoff, Bernardo y Bezchinsky, Gabriel, *Las empresas transnacionales en la industria argentina,* Buenos Aires, 1993.

Krugman, Paul, "A Country is not a company", en *Harvard Business Review,* enero-febrero de 1996.

Kumar, Krishan, *From Post-Industrial to Post-Modern Society. New Theories of the Contemporary World*, Blackwell, Cambridge, 1995.

Kymlicka, Will y Norman, Wayne, "El retorno del ciudadano. Una revisión de la producción reciente en teoría de la ciudadanía", en *Agora,* N° 7, invierno de 1997.

Lafontaine, Oskar, "El desencanto político", en *Leviatán,* N° 50, Madrid, invierno de 1992.

Lahera Parada, Eugenio, *Cómo mejorar la gestión pública*, CIEPLAN-FLACSO-Foro 90, Santiago de Chile, 1993.

Lahera Parada, Eugenio, *Políticas de regulación y promoción de competencia,* Congreso del CLAD, Caracas, 1997.

Lander, Edgardo, *Democracia, participación y ciudadanía,* XVIII Asamblea General de CLACSO, Buenos Aires, 24-28 de noviembre de 1997.

Lapidoth, Ruth, "Redefining authorithy: the past, present and future of sovereignty", en *Harvard International Review,* Vol. XVII, N° 3, verano de 1995.

Larraín Ibáñez, Jorge, *Modernidad, razón e identidad en América latina,* Andrés Bello, Santiago de Chile, 1996.

Lasch, Christopher, *La rebelión de las élites y la traición a la democracia,* Paidós, Buenos Aires, 1996.

Lavagna, R. y Giambiagi, F., "MERCOSUR: hacia la creación de una moneda común", en *Archivos del Presente,* N° 12, Buenos Aires, 1998.

Lechner, Norbert, "La problemática invocación a la sociedad civil", en *Perfiles Latinoamericanos,* N° 5, FLACSO, México, 1994.

Lechner, Norbert, *El problema de la gobernabilidad en América latina*, XVIII Asamblea General de CLACSO, Buenos Aires, 24-28 de noviembre de 1997.

Lechner, Norbert, "La reforma del Estado y el problema de la conducción política", en *Perfiles Latinoamericanos*, N° 7, FLACSO, México, diciembre de 1995.

Lechner, Norbert, *Los condicionantes de la gobernabilidad democrática en la América latina de fin de siglo*, conferencia magistral "40 Años de FLACSO", Buenos Aires, 26 de noviembre de 1997.

Lechner, Norbert, "Los nuevos perfiles de la política. Un bosquejo", en *Nueva Sociedad*, N° 130, marzo-abril de 1994.

Lechner, Norbert, *Los patios interiores de la democracia. Subjetividad y política*, Fondo de Cultura Económica, Buenos Aires, 1990.

Lechner, Norbert, "Tres formas de coordinación social", en *Revista de la CEPAL*, N° 61, Santiago de Chile, abril de 1997.

Linz, J., *La quiebra de las democracias*, Alianza Universidad, Madrid, 1991.

Lipovetsky, Giles, *El crepúsculo del deber. La ética indolora de los nuevos tiempos democráticos*, Anagrama, Barcelona, 1994.

Lipovetsky, Giles, *La era del vacío*, Anagrama, Barcelona, 1992.

Lo Vuolo, Rubén, "Crisis del Estado de bienestar. De la seguridad en el trabajo a la seguridad en el ingreso", en Peñalva, S. y Rofman, A. (comps.), *Desempleo estructural, pobreza y precariedad*, Nueva Visión, Buenos Aires, 1996.

Lo Vuolo, R., Barbeito, A. y otros, *Contra la exclusión. La propuesta del ingreso ciudadano*, Miño y Dávila-CIEPP, Buenos Aires, 1995.

López, Ernesto, *Globalización y democracia*, Papeles de Investigación, Universidad Nacional de la Plata-Universidad Nacional del Litoral-Universidad Nacional de Quilmes-Página/12, Buenos Aires, 1998.

Lozano, Claudio y Casinelli, Carlos, *Situación de la salud en Argentina*, IDEP, Buenos Aires, 1997.

Luna, Elba, *La representación en Argentina y el fortalecimiento de la sociedad civil*, Banco Interamericano de Desarrollo, marzo de 1995.

Lungo, Mario (comp.), *Gobernabilidad urbana en centroamérica*, FLACSO-Guri, San José, Costa Rica, 1998.

MacGrew, Anthony y Lewis, Paul, *Global Politics*, Polity Press, Cambridge, 1993.

Madariaga, Hugo, *MERCOSUR: análisis de las políticas sociales*, UNICEF, Santiago de Chile, 1995.

Mallimacci, Fortunato, "Demandas sociales emergentes: pobreza y búsqueda de sentido, redes solidarias, grupos religiosos y organismos no gubernamentales", en CEIL, *Pobreza urbana y Políticas Sociales*, septiembre de 1995.

Mallo, Susana (comp.), *Ciudadanía y democracia en el cono sur,* Trazas-Asociación Universidades-Grupo Montevideo, noviembre de 1997.

Marafioti, Roberto (ed.), *Culturas nómades. Juventud, culturas masivas y educación,* Biblos, Buenos Aires, 1996.

Mardones, J. M., *Posmodernidad y neoconservadurismo,* Verbo Divino-Estrella, 1991.

Margulis, Mario (ed.), *La juventud es más que una palabra. Ensayos sobre cultura y juventud,* Biblos, Buenos Aires, 1996.

Margulis, Mario, *La cultura de la noche,* Sudamericana, Buenos Aires, 1994.

Markoff, J. y Montecinos, V., "El irresistible ascenso de los economistas", en *Desarrollo Económico,* Vol. 34, N° 133, Buenos Aires, abril-junio de 1994.

Marsiglia, Javier, "La gestión social a nivel local", en *Prisma,* N° 4, 1995.

Martínez Nogueira, Roberto, "La reforma del Estado en Argentina: la lógica política de su desarrollo organizacional", en FORGES, *Documento 25,* Buenos Aires, 1993.

Méndez, José Luis, "¿Regresando al futuro? Posmodernidad y reforma del Estado en América latina", en *Revista del CLAD,* N° 6, julio de 1996.

Midgley, James, "La política social, el Estado y la participación de la comunidad", en Kliksberg, Bernardo, *Pobreza. Un tema impostergable,* Fondo de Cultura Económica, México, 1993.

Millán Valenzuela, René, "De la difícil relación entre Estado y sociedad. Problemas de coordinación, control y racionalidad social", en *Perfiles Latinoamericanos,* N° 6, FLACSO, México, junio de 1995.

Minsburg, N. y Valle, H. (eds.), *El impacto de la globalización. La encrucijada económica del siglo XXI,* Letra Buena, Buenos Aires, 1994.

Minujin, Alberto (ed.), *Desigualdad y exclusión. Desafíos para la política social en la Argentina de fin de siglo,* UNICEF-Losada, Buenos Aires, 1993.

Minujin, A. y Kessler, G., *La nueva pobreza en la Argentina,* Buenos Aires, Temas de Hoy, 1995.

Moneta, Carlos J. y Quenan, C. (comps.), *Las reglas del juego. América latina, globalización y regionalismo,* Corregidor, Buenos Aires, 1994.

Moneta, Carlos J., *El proceso de globalización: percepciones y desarrollos,* Corregidor, Buenos Aires, 1994.

Mulgan, Geoff, *Politics in an Antipolitical Age,* Polity Press, Cambridge, 1994.

Munck, Gerardo, "La democratización en perspectiva comparada. El debate contemporáneo", en *Desarrollo Económico,* N° 142, Buenos Aires, 1996.

Munck, Ronaldo, "After the Transition. Democratic Disenchantment in Latin America", en *Revista Europea de Estudios Latinoamericanos y del Caribe,* N° 55, Amsterdam, diciembre de 1993.

Muñoz de Bustillo, R. (comp.), *Crisis y futuro del Estado de bienestar*, Alianza, Madrid, 1989.

Nelson, J., "Introduction: The Politics of Adjustment in Developing Nations", en Nelson, J. (ed.), *Economic Crisis and Policy Choice: The Politics of Adjustment in the Third World*, Princeton University Press, 1990.

Nelson, Paul J., "Transparencia, fiscalización y participación. La implementación de los nuevos mandatos en el Banco Mundial y el Banco Interamericano de Desarrollo", en FLACSO, *Documento e Informes de Investigación Nº 199*.

Nochteff, Hugo, "Neoconservadorismo y subdesarrollo. Una mirada a la economía argentina", en Nochteff, Hugo (ed.), *La economía argentina a fin de siglo: fragmentación presente y desarrollo ausente*, FLACSO-EUDEBA, Buenos Aires, 1998.

Nolte, Detlef, "Procesos electorales y partidos políticos: tendencias y perspectivas en la década de los noventa", en *Perfiles Latinoamericanos*, Año 3, Nº 5, FLACSO, México, diciembre de 1994.

Nolte, Detlef y Werz, Nikolaus (eds.), *Argentinien*, Vervuert, Frankfurt del Main, 1996.

North, Douglas, *Institutions, Institutional Change and Economic Performance*, Cambridge University Press, Nueva York, 1990.

O'Donnell, Guillermo, "Accountability horizontal", en *Agora*, Nº 8, Buenos Aires, 1998.

O'Donnell, Guillermo, "Acerca del Estado, la democratización y algunos problemas conceptuales", en *Desarrollo Económico*, Vol. 33, Nº 130, julio-septiembre de 1993.

O'Donnell, Guillermo, "Estado, democratización y ciudadanía", en *Nueva Sociedad*, Nº 128, 1993.

O'Donnell, Guillermo, "¿Hacia una democracia delegativa?", en *Cuadernos del CLAEH*, Montevideo, 1993.

O'Donnell, Guillermo, *Modernización y autoritarismo*, Paidós, Buenos Aires, 1982.

O'Donnell, Guillermo, "Otra institucionalización", en *Agora*, Nº 5, Buenos Aires, 1996.

O'Donnell, G. y Schmitter, P. (eds.), *Transitions from authoritarian rule: tentative conclusions*, John Hopkins University Press, Baltimore, 1987.

Offe, Claus, *Contradicciones en el Estado de bienestar*, Alianza, México, Madrid, 1990.

Offe, Claus, *Partidos políticos y nuevos movimientos sociales*, Sistema, Madrid, 1989.

Omahe, Keniche, *El fin del Estado-nación*, Andrés Bello, Santiago de Chile, 1997.

Oman, Charles, *Globalisation and Regionalisation: the Challenge for Developing Countries,* OECD, 1994.

Orlansky, Dora, "Crisis y transformación del Estado en la Argentina (1960-1993)", en *Ciclos,* Vol. 4, N° 7, 1994.

Ortiz, Renato, *Otro territorio. Ensayos sobre el mundo contemporáneo,* Universidad Nacional de Quilmes, Buenos Aires, 1996.

Osborne, D. y Gaebler, T., *La reinvención del gobierno,* Paidós, Buenos Aires, 1994.

Oscar (comp.), *Estado y sociedad: Las nuevas reglas del juego,* Colección CEA-CBC, Vol. 1, Buenos Aires, 1997.

Palma Carvajal, Eduardo, "Descentralización y democracia: el nuevo municipio latinoamericano", en *Revista de la* CEPAL, N° 55, abril de 1995.

Paradiso, J., *Debates y trayectoria de la política exterior argentina,* GEL, Buenos Aires, 1993.

Paramio, Ludolfo, "Consolidación democrática, desafección política", en *Cuadernos del* CLAEH, N° 68, Montevideo, 1993-94.

Parker, Cristian, "Identidad, modernización y desarrollo local", en *Revista de la Academia,* N° 1, Santiago de Chile, primavera de 1995.

Pasquino, Gianfranco, "Gobernabilidad", en Bobbio, Norberto; Matteucci, Nicola y Pasquino, Gianfranco (comps.), *Diccionario de Ciencia Política,* Suplemento Siglo XXI, México, 1988, pág. 196.

Peñalba, S. y Grassi, M. (comps.), *Gobiernos locales en América latina,* Sur-CLACSO, Santiago de Chile, 1987.

Peñalva, S. y Rofman, A. (comps.), *Desempleo estructural, pobreza y precariedad,* Nueva Visión, Buenos Aires, 1996.

Pérez Llana, C., "La nueva agenda internacional y la política exterior argentina", en Russell, R. (comp.), *La política exterior argentina en el nuevo orden mundial,* FLACSO-GEL, Buenos Aires, 1992.

Pérez Miranda, Rafael, *El nuevo orden mundial y el futuro de los organismos financieros internacionales,* mimeo, Universidad Autónoma Metropolitana, México, 1996.

Peruzzotti, Enrique, "Sociedad civil, Estado y Derecho en Argentina", Universidad Torcuato Di Tella, *Working Paper N° 15,* Buenos Aires, abril de 1995.

Petrella, Ricardo, *El bien común. Elogio de la solidaridad,* Tema de Debate, Madrid, 1998.

Petrella, Ricardo, *Los límites de la competitividad,* Universidad de Quilmes-Grupo Lisboa, Buenos Aires, 1996.

Pico, J., *Teorías sobre el Estado de bienestar,* Alianza, Madrid, 1990.

Pinheiro, Vinicius, "Modelos de desenvolvimento e politica sociais na América latina em una perspectiva histórica", en *Planejamento e Políticas Públicas,* N° 12, IPEA, Brasilia, mayo de 1996.

Pinto, Julio, "El problema del poder en el contexto de la globalización", en *II Congreso Nacional de Ciencia Política*, SAAP, Mendoza, 1-4 de noviembre de 1995.

Porras Nadales, A. y De Vega García, P., *Teorías sobre la crisis de representación*, Centro de Estudios Institucionales, Barcelona, 1996.

Portantiero, Juan Carlos, *Los usos de Gramsci*, Siglo XXI, México, 1981.

Prevot Schapira, M., "Las políticas de lucha contra la pobreza en la periferia de Buenos Aires (1984-1994)", en *Revista Mexicana de Sociología*, N° 96, UNAM, México, 1996.

Programa Argentino de Derechos Humanos-Programa de las Naciones Unidas para el Desarrollo (PNUD), *Informe Argentino sobre Derechos Humanos 1995*, Comisión de Ecología y Derechos Humanos, Senado de la Nación, Buenos Aires, 1995.

Programa Argentino sobre Desarrollo Humano-Programa de las Naciones Unidas para el Desarrollo (PNUD), *Informe Argentino sobre Desarrollo Humano 1997*, Tomo I, Senado de la Nación, Buenos Aires, 1997.

Przeworsky, Adam (coord.), *Democracias Sustentables*, Paidós, Buenos Aires, 1998.

Przeworsky, Adam, *Democracy and the market*, Cambridge University Press, 1995.

Raczynscki, Dagmar (ed.), *Estrategias para combatir la pobreza en América latina: programas, instituciones y recursos*, CIEPLAN-BID, Santiago de Chile, 1996.

Raczynsky, Dagmar, *Focalización de programas sociales: lecciones de la experiencia chilena*, CIEPLAN, Santiago de Chile, 1996.

Rauss, Diego, *El Estado en América latina*, Hernandarias, Buenos Aires, 1994.

Razzeto, Luis, *Economía de solidaridad y mercado democrático. Fundamentos de una teoría económica comprensiva*, PET, Santiago de Chile, 1988.

Repetto, Fabián, *Capacidad de gestión pública y políticas frente a la pobreza: la experiencia menemista (1989-1996)*, ponencia presentada al Tercer Congreso Nacional de Ciencia Política, SAAP, Mar del Plata, noviembre de 1997.

Rifkin, Jeremy, *El fin del trabajo*, Paidós, Buenos Aires, 1996.

Rodríguez Arana Muñoz, Jaime, *Principios de ética pública. ¿Corrupción o servicios?*, Montecorvo, Madrid, 1993.

Rosanvallon, Pierre, *La nueva Cuestión Social. Repensar el Estado providencia*, Manantial, Buenos Aires, 1995.

Rosanvallon, P. y Fitoussi J., *La nueva era de las desigualdades*, Manantial, Buenos Aires, 1997.

Rosenau, James, "Globalizado localizante: las nuevas dimensiones de la seguridad", en *Diálogos y Seguridad*, N° 2, Caracas, noviembre de 1995.

Sabra, Jesús, *Contexto Económico Latinoamericano: Mercosur. Experiencia de Integración Subregional*, Seminario Avanzado Subregional "La formación de Negociadores en el Marco de la Integración Regional del Mercosur", CEFIR, Montevideo, 21-23 de julio de 1997.

Sain, Marcelo, "Sobre el concepto democracia delegativa desarrollado por Guillermo O'Donnell", en *El Príncipe*, N° 3-4, primavera de 1995.

Sartori, Giovanni, "Representación", en Sartori, G., *Elementos de teoría política*, Alianza, Madrid, 1992.

Scannone, J. C. y Remolina, G. (comps.), *Etica y economía*, Bonum, Buenos Aires, 1998.

Schvarzer, Jorge, *Ajuste, restructuración, políticas industriales y globalización económica*, XVIII Asamblea General de CLACSO, 24-28 de noviembre de 1997, Buenos Aires.

Sthal, Karim, "Política social en América latina. La privatización de la crisis", en *Nueva Sociedad*, N° 131, Caracas, mayo-junio de 1996.

Strange, Susan, *Casino Capitalism*, Basil Blackwell, Oxford, 1986.

Strange, Susan, *The Defective State,* Daedalus, 1996.

Strange, Susan, "The Limits of Politics", en *Government and Opposition*, Vol. 30, N° 3, 1995.

Strasser, Carlos, "Identidad cultural y ciudadanía, la tensión iberoamericana", en FLACSO, *Serie de documentos e informes de investigación*, N° 223, Buenos Aires, abril de 1998.

Sunkel, Osvaldo (comp.), *El desarrollo hacia adentro: un enfoque neoestructuralista para América latina,* Fondo de Cultura Económica, México.

Taylor, Charles, *La ética de la autenticidad,* Paidós, Barcelona, 1994.

Thompson, Andrés (comp.), *Público y privado. Las organizaciones sin fines de lucro en la Argentina,* UNICEF-Losada, Buenos Aires, 1995.

Thurow, Lester, *El futuro del capitalismo,* Javier Vergara, Buenos Aires, 1996.

Thwaites Rey, Mabel, "Apuntes sobre el Estado y las privatizaciones. La vergüenza de haber sido y el dolor de ya no ser", en *Aportes*, N° 1, "Estado, administración y políticas públicas", 1994.

Tomassini, Luciano, "Estado, gobernabilidad y desarrollo", en *El Príncipe,* septiembre-diciembre de 1995.

Torres Rivas, Edmundo, "América latina. Gobernabilidad y sociedades en crisis", en *Nueva Sociedad,* N° 128, Caracas, 1997.

Touraine, Alain, *Crítica a la Modernidad*, Fondo de Cultura Económica, Buenos Aires, 1994.

Touraine, Alain, "Comunicación política y crisis de la representatividad", en Wolton, Dominique; Ferry, Marc y otros, *El nuevo espacio público*, Gedisa, Barcelona, 1992.

Touraine, Alain, *Estado y política en América latina*, Fondo de Cultura Económica, México, 1987.

Touraine, Alain, *¿Podremos vivir juntos?*, Fondo de Cultura Económica, Buenos Aires, 1998.

Touraine, Alain, *¿Qué es la democracia?*, Fondo de Cultura Económica, Buenos Aires, 1994.

Tussie, Diana, *El BID, el Banco Mundial y la sociedad civil: nuevas formas de financiamiento internacional*, FLACSO-CBC, Universidad de Buenos Aires, 1997.

Tussie, Diana, "Multilateralism's New Approach in the Global Economy", en *SELA*, N° 53, junio de 1998.

Ulrich, P., *Transformation der ekonomischen Vernunft. Fortchrittsperspektiven der modernen Industriegesellschaft*, Berna-Stuttgart, 1986, 3ª edición, 1993.

Vanozzi, J., *El municipio*, De Palma, Buenos Aires, 1990.

Vázquez Barquero, A., *Política económica local*, Pirámide, Madrid, 1993.

Vidal, Marciano, *Para comprender la solidaridad*, Verbo Divino, Navarra, 1996.

Vilas Carlos (comp.), *Estado y políticas sociales después del ajuste. Debates y alternativas*, UNAM-Nueva Sociedad, Caracas, 1996.

Vilas Carlos, "Gobernabilidad y Globalización", en *Realidad Económica*, N° 157, 1998.

Villanueva, Ernesto (comp.), *Empleo y globalización. La nueva cuestión social en la Argentina*, Universidad Nacional de Quilmes, 1997.

Von Bayme, Klaus, *Teoría política del siglo XX: de la modernidad a la posmodernidad*, Alianza Universitaria, Madrid, 1991.

Wahl, Peter, "Tendencias globales y sociedad civil internacional. ¿Una ONGización de la política munidal?", en *Nueva Sociedad*, N° 149, Caracas, 1997.

Werz, Nikolaus, *Pensamiento sociopolítico moderno en América latina*, Nueva Sociedad, Caracas, 1995.

Williamson, John, *Democracy and the Washington Consensus*, Institute for International Economics, Estados Unidos, 1993.

Zolo, Danilo, *Democracia y complejidad*, Nueva Visión, Buenos Aires, 1994.

ÍNDICE

ÍNDICE

Esta edición
se terminó de imprimir en
Grafinor S.A.
Lamadrid 1576, Villa Ballester,
en el mes de abril de 2000.